Алексей
Варламов

Алексей Варламов

Мысленный ВОЛК

Роман

РЕДАКЦИЯ
ЕЛЕНЫ ШУБИНОЙ

Издательство
АСТ

Москва

УДК 821.161.1-31
ББК 84(2Рос=Рус)6-44
  В18

Художник *Андрей Рыбаков*

Варламов, Алексей Николаевич.

В18   Мысленный волк : роман / Алексей Варламов. —
Москва : Издательство АСТ : Редакция Елены Шубиной,
2015. — 508, [4] с. — (Новая русская классика).

ISBN 978-5-17-092481-3

Алексея Варламова называют самым разносторонним писателем — его романы и повести легко уживаются рядом с ма-
стерски написанными биографиями в серии «ЖЗЛ». Лауреат
премии «БОЛЬШАЯ КНИГА», премии Александра Солженицына
и Патриаршей литературной премии.

Действие нового романа Алексея Варламова происходит
в один из самых острых моментов в российской истории —
«бездны на краю», — с лета 1914-го по зиму 1918-го. В нем живут
и умирают герои, в которых порой угадываются известные
личности: Григорий Распутин, Василий Розанов, Михаил Пришвин,
скандальный иеромонах-расстрига Илиодор и сектант Щетинкин;
мешаются события реальные и вымышленные. Персонажи романа
любят — очень по-русски, роковой страстью, спорят и философ-
ствуют — о природе русского человека, вседозволенности, Ницше,
будущем страны и о... мысленном волке — страшном прелестном
звере, который вторгся в Россию и стал причиной ее бед...

Роман вошел в шорт-лист премии «Большая книга».

УДК 821.161.1-31
ББК 84(2Рос=Рус)6-44

Часть I
ОХОТНИК

1

Больше всего на свете Уля любила ночное небо и сильный в нем ветер. В ветреном черном пространстве она во сне бежала, легко отталкиваясь ногами от травы, без устали и не сбивая дыхания, но не потому, что в те минуты росла — она невысокая была и телосложением хрупкая, — а потому что умела бежать, — что-то происходило с тонким девичьим телом, отчего оно отрывалось от земли, и Уля физически этот полубег-полулет ощущала и переход к нему кожей запоминала, когда из яви в сон не проваливалась, но разгонялась, взмывала, и воздух несколько мгновений держал ее, как вода. А бежала она до тех пор, пока сон не истончался и ее не охватывал ужас, что она споткнется, упадет и никогда больше бежать не сможет. Тайный страх обезножеть истязал девочку, врываясь в ее ночные сны, и оставлял лишь летом, когда Уля уезжала в деревню Высокие Горбунки на реке Шеломи и ходила по тамошним лесным и полевым дорогам, сгорая до черноты и сжигая в жарком воздухе томившие ее дары и кошмары. А больше ничего не боялась — ни темноты, ни молний, ни таинственных ночных всполохов, ни больших жуков, ни бесшумных птиц, ни ос, ни змей, ни мышей, ни резких лесных звуков, похожих на взрыв лопнувшей тетивы. Горожанка, она была равнодушна к укусам комаров и мошки, никогда не простужалась, в какой бы холодной речной воде ни купалась и сколько б ни мокла под августовскими дождями. Холмистая местность с островами лесов среди болот — гривами, как их тут называли, — с лесными озерами, ручьями и заливными лугами одновременно успокаивала и будоражила ее, и, если б от Ули зависело, она бы здесь жила и жила, никогда не возвращаясь в сырой, рассеченный короткой широкой рекой и изрезанный узкими кривыми каналами Петербург с его грязными домами, извозчиками, конками, лавками и испарениями человеческих тел. Но отец ее, Василий Христофорович Комиссаров, выезжал в Высокие Горбунки только летом, ибо остальное время работал механиком на Обуховском заводе и в деревне так скучал по машинам, что почти все время занимался починкой нехитрых крестьянских механизмов. Денег с хозяев за работу он не брал, зато на завтрак всегда кушал свежие яйца, молоко, масло, сметану и овощи, отчего болезненное, землистое лицо его молодело, лоснилось, становилось румяным и еще более толстым, крепкие зубы очищались от желтого налета, а азиатские глазки сужались и довольно смотрели из-под набрякших век. На горбунковских мужиков этот хитрый опухший взгляд действовал столь загадочным образом, что они по одному приходили к механику советоваться насчет земли и хуторов, но об этом Василий Христофорович сказать не умел, однако мужикам все равно казалось, что петербургский барин что-то знает, но утаивает, и гадали, чем бы его к себе расположить и неизвестное им выведать.

Иногда, к неудовольствию молодой жены, Комиссаров ходил на охоту вместе с Павлом Матвеевичем Легкобытовым, надменным нервозным господином, похожим чернявой всклокоченностью не то на цыгана, не то на еврея. Легкобытов по первой профессии был агрономом, но на этой ниве ничего не взрастил, если не считать небольшой книги про разведение чеснока, и заделался сначала журналистом, а потом маленьким писателем, жил в деревне круглый год, арендуя охотничьи угодья у местного помещика князя Люпы — загадочного старика, которого никогда не видел, потому что у Люпы была аллергия на дневной свет и на людские лица, за исключением одного — своего управляющего. Про них двоих говорили дурное, но Легкобытов в эти слухи не вникал, он был человек душевно и телесно здоровый, с удовольствием охотился в прозрачных сосновых и темных еловых лесах, натаскивал собак, писал рассказы и в город ездил только за тем, чтобы пристраивать по редакциям рукописи да получать гонорары по двадцать копеек за строчку. Журналы его сочинения охотно брали, критика их то лениво бранила, то снисходительно хвалила, а механик Комиссаров любил своего товарища слушать и был у Павла Матвеевича первым читателем и почитателем. Однажды он даже привез сочинителю из Германии в подарок велосипед, на котором Легкобытов лихо разъезжал по местным дорогам, вызывая зависть мальчишек и ярость деревенских собак. На первых он не обращал внимания, а от вторых отбивался отработанным приемом: когда пес намеревался схватить его за штанину, велосипедист резко тормозил, и животное получало удар каблуком в нижнюю челюсть. Но столь жестоко Павел Матвеевич относился только к чужим псам, в своих же охотничьих собаках души не чаял, ценил их за ум, выносливость и вязкость и дивные давал имена — Ярик, Карай, Флейта, Соловей, Пальма, Нерль, а у иных было и по два имени: одно для охоты, другое для дома. Однажды купил гончую по имени Гончар и переименовал в Анчара. Он был вообще человек поэтический, хоть и казался грубым и резким.

После стычек с невоспитанными сельскими псинами штаны у Легкобытова оказывались порванными и их зашивала красивая, дородная и строгая крестьянка Пелагея, которая всюду за Павлом Матвеевичем следовала. Помимо охотничьих собак у них было трое детей: младшие — общие, такие же цыганистые и плотные, как их отец, а старший — белесый, худощавый, синеглазый, с длинными девичьими ресницами и пухлыми губами, — Алеша, был Пелагеиным сыном от другого человека. Павел Матвеевич пасынка не слишком жаловал, и не потому, что Алеша был ему по крови чужой, а потому, что относился к детям равнодушно и занимался в жизни только тем, что ему нравилось. А что не нравилось — отметал и в голове не держал.

Уля же с Алешей часто играла и очень его жалела. Оттого что сама она росла с мачехой, ей все время казалось, будто бы Алешу обижают в семье и даже занятая хозяйством мать относится хуже, чем к младшим сыновьям. Уля с детства таскала для своего товарища из дома лакомства и, перенимая крестьянскую печаль, во все глаза смотрела, как Алеша уплетает гостинцы, хотя впрок печенья и конфеты ему не шли и кости все равно выпирали из загорелого мальчишеского тела, а нежное лицо оставалось всегда трагически готовым к обиде. Однажды Уля накопила денег и купила ему нарядную рубашку, но Алеша смутился, потому что надеть обновку ему было некуда, а как объяснить матери, откуда рубашка взялась, он не знал.

— Не нравится? — истолковала по-своему его смущение Уля.

— Велика, — не соврал он, потому что с размером Уля и в самом деле ошиблась, и спрятал рубашку в овине подальше от чужих глаз, но зоркая Пелагея ее нашла.

Она выслушала Алешины спутанные объяснения, однако ругать сына не стала, а как-то странно хмыкнула, и обыкновенно сухие, прищуренные глаза ее помутнели и сузились, не давая выходу той судорожной материнской любви, которую Пелагея в себе носила, но о которой ни Павел Матвеевич, ни Уля не догадывались. Павел Матвеевич по самонадеянности, а Уля если во что уверовала, то переубедить ее не было никакой возможности. И Алеша с нею не спорил, а делал все, как она велела, — качался до головокружения на гигантских шагах, устроенных механиком, плавал на лодке-плоскодонке, учил свою подружку ловить рыбу и раков, которых они варили на костре, и, таращa глаза — ему спать хотелось, потому что утром вставать ни свет ни заря, — слушал Улины сказки про трехглазых людей, которым третий глаз дан для того, чтобы не видеть обыденного и прозревать сокровенное, и Уля верила, что у нее этот глаз есть, но еще пока не открылся.

— А чтобы глаз открылся, — говорила Уля Алеше чужим голосом, — надо делать особенные упражнения. Хочешь, научу?

— Хочу, — отвечал Алеша, и Уля чувствовала, как по ее позвоночнику от шеи до пояса пробегает легкий озноб.

Она невзначай касалась Алеши и тотчас отдергивала руку:

— А ты отчего в школу не ходишь?

— Зачем мне? Я и так все, что мне надо, умею и знаю. Читать умею, писать, знаю счет. Для чего мне лишнее?

— Это не лишнее, — возражала Уля, наблюдая за тем, как лихо Алеша делает рачницу, обвязывая сеткой ивовый прут и прикрепляя к центру камень с тухлой рыбой, а сама думала: «А правда, что толку, что он знал бы кучу ненужных вещей, которые знаю я?» Она вспоминала воспитанных петербургских мальчиков, с которыми бывала вместе на детских утренниках и елках: «Окажись они здесь, то пропали бы, не знали бы, как меня укрыть, а с Алешей ничего не страшно».

Страшно было только однажды, когда под вечер вытаскивали из реки перемет и после лещей, язей, налимов увидели на предпоследнем крючке человеческий нос, от которого шел резкий запах. Уля закричала, затряслась, Алеша побледнел, поднял голову и, ни слова не говоря, показал пальцем на реку. На самой ее середине, медленно вращаясь, плыл на спине человек в шубе, брюках и валенках. Лицо у утопленника было белое, обезображенное, волосы тоже белые, спутанные.

— Это мы его... переметом зацепили.

— Надо взрослым сказать.

— Не надо, пусть плывет куда плывет. А мы ничего не видали. Зимой управляющий князя Люпы пропал. Поехал с утра на станцию, а вечером лошадь пришла с пустыми санями. Мужики его, говорят, убили.

— За что?

— Немец был. Нитщ. А князь запил и от тоски вслед за ним помер. А перед тем наказал выставить на похоронах три ведра самогону, напоить всех, и чтобы на поминках до упаду плясали и плакать не смели.

Уля втянула голову в плечи и посмотрела по сторонам. Но ничего особенного не происходило: виднелись вдали темные деревенские избы с растрескавшимися бревнами и нарядными окнами, цвели луга, пели птицы и шли по полю загорелые, уверенные в себе женщины в узорчатых платках. Ничто не могло эту мирную картину порушить, и только отец, когда читал газеты, говорил странное, тревожное, иногда ему присылали телеграммы, от которых он смурнел, но Уля в эту сторону его жизни не вникала. Когда мачехи не было рядом, ей хотелось прижаться к нему, почувствовать родной запах и сладко заплакать, но отец в те минуты, когда она к нему ластилась, становился беспомощным, деревенел, пугался, и это останавливало ее и будило мысли мутные, тяжкие: «А может, и он мне неродной? Может быть, я вовсе подкидыш, сирота? И у меня были другие родители?»

Дни стояли долгие, не по-северному сухие, безветренные, жаркие. Жирное, студенистое солнце поднималось над горизонтом и лениво плыло по белесому небу, обжигая и суша кожу земли. Уля ждала вечера, тех часов, когда деревья начнут отбрасывать долгие тени, которые постепенно размывались, смешивались с сумерками, и все холмистое пространство слабо озарялось прохладной луной. Чем ближе было полнолуние, тем сильнее волновалась в ней кровь. Она знала, что такою ночью будет бежать, была возбуждена и тормошила худого большеголового Алешу, но взять его с собой не могла, а он смотрел на нее двумя грустными прищуренными глазами и, как умная собака, чуял ее недолгую судьбу.

Под вечер возвращались охотники. Измученный, мокрый от пота, грузный механик едва волочил стертые ноги и надсадно дышал, а жилистый, неутомимый Павел Матвеевич был бодр, будто не по лесам и болотам вдоль Шеломи шарашил, а сидел весь день в тени в парусиновых креслах и читал модного иностранного писателя Гамсуна вперемежку с иллюстрированным журналом «Нива», как это делала Вера Константиновна Комиссарова, жена механика, высокая, крупная женщина с тяжелыми медными волосами, относившаяся к Легкобытову с такой насмешливостью и подчеркнутым презрением, что даже Уле становилось неловко. Однако охотник невежливости не замечал или придавал женским уколам значение не большее, чем лаю деревенского беспородного пса. Веру Константиновну его снисходительность и пренебрежительность еще пуще злили и красили. За что именно мачеха своего деревенского соседа презирала, наблюдательная Уля уразуметь не могла — то ли за простонародную хозяйку с ее курами и козами, то ли за то, что Павел Матвеевич ничем своей бабе не помогал, а лишь пользовался ее трудами и услугами: она даже портянки ему наматывала, он так и не научился, зато был высокомерен сверх меры, воображал себя знаменитостью и, когда приезжал в Петербург, вечерами ходил на религиозные собрания в философский клуб для интеллигентов, а ночами водил дружбу с темными и страшными людьми — сектантами-чевреками. Об этих сектантах он вполголоса рассказывал, что есть у них главный человек — Исидор Щетинкин, бывший ученый иеромонах, бывший черносотенец, оратор и миссионер, которому чевреки поклоняются как богу, а он заставляет женщин делать с ним половые мерзости.

— Они все там бывшие.

— Это как? — недоумевал механик Комиссаров.

— Родители, когда их дети становятся совершеннолетними, от них отрекаются и говорят: мой бывший сын или моя бывшая дочь. А дети — моя бывшая мать или бывший отец.

Все это было и страшно, и непонятно, но странным образом сильный, кряжистый Легкобытов с его черной с проседью бородой и крючковатым носом Улю то пугал, а то завораживал, и она старалась почаще попадаться ему на глаза, хоть и боялась красивой Пелагеи.

Павел же Матвеевич был с девочкой ласково-равнодушен, но при этом не слишком внимателен. Однажды только поинтересовался на ходу высоким, мальчишеским голосом, совсем не подходившим к его диковатому лесному облику:

— Что это вы читаете, милая барышня?

— «Антоновские яблоки», сочинение господина академика Бунина, — сказала она примерно и сделала глубокий книксен.

— А-а, соседушка... — Мягкие губы презрительно дернулись и приоткрыли коричневые зубы. — Однокашничек.

— Вы с ним учились? — спросила Уля благоговейно.

— Вот уж, слава богу, не довелось. Его прежде меня из гимназии выставили.

— За что?

— За неспособность к наукам, надо полагать. А чего с малокровного дворянского сынка взять?

— Вы-то кто тогда? — побелела от обиды Уля.

— Я — сын лавочника и радостный пан.

Пелагея Ивановна разделывала подстреленную птицу, бросая потроха собакам, и казалось, что-то насмешливое было в движении ее бесстрастных, больших, никогда не замиравших в работе рук. Тихо стрекотали кузнечики, мужчины пили водку, но немного — Улин папа пить не любил, а мнительный Павел Матвеевич любил очень, но еще больше боялся спиться подобно своему отцу-алкоголику, и, сидя в глубине террасы, Уля слушала, как Легкобытов рассказывает историю своей первой любви.

2

— ...за границей. Я — изгнанный с волчьим билетом из гимназии недоучка, отсидевший год в одиночной камере за политику и возненавидевший революцию студент Лейпцигского университета. Она — дочь статского советника из Петербурга. Мы познакомились в Берлине, в Старом музее, возле одной очень странной скульптуры. Это мраморное изваяние девочки, одетой в короткую тунику, приспущенную с одного плеча. Волосы у девочки убраны по-взрослому, она сидит, поджав ноги, смотрит вниз и отрешенно перебирает какие-то камушки. Самое поразительное, что, когда глядишь на нее с разных сторон, возникают противоположные ощущения — умиление, печаль, нежность, безысходность.

— Девочка, играющая в кости, — сказал Комиссаров с важным видом. — Очень известная древнеримская скульптура. Второй век до нашей эры.

— Она стояла перед ней с таким напряжением, словно это была ее дочь, младшая сестра или, возможно, она сама, таинственным образом проживающая свою вторую жизнь, и я вдруг понял, что всегда любил эту маленькую темноволосую женщину, которую издалека можно было принять за ребенка. Да-да, ее одну и больше никого. Она стояла и не уходила очень долго, а потом обернулась ко мне, я увидел у нее на глазах слезы, хотел что-то ей сказать, но немецкие звуки застряли у меня в горле, и вырвались наши.

— А-а, вы русский? — промолвила она невесело и взяла меня под руку. — Ну конечно, кто же еще здесь может остановиться? Как вы думаете, сколько ей было лет?

— Не знаю, одиннадцать, возможно, двенадцать.

— Нет, она была старше, — возразила она. — Она была уже девушкой. Посмотрите на ее грудь. И на лице у нее были веснушки.

— Почему вы так решили?

— Не знаю. Мне так кажется. А отчего вы вдруг покраснели? — спросила она рассеянно и прибавила: — Господи, какая ужасная история. Вы так ничего и не поняли?

— Нет. Что я должен был понять?

— Это надгробие. Девушка умерла, и родители поставили памятник на ее могиле. А теперь ее второй раз разлучили с телом и выставили всем на обозрение.

Признаться, мне стало очень не по себе: я терпеть не могу надгробий, кладбищ, памятников и всего, что с этим связано, и она это как будто почувствовала:

— Ну что, пойдемте? После этого уже нельзя ни на что здесь смотреть.

Мы бродили по Берлину весь вечер, отвлеклись, я говорил ей нежные слова, говорил впервые в жизни, безо всякого смущения, она слушала и почти ничего не отвечала, но по ее молчанию я догадывался, что ей приятно. Вскоре я понял, что она совсем не знает жизни: сначала француженка-гувернантка, потом Смольный институт и заграница — подальше от России, чтобы не видеть всей нашей грязи... Так повелел ее чиновный папаша, она поначалу рыдала, хотела из дома убежать и чуть ли не пойти в монастырь, а потом покорилась и была его волей премного довольна. А еще бы! Предоставлена сама себе, получала на свое содержание немалые деньги и никому ни в чем не давала отчета. Возвратиться в Россию ей показалось бы теперь самым страшным наказанием. Однако даже в Берлине воротила нос от рабочих в трамвае — те якобы дурно пахнут. Я ее пристыдил, и она рассказывала мне потом, что поначалу я ей совсем не понравился и она даже не ожидала, что я окажусь таким глубоким, страдающим человеком. Мы встречались с ней каждый день, гуляли, много разговаривали. Ее почему-то особенно интересовало, как я чувствовал себя в тюрьме, о чем думал, какие видел сны, приходил ли ко мне кто-нибудь на свидание, хотя мне эти воспоминания были неприятны. Но она все равно спрашивала. Иногда мы заходили в Старый музей к той девочке, собирались пожениться, да так и не поженились.

— Отчего? — полюбопытствовал Василий Христофорович.

— Отчего люди не женятся? Она богата, знатна, я неуч, голь, человек с темным прошлым и безо всякого будущего. Ей было даже страшно сказать родителям, с кем она связалась. Да и что бы мы стали делать дальше? Возвращаться в страну, которую она презирала? Оставаться за границей мне? Да там такой охоты, как у нас, нет. Она считала меня фантазером, человеком ненадежным, неверным. Но главное было все-таки не в это, — сказал тише, так, чтобы не услыхала Пелагея Ивановна, Павел Матвеевич, и глаза его чудесно замерцали в полупрозрачной мгле. — Мне было двадцать семь лет, а я еще был девственником.

— Ах вот оно что! — воскликнула Вера Константиновна и звонко рассмеялась. — Потому-то вы так покраснели в музее. Первый раз увидели грудь молоденькой девушки, да и та оказалась мраморной.

— Не понимаю, что в этом смешного, — нахмурился Легкобытов.

— Простите, я не хотела вас обидеть. Просто я только теперь догадалась, отчего у вас такой тонкий голос. Мальчики, которые поздно становятся мужчинами, все писклявые.

— Обидеть? — удивился Павел Матвеевич. — Неужели вы думаете, что этим можно обидеть? Я и писателем не стал бы, если бы растратил в молодости свое драгоценное вещество. Нет, это хорошо, что так получилось, я не жалею. А там была своя причина, детская, глубокая... И женскую грудь я увидел гораздо раньше, если вас это так интересует. Я был мальчиком, гимназистом, когда меня впервые привели в публичный дом. Там был большой рояль, какой-то пьяный безумец на нем играл, огромная голая женщина, лиловая, толстая, повела меня за собой... я испугался, закричал... Нет, не хочу вспоминать. И она тоже была совсем неопытна в свои двадцать три или двадцать четыре. Это нас сковывало ужасно. Мы боялись даже поцеловаться и словно ждали, что кто-то должен нас этому научить.

— Прямо Дафнис и Хлоя какие-то! — опять не удержалась мачеха, и освещенное керосиновой лампой удлиненное лицо ее с блестящими глазами и чувственными губами против обыкновения выразило не иронию, но сочувствие, хотя сочувствовала она, как показалось девочке, лишь никому не ведомой женщине.

— Те двое были совсем юными, мы — нет, — возразил Легкобытов и бросил на Веру Константиновну быстрый взгляд. — Я любил ее, но в этой любви не умел соединить тело и душу. Мне казалось, ее это оскорбит. А ее оскорбляло другое. Измучили мы друг друга донельзя и в конце концов расстались. Я вернулся в Петербург на грани самоубийства. Или поступления в секту, что, впрочем, одно и то же. Приходил на собрания к чеврекам, слушал, как они поют свои протяжные заунывные песни, и внимал их проповедям. Жизнь есть чан кипящий, говорили они. Бросьтесь в этот чан с головой, умрите, и мы вас воскресим. Я ходил по краю, голова у меня кружилась. Щетинкин твердил мне, что давно считает меня своим, и удивлялся, почему я к ним не переселяюсь. А мне казалось, еще немного — и я взорвусь. Пойти к проституткам я не мог — брезговал, боялся подхватить дурную болезнь или опозориться... Не знаю, что меня спасло. Наверное, мать обо мне молилась. А может быть, охота уберегла. Я убил свою первую птицу задолго до того, как познал первую женщину, и уже тогда почувствовал себя свободным и независимым. Я понял, что должен раствориться в русском пространстве и расходовать энергию только на добывание средств к существованию, а все остальное для чего-то копить. Впрочем, ничего другого я и не умел. Уехал в деревню, ходил на охоту, почти не спал и однажды встретил женщину, молодую, красивую и очень простую. У нее был муж, за которого ее выдали насильно в пятнадцать лет. Он ее бил, оскорблял... Она ушла от него к родителям, но он как-то раз подловил ее у реки, когда она пошла за водой, намотал косы на руку и начал топить. Поля изловчилась и ударила его коромыслом. Он потерял сознание, стал тонуть, и она его еле вытащила.

— Ужас какой!

«А зачем вытащила?» — едва не высунулась из своего угла Уля.

— Она ж не изверг какой, — точно услыхал вопрос девочки Легкобытов и повернулся к Вере Константиновне. — Здесь так живут — чего вы хотите? Оставаться в деревне после этого ей было невозможно. Несколько лет скиталась по людям, работала прачкой, кухаркой, родила от кого-то ребенка и однажды пришла ко мне спросить, нет ли для нее работы. Она стояла на крыльце моего дома — гибкая, сильная, в простом ситцевом платье, и на лице у нее было какое-то странное, очень гордое выражение, точно она не наниматься пришла, а снисходила до меня. Ах, жаль, у меня не было тогда фотоаппарата. Я был счастлив с ней — она сняла с меня мое благословенное проклятие как раз тогда, когда его и надо было снять. Вы и представить себе не можете, что испытывает мужчина, с которым первый раз это происходит почти в тридцать лет. Так скапливаются в болотах солнечные лучи, а потом возгорают, и уже ничто не может их потушить. Вот и я возгорел огнем неугасимым. И с той поры где и сколько мы только с Полей не любились — на лугах, полях, в лесу. А после она всякий раз пела мне песни, но я всегда помнил о том, что я у нее не первый и даже не второй мужчина. Она была меня на несколько лет моложе, но очень опытна, и я не мог разобрать, оскорбляет это меня или нет. Но душа у нее оставалась девственной. Мне нравилась ее речь — за нею можно было записывать. Меня умиляло все, что она делала: стряпала, стирала, полола, доила корову, которую мы купили, как только сошлись. Вот какие соки-то были! Но более всего меня восхищало то, что она неграмотна, не испорчена тем, чем испорчены тысячи людей вокруг. Я даже взял с нее клятву, что она никогда не будет просить меня и не научится сама читать или писать. И уж тем более никогда не прочтет написанное мной. Но прошло время, и я заскучал. Поля стала казаться мне обыкновенной, такой же как все, деревенской бабой — мелочной, сварливой, придирчивой. А грамотной или неграмотной — какая разница! Прошла иллюзия жизни с мужичкой. Потом она забеременела, подурнела, и я уехал в Петербург. Адреса ей не оставил. Поселился на Охте, где огороды. И вот представьте себе, она меня там нашла. Продала корову и явилась однажды с двумя детьми. Хотел прогнать ее, да духу не хватило. Так я фактически и женился, хотя повенчаться мы не могли: Поля до сих пор не разведена.

Он замолчал. Ночь была короткая, дрожащая, с до конца не сгустившейся, какой-то разведенной чернотой и смутным светлым пятном на севере, отражавшим воду далекого озера и доносившим до террасы его свежесть и сырость. На фоне северного света четко были видны силуэты взрослых людей: застывшей — точно в игре «Замри!» — изящной женщины и двух мужчин, один из которых казался пожилым, вялым, а другой был свеж, взволнован, силен. Пронзительно кричали совы. Пахло неизвестными травами и цветами. Изредка поднимался слабый ветер, но потом все снова стихало.

— И это всё? — сказала Вера Константиновна и поежилась.

— Весной я познакомился с одним человеком, этнографом, который занимался степью и степняками. Я поехал с ним в Киргизию, там совсем другая охота, чем здесь, очень интересная, с архарами, которых особенным образом приручают, и я подумал остаться в степи навсегда. Но потом понял, что степь не для меня, я лесной человек и голое пространство до самого горизонта, когда не за что зацепиться глазом, меня подавляет. Я вернулся в Петербург и написал за две недели книгу про арабов и черных птиц. Ее опубликовал мой приятель полковник Девриен и посоветовал мне писать еще. А потом родился второй мой сын, и я смирился, семейство стало для меня чем-то вроде обоза, с которым я кочую по свету, но ту, другую, неземную, неплотскую женщину я не забывал все эти годы. Она была как зеркало мое, и в этом зеркале я видел лучшую, неоскорбляемую часть своего существа. Я писал ей длинные письма, она отвечала коротко, говорила, что много работает и очень занята. Она поссорилась с отцом, ей нужно было зарабатывать на жизнь, а она привыкла жить хорошо... Как она там существовала, вышла ли замуж, нашла ли себе покровителя, поступила ли на службу, куда? — я не знал, но меня это так мучило, что я даже боялся о том спросить. Только однажды она вскользь упомянула чью-то поразившую ее фразу, что долг каждого русского за границей быть шпионом для своего правительства. Но что это значило? Не знаю... Я жил от одного ее письма до другого. А она отвечала нерегулярно, да и почта между нашими странами медленная. Однажды я набрался смелости и послал ей свои книги. «Мне непонятно и скучно то, что вы пишете. У вас совсем нет людей, а только одна природа», — ответила она полгода спустя, и в тот миг, когда я прочел ее приговор, был готов уничтожить, разодрать все написанное мною. Мне было плевать, что говорил про меня Разумник Васильевич, что меня приняли за мои сочинения в Географическое общество и однажды я получил письмецо от Валерия Яковлевича, а потом подружился с Алексеем Михайловичем. Ничто не стоило хотя бы одного слова ее одобрения. Но этого слова не было. И вот несколько лет назад она неожиданно назначила мне свидание на вокзале в Польцах. Она возвращалась из-за границы и была проездом в наших краях. Вы себе представить не можете, какое это произвело на меня впечатление. Я не мог спать несколько ночей, забросил охоту, ничего не писал, а Поля стала что-то подозревать и следила за каждым моим шагом. Она не могла прочесть ее писем, да и встревожить они ее не могли: у меня каждый день бывает порядочная корреспонденция, но мне все время чудилось, что она знает все. Это было что-то невыносимое. Куда бы я ни шел, мне чудились Полины шаги, ее сухие тусклые глаза. Я так измучил себя, что перепутал случайно день. Приехал на станцию на сутки позже.

Голос у него сделался страшно печальным и хриплым от ночной сырости, так что даже мальчишеская звонкость куда-то подевалась, стерлась.

— Так я разминулся с единственной женщиной, которая могла бы составить мое счастье. И после этого она исчезла навсегда. И больше я ее не видел. И уже, наверное, не увижу. Не знаю, что было бы, если бы мы все-таки поженились. Возможно, я был бы счастлив, а может быть, она точно так же надоела бы мне и я бы раздумывал, куда от нее сбежать. Но разве эти вещи заранее поймешь? Но что я точно знаю, так это что без нее счастлив не буду никогда. Самое поразительное, что я совсем не помню, как она выглядит, хотя долгое время надеялся встретить ее в петербургской толпе. Помню, как она одевалась, все ее юбки, клетчатую кофточку, дамские ботинки коричневого цвета — все, что так умиляло меня, а вот лица почему-то не помню. И фотографии ее у меня нет, и, наверное, даже если б я увидел ее сегодня, то не узнал бы. А она прошла бы мимо меня. Да и столько лет миновало — мы оба очень переменились. Но если бы она меня только поманила... Я бы ушел от Поли, и она это знает. И не пускает меня. Представьте себе, каково это — жить с женщиной, которая стесняет вашу свободу, каждый ваш шаг, и думать все время о другой...

Он говорил еще, что-то отвечали ему мачеха и отец, но Уля уже не слышала. Она размышляла о женщине, с которой что-то странное произошло, она, наверное, так и не вышла замуж, а если и вышла, то продолжает Павла Матвеевича любить, а муж ее ничего не знает, но догадывается, что жена любит другого, и страдает. Чужая судьба волновала ее больше, чем собственная, она как будто заранее смирилась с тем, что из нее самой ничего не получится, потому что она — Уля, Ульяна Комиссарова, нечаянно родившаяся во дворце великого князя Петра Николаевича, ценителя и покровителя изящных искусств, брошенная родной матерью и ненужная отцу пятнадцатилетняя фантазерка с исцарапанными ногами, холодным утиным носом, мелкими веснушками на худощавом лице и длинными русалочьими волосами, которую однажды на высоком холме на фоне полунощного неба над Шеломью увидал писатель Легкобытов и едва по привычке не вскинул изящное немецкое ружье.

3

Это дамское ружьецо редкого двадцать четвертого калибра Павел Матвеевич купил в магазине Ганса Кронгауза на Васильевском острове близ Ярославского подворья на второй год своей жизни в Петербурге. Стоило ружье немыслимо дорого — пятьдесят рублей, но он влюбился, как юноша, и не смог устоять, хотя не только в красоте заграничной вещицы было дело. Легкобытов помимо высокого голоса обладал еще и тайным изъяном, о котором никому не рассказывал и от которого куда больше страдал: у него были слабые руки. Ноги как у лося, глаза остроты запредельной, выдержан, хладнокровен, осторожен, неутомим, зверя мог преследовать с рассвета до темноты, а иногда и при свете луны, проходя по нескольку десятков километров осенью по чернотропу и по белой тропе зимой, а вот руки подвели, не иначе как не от семижильной матери, но от хрупкого отца, ничего тяжелее колоды карт не поднимавшего, достались, и оттого из больших, или, как говорили охотники, харчистых, ружей Легкобытов промахивался и очень нехорошо эти промахи переживал. А легкий бескурковый «зауэр», весивший всего два с половиной килограмма, с темномореной ложей из орехового дерева, с настоящим костяным затыльником, лег ему в руки, точно перо, только вот денег у Павла Матвеевича в тот момент не то что на «зауэр», на хлеб и табак едва хватало, однако ружье попадалось на глаза каждый день, как тому бедному чиновнику, для которого Гоголь пошил шинель, и разумная Пелагея угадала тайное желание супруга.

— Занимай деньги и покупай. Уйдет ружье — не простишь себе.

Уговаривать было не надо. Занял у Улиного отца, занял у серьезного критика Разумника Васильевича Иванова-Разумника, даже у маленького Алеши Ремизова перехватил три рубля, к неудовольствию его жены Софьи Павловны, надменной литовской княжны Довгелло, порицавшей дружбу мужа с грубоватым охотником еще резче, чем Вера Константиновна. А больше всех помог издатель Пешков, который Легкобытова всем молодым писателям в пример ставил: идите в народ, учитесь у народа, учите народ, женитесь на народе, рожайте от него, усыновляйте иль берите себе в отцы, и какую-то нехорошую издевку, злую иронию в его якающем говорке чуял Павел Матвеевич, но ущучить Пешкова не мог, а связываться с ним не хотел — инстинкт охотника подсказывал, что тот ему еще пригодится.

Долг он постепенно отдал, и с той поры ходил на охоту с «зауэром», успевая сделать два выстрела против одного у замешкавшихся товарищей — благо дым от его ружьишка быстро расходился, а двенадцатикалибровые пушки когда еще снова готовы будут. Товарищи, сначала над ним смеявшиеся и прозывавшие его деликатное ружье «прутиком», ему завидовали, а он своими слабыми руками всех обстреливал, и так это было всем досадно, что над Павлом Матвеевичем смеялись еще злее, и вскоре он стал ходить на охоту один, пока не взял себе в товарищи незлобивого механика. Только вот убойная сила у «зауэра» была маловата, и, если пуля попадала не в кость, птица падала не сразу и потом ее было трудно найти. А некоторые улетали и так с дробью и жили.

Ничего этого Уля не ведала, хотя следила за Павлом Матвеевичем со всею зоркостью молодых глаз и у Алеши все выспрашивала, но он не много мог рассказать. Говорил только, что раньше, когда у отчима не было своих собак, он брал с собой на охоту его, Алешу, и учил искусству гончего пса.

— Да и теперь иногда таскает. Чтобы я навык не потерял. Ставит на расстоянии выстрела и велит гнать. Что выгоняется — в то и стреляет. А я потом подбираю. Он добрый, только вспыльчивый очень. Мать его так боится, что не детям своим родным, а ему всегда лучшие куски подкладывает. Зато попробуй ему что-нибудь поперек сказать — убить может. А сам рассеянный такой. Иной раз задумается, встанет как верстовой столб и стоит по часу на одном месте. И, если долго стоит, обязательно что-нибудь забудет, а мне потом бегай по лесу, ищи. Еще он боли не терпит. Когда зубы болят, сыплет на них кристаллическую карболку... Мать говорит, иди к врачу, ты все зубы потеряешь, вон свистеть уж не можешь, свисток костяной на охоту таскаешь, а он ей — плевать, я протез вставлю.

«Вот какой человек, — думала Уля, облизывая пересохшие губы. — Мог бы жить в Петербурге, видеть каждый день Брюсова, Блока или самого Леонида Андреева... Мог бы с ними разговаривать, спрашивать, что они сейчас пишут. А он взял и уехал в лесу столбом стоять».

Однажды она не вытерпела и поделилась своими мыслями с мачехой, ибо Вера Константиновна, хоть и холодна была да заносчива, но, по Улиному разумению, разбиралась в людях и во взрослой жизни.

— Блока хорошо каждый день видеть, если ты сам как Блок. Или как Бальмонт, — ответила Вера Константиновна мечтательно. — А если нет, это тяжкое испытание, Юлиана. Легкобытов трусоват, он удрал ото всех и спрятался в этих Горбунках, хотя о нем еще, помяни мое слово, услышат.

Лицо у Веры Константиновны затуманилось, журнал скользнул из нежных рук, и Уля поймала себя на ощущении, что мачеха как-то странно переменилась к их деревенскому соседу. Куда-то подевалась ее насмешливость, и эта перемена подхлестнула в девочке острую, мучительную наблюдательность, с детства ее терзавшую.

— Павел Матвеевич, а зачем вам такая большая и страшная борода? — услыхала она однажды мачехин вопрос.

— А это если кто захочет мне в рожу плюнуть, так в бороду попадет.

— Нет, вы все-таки очень ранимы, — пробормотала Вера Константиновна и дотронулась до его рукава. Ревность и тревога коснулись в тот миг Улиного сердца, и она решила быть еще более внимательной и неутомимой — у нее в Высоких Горбунках своя была охота за чужим счастьем и несчастьем, но Легкобытов уже стремительно несся вперед, не замечая двух пар женских глаз, вглядывавшихся в его плотную спину. Какой уж там Бальмонт? Или даже Блок? Мужлан, купчина, сектант.

...А между тем, что были Павлу Матвеевичу Бальмонт или Блок? Одного он лично не знал, хотя стихи его про будем как солнце в свою книжечку в качестве эпиграфа украдкой вставил, а с другим был знаком и попросил его на ту же книгу рецензию написать в декадентский журнал «Весталки». Тот не отказал, написал: это, мол, и не поэзия, и не проза, а еще что-то... Если не вдумываться, то очень даже уважительно получилось. У поэта Белого изящно позаимствовано из статьи о современном искусстве. Однако этим «чем-то» Павел Матвеевич всю жизнь козырял. Блока да Бальмонта пусть не любят те, кто сомнительной княжеской крови и хулиганят на чужих кухнях и в подворотнях, на дурацких дуэлях секундантами подрабатывают, левой рукой порнографические рассказы про банных девок и колченогих похотливых бар пишут, а правой — про целомудренных и верных дам, каковых в природе не существует, сочиняют. Он же ни с кем не тягался, потому что шел своим путиком, но при редких встречах с Блоком испытывал неловкость и все боялся, как бы залезший на башню поэт ненароком оттуда не звезданулся и не ввел бы во искушение своих обожательниц.

Другие два человека Павла Матвеевича в ту пору мучили. Одного он узнал недавно и называл Скопцом Аттисовых тайн, перекати-полем, человечком без корней, пустым иностранцем, всю натуру которого составляло эфемерное вещество начитанности и учености, а вынь это вещество, весь эфир улетучится и лишь оболочка останется — ни крови, ни семени, ни иных человечьих выделений. Оттого, хоть и женат был Скопец на одной половой ведьме, пустившей гадкий слух про Легкобытова, будто бы он бессмысленный и бесчеловечный писатель, недаром не было у болтуна и болтуньи детей, а одни рассуждения и пыль дорожная. Да и она тоже: подай ей то, чего нет свете. А на свете есть все — надо только уметь найти. Но все ж общественное мненье Скопец на пару со своей бабой как приданое к залежавшемуся таланту сколотил, и через его квартиру на Таврической набережной проходили все пути к земной славе, а слава эта была Легкобытову отчего-то нужна, недаром на склоне лет, уже став самим совершенством и воплощенной добродетелью, он писал в потаенных тетрадках о самолюбии как о единственном своем недостатке. А что было говорить про молодость, когда весь был как натертая ступня.

Павел Матвеевич сунулся к Скопцу раз — не приняли, другой — дальше порога не пустили, велели только небрежно рукопись оставить и приходить через месяц за ответом. Но лучше б не приходил: читайте «Капитанскую дочку», учитесь, развивайтесь, тянитесь — вот и все наставления в барской прихожей. Выматерился и хотел прах отрясти с ног на пороге, но предусмотрительно обождал. Скопец — птица непростая, тут осторожный подход нужен, как к токующему глухарю. И хитроумный охотник своего добился. Поехал в нижегородскую губернию на озеро Светлояр, вокруг которого во дни летнего солнцестояния ползала на коленях подпольная сектантская Русь, взыскуя града невидимого, а петербургская интеллигенция в ближней сторонке за народными чаяниями наблюдала, умилялась и в пухлые тетрадки золотые слова записывала. В разношерстной толпе богоискателей Легкобытов отыскал небогатого годами, но спесивого младостарца-начетника Фому-фарисея, который в девятьсот пятом напоказ всему миру порвал с церковью, публично надерзил Победоносцеву и пригрозил Синоду скорым концом света, ежели царя немедленно не изберут в патриархи. Скопца же Фома хорошо знал, потому что, прежде чем уйти в царебожники, читал его сочинения, а потом встречал на Светлояре и дискутировал с ним, что есть истина и в каком обличии явится антихрист. На Легкобытова младостарец поглядел неприязненно и обозвал нехорошим энергичным словом, но Павел Матвеевич не смутился. Он народного фарисея и книжника как блесну нацепил и с приветом от него пришел в Петербурге к нетрезвому духом провидцу.

— Жено моя, слышишь ли ты, нам шлют привет из Китежа, — задыхаясь, сказал тощий Скопец своей Кибеле. — Ну проходите, проходите же, что вы тут стоите как памятник самому себе? Что он еще обо мне говорил? Рассказывайте, рассказывайте... Зина! Да где же ты, наконец?

И Павел Матвеевич принялся рассказывать... А на следующем заседании Религиозно-философского клуба уже полз по сцене, а потом и по залу среди рядов, шокируя почтенную публику пронзительными выкриками: «Ползут, все ползут! Взыщут града невидимого!» — и призывал следовать за ним. Публика лорнировала лохматого докладчика и находила его корявым, как деревенский топорик, но забавным и полезным. Так и заполз он куда хотел.

А вот другого великого ничем взять ему не удалось, хоть и знали они друг друга много лет и виновен тот великий был перед ним безмерно. Это из-за него Павлик Легкобытов в девственниках чуть ли не до тридцати лет проходил и увлеченно врал красивой даме на террасе в шеломской деревне, как этим обстоятельством счастлив; из-за него поломал свою жизнь, потерял единственную возлюбленную и, вместо того чтоб выращивать тихую рожь иль другим путным делом заниматься, заделался писателем. Это он, Приап, Мин, Сатир, властитель дум и скандалист, подкаблучник, отец кучи незаконнорожденных детей, а тогда никому не ведомый провинциальный философ с булочной фамилией Р-в, издавший на свои деньги книгу, которую его коллеги на мужской учительской сходке публично обмочили в самом буквальном смысле слова, коллективно на нее помочившись, — вот, дескать, чего она стоит, а книга и впрямь ничего не стоила, ибо весь ее тираж недотепа сдал на вес старьевщику, это он не иначе как в припадке озлобления и зависти Павлушу Легкобытова из гимназии турнул, после того как столкнулись двое, учитель и ученик, лицом к лицу в известном заведении мадам Розье на Епифанской улице в тот день, когда пост пополам хряпнул и мартовские коты полезли на крышу. Это из-за него юный Легкобытов хотел в четырнадцать лет наложить на себя руки — и наложил бы, когда б не сумасшедший дядюшка-купчина, материн брат Игнатий Игнатьевич, увезший племянника в сибирский град Тобольск, где законы империи были не писаны и хулигана приняли в реальное училище, и там он стал первым учеником, а закончив, исхитрился поступить в Рижский политехникум. Однако до конца так и не выправился, стал корпорантом *Fraternitas arctica*, оттуда попал к марксистам, поехал в Сва-

нетию и выучился танцевать лезгинку у одного сосредо-
точенного рябого грузина, а потом угодил в тюремный
замок в международном городе Вильно и целый год вы-
шагивал в одиночной камере от стенки к стенке, как от
южного до северного полюса и солнце видел только
в окошке. И все это время о Р-ве думал и представлял,
как они встретятся. А когда встретились?

«Нет, не помню. Как вас, простите? А фамилия? —
И поблескивая очками, за которыми насмешливые, вы-
сокомерные, опасливо глядели острые, словно гвоздики,
ржавые глазки. — Нет, не знаю, не слышал, не видел.
Я бы запомнил. Интересная фамилия. Из мещан будете?
Ах, из купцов? Да, я преподавал древнеегипетский язык
в одном скверном городишке в Орловской губернии в во-
семьсот восемьдесят пятом году, но из гимназии никого
не выгонял. Вы меня с кем-то спутали. Так вы еще и пишете? Это неудивительно. Сейчас все пишут. Не читают
только. На религиозные темы? Вы что же, верующий?
Ах, ищущий, но не нашедший. Понимаю, очень хорошо
понимаю. Обратитесь-ка в таком случае, голубчик, к Ди-
митрию Сергеевичу и к Зинаиде Николаевне — у них
свои, я слышал, обедни служат. Как, уже были? И что ж
они вам сказали? Что вы не проходили декадентства?
Как-как не проходили? Био-гра-фи-чески? — И вдруг
зашелся, закатился, обидно, до слез захохотал, брызнув
слюной и обнажив гнилые зубы. — Так вы, мой милый,
уникум. — А потом, отсмеявшись, вытер рот и рек: — Ну,
тут уж я ничем помочь не могу. Я не философ, сударь,
и не писатель, я газетчик, фельетонист, журналюга и за-
нят теперь, статьи пишу. Одну в "Русское время", а другую в "Новое слово". А напутствие вам одно могу, юноша, дать: держитесь-ка поближе к лесам и подальше от
редакций. А главное — от меня подальше держитесь».

И как крик души уже в дверях: «Мне семью кормить надо! У меня четверо своих детей, да еще падчерица всю душу треплет!»

— Козел ты, какой же ты козел! Как был козлом, так и остался! Семья ему главное, как же! Падчерица! — всхлипывал Павел Матвеевич, размазывая слезы по заросшим щекам и хватая мокрыми некрепкими руками свой чудный «зауэр».

4

Уже два месяца стояла жаркая, душная, безветренная погода, земля высохла, затвердела, а потом растрескалась, из хрупких, трескучих лесов потянуло пылью и дымом пожаров. Горизонты вокруг Горбунков сделались мутными, ночами были видны далекие зарева, которые окружали деревню со всех сторон; днем хмарь от лесного огня заволакивала небосвод, солнце проглядывало сквозь пелену и не обжигало, как прежде, а удушало. Местный священник отец Эрос велел ждать дождей на Вознесенье, потом на Троицу, потом на Иванов день, но их не было и не было. В деревне пересохли колодцы, бабы спускались за водой к реке и с трудом тащили ведра в гору, а мужики с тоской смотрели на чахлые поля и огороды. Такой засухи в деревне не помнили давно, говорили, что кто-то сильно согрешил против Неба, а про отца Эроса шептали, что нет на нем благодати и батюшку хорошо бы сменить либо позвать тайного учителя. Эти слухи роились, склеивались, цеплялись друг за друга и постепенно скапливались в какую-то угрожающую массу, темную тучу, готовую пролиться вместо дождя или в любой момент вспыхнуть огнем, подступающим к деревне. Угрюмая мрачная сила искала выхода и в конце июня нашла. В ночь на Ивана Купалу несколько самых отчаянных мужиков вырыли из могилы труп несчастного князя Люпы, на чьих похоронах гуляла вся деревня, и спустили его в Шеломь вслед за Нитщем. Второй за месяц труп проплыл по Шеломи так же незаметно, как и первый, однако засуха после этого сделалась еще злее, а вода в реке начала стремительно убывать.

...Дни были похожи один на другой, томительные, долгие, однообразные и изматывающие душу и тело. Рано замолкли и куда-то подевались птицы, попрятались звери, однако, несмотря на сухость и дым, комаров и мошки меньше не становилось, зато злости в голодных насекомых стало куда как больше. Комары взлетали из травы, пикировали с неба, мошка облепляла лицо, лезла в рот и в глаза, и никакие ветки, которыми хлестала себя по рукам и ногам Вера Константиновна, не помогали. Несколько раз ее кусали так больно, что у нее опухали губы и щеки. Ночами комары пробирались в избу, противно пищали над ухом, и горожанка с раздражением думала: скорей бы уж укусили, чем так жужжать. Рядом безмятежно, не обращая ни на что внимания, храпел муж, и никакие комары его пропахшую машинным маслом, задубелую кожу не трогали, в соседней светелке неслышно спала его дикая дочь.

Вера Константиновна была крайне недовольна домашними, которые из года в год тащили ее в глухую, Богом забытую деревню. Люди ее круга должны отдыхать иначе. Особенно сердита она была на мужа: зарабатывал механик порядочно, но тратить деньги на отдых, путешествия, заграничные курорты и воды считал невозможным. Про то, чтобы хорошо одеваться, иметь

35

свою модистку, носить красивые платья, белье, она и думать не смела. Вообще, на что его деньги уходили, она не понимала — они жили не просто скромно, но бедно, пусть и опрятно бедно. Даже ежедневный стол у нее был скуднее, чем в родительском доме — однообразная, грубая пища, которую механически, не разбирая оттенков вкуса, поглощал супруг. Можно было предположить, что Василий Христофорович содержит любовницу, и не одну, или неудачно играет в карты, когда б не полная абсурдность такой идеи. Муж был образцом нравственности, но именно эта образцовость, некогда Веру Константиновну покорившая и утешившая после заблуждений и разочарований провинциальной молодости, теперь злила. Наверное, если бы у этого человека обнаружился какой-нибудь порок — вино или морфин, — ей стало бы легче, но к Василию Христофоровичу мелкая дрянь не приставала. Он жил по-крупному.

Несколько раз то мягко, то надрывно Вера Константиновна пыталась заводить разговор о дамских нуждах, но прямодушный, искренний и открытый человек спокойно и твердо уходил от ответа, и, хотя всякая тайна досадна женской душе, разгадать эту Вера Константиновна не могла. Она лишь подозревала, что тайна связана с первой женой Комиссарова, которая оставила его много лет назад и о которой в доме не говорили никогда, и оттого Вере Константиновне становилось еще досаднее, как если бы ее обманывали и унижали. Нет, она хотела бы жить иначе. Ей нравились тонкость, обходительность, деликатность, изящество. Она любила полутона, намеки, сумерки, ее волновали стихи современных поэтов, она чувствовала в себе призвание стать чьим-то идеалом или близким другом, музой, а вместо этого оказалась в душной деревенской избе с мышами и тараканами и томилась от однообразия, заранее представляя очередной день: муж, если не встал рано и не ушел с Легкобытовым в лес, будет задарма чинить мужицкие механизмы, падчерица пропадает на реке с легкобытовским пасынком, и еще неизвестно, как невоспитанный мальчишка на нее влияет и до чего они доиграются. Но, когда она попыталась обратить внимание Василия Христофоровича на неуместную дружбу, тот отмахнулся: глупости, пустяки, а Алеша очень способный юноша, из него, если будет учиться, отличный выйдет инженер.

— Интересно, кто даст ему деньги на учебу? Уж не твой же дружок? — брякнула она в сердцах.

— Зачем? Я дам, — ответил Комиссаров, и Вера Константиновна взвилась еще пуще, сама стыдясь своей стервозности:

— Чужим даешь, а свои что от тебя видят? Ты, может быть, хочешь его усыновить? Или в примаки взять?

— Почему нет? — пожал плечами механик. — Тебе-то какое дело?

Вера Константиновна едва не задохнулась от такой наглости. Ей хотелось хотя бы раз заставить этого человека сорваться, вывести его из себя и узнать, каков он в гневе, но сделать это не удавалось. «Чертова порода! — думала она мрачно. — И девчонка тоже. Была б она мне родной дочерью, позволила бы я ей так себя вести! Отец ее распускает, и что из нее вырастет? Как же, дружат они! Ходят взявшись за ручку. Знаю я эти прогулки. Ей вообще с ее кожей на солнце меньше надо бывать. Рожа рыжая до неприличия. А мне от всего только лишние нервы!»

Вере Константиновне исполнилось к той поре тридцать лет, и с некоторых пор она начала ощущать возраст.

Он давил на нее, предъявлял свои требования, о себе напоминал, и она до сих пор не знала, правильно или нет она живет. Умом она понимала, что причина ее томления — безделье. В первые годы замужества она пробовала с ним бороться — занималась музыкой, брала уроки живописи, даже пробовала играть в любительской труппе и написала одну критическую статью о символизме и две элегии в духе Блока. Ее игру хвалили поэты, пейзажи — актеры, а стихи — художники, однако никаких прямых талантов у нее не обнаружилось. Наградившая ее миловидностью и добрым здоровьем природа ничего к тому не прибавила, и со временем Вера Константиновна стала остро ощущать свою ненужность. Она все чаще ловила себя на мысли, что если завтра ее вдруг не станет, то ничего в этом доме не переменится и без нее здесь обойдутся. Долгое время их связь держалась на том, что Василий Христофорович желал ее как женщину чуть ли не ежедневно и даже будил среди ночи. Вера Константиновна была уверена в том, что он и женился на ней исключительно для удовлетворения необузданной половой потребности, и эта жадность одновременно оскорбляла ее и давала возможность мужем манипулировать, снисходя до близости по своему усмотрению, хотя в их вечно постном монастыре неожиданная уступка плоти была единственным праздником и оправданием жизни, тем моментом, когда Вера Константиновна чувствовала свою власть над мрачноватым, замкнутым и невероятно сладострастным человеком. Однако душа его оставалась для нее закрытой, а сама она не могла отделаться от мысли, что муж пользуется ею как вещью, и оттого чувствовала себя глубоко униженной.

Однажды весной, незадолго до полной луны, будучи в дурном настроении, Вера Константиновна заявила вошедшему к ней ночью Комиссарову, что он не человек, а неприличное животное, замесившее брак в похоти. Он стоял перед ней в распахнутом шелковом халате с помутневшими от страсти глазами, красный, возбужденный, отвратительный в своей толщине и неуемной мужской силе, и она знала: что бы она ни сказала, он все равно сейчас упадет на ее ложе, — и мстительно наслаждалась своей последней волей, но он молча, не запахнувшись, вышел из спальни и с тех пор в нее не заходил. Она была готова поклясться — она бы это точно почувствовала, — что никакой другой женщины у него нет и к дамам легкого поведения он не ездит. Выходило, не иначе как муж сумел обуздать свою плоть, и с той поры оскорбленной, неудовлетворенной ощутила себя она.

«А что если я просто подурнела или у меня появился запах изо рта? Седые волосы? Морщины? Или я от тоски много ем, растолстела и стала непривлекательной?» — пристально разглядывала Вера Константиновна свое обнаженное отражение в старом мутном зеркале, расчесывая черепаховым гребнем густые волосы, и, хотя никаких видимых изъянов не находила, в душе все равно поселилось чувство пугливости и неуверенности в себе. На нее напала бессонница, которую сменяли такие дурацкие сны, что совестно было их вспоминать, но особенно ужасным и неприличным был тот, что привиделся только что. Ей приснилась неизвестная деревня в лесу, ранняя весна, оголенные высокие деревья, черная земля, чьи-то похороны, рыдания, проклятия, мужчины, женщины, идущие вслед за гробом, и почему-то она среди этих людей — хмельная, с растрепанными грязными волосами, в простонародной васильковой ситцевой юбке. Ветер задирает подол, но она даже не пытается прикрыть оголенные ноги, а потом видит какую-то деревенскую постройку, заходит туда и натыкается на лежащего в сене незнакомого человека. Ей очень холодно, она ложится рядом с ним, прижимается всем телом и согревается...

От стыда, сладости и ужаса того, что происходило дальше, Вера Константиновна заставила себя проснуться и стала испуганно оглядываться по сторонам, как если бы кто-то мог ее сон подсмотреть. Луна освещала комнату, тени от оконных рам ложились на кровать и отражались в неверном зеркале. За окном послышался шорох, похожий на мягкий взмах крыльев. Вера Константиновна вздрогнула, подошла к окну, но ничего особенного не увидала — только разросшийся куст сирени и гигантские шаги. Страшное чувство одиночества на нее напало. «Должно быть, скоро пойдут крови, — неприязненно подумала она, всегда тяжело переносившая последние дни перед месячным очищением, и на глазах у нее навернулись слезы жалости к самой себе. — За что мне такая судьба? Я хотела быть Прекрасной Дамой, а не смогла стать обыкновенной домохозяйкой. Моя жизнь не удалась. Ни семьи, ни любви, ни страсти, ни сладких воспоминаний, ни надежд на то, что они появятся, у меня нет. Я даже не легкобытовская Пелагея, без которой тотчас рухнет большое хозяйство и хваленый писатель обратится в ничто. Я — банкротка».

Сделав сей печальный, но честный вывод, Вера Константиновна с облегчением заплакала, однако не заснула, а так расчувствовалась и разжалобилась, что разгулялась окончательно. Муж спал или делал вид, что спит. Уж лучше было в Петербурге, где они ночевали в разных комнатах, а здесь, в деревне, ей казалось, отсутствие близости между ними всем заметно и над нею смеются и Легкобытов, и Пелагея, и все мужики и бабы, которые всё знают, чувствуют, понимают и обвиняют ее одну.

Начало светать, стали угадываться деревья и плетень, но дальше все терялось в предутренней мгле. Вера Константиновна прошла мимо двери комнаты, в которой жила Уля, и приоткрыла ее. Девочка спала спокойная, тихая, и на мгновение женщину охватило давно забытое чувство вины. Она неслышно вошла в комнату и прикоснулась к рассыпавшимся по подушке волосам падчерицы. Те были влажными, как если бы Уля где-то гуляла под дождем или купалась. Вера Константиновна вздрогнула и посмотрела в окно. Оно было закрыто; похоже, с зимы его не открывали — засохшие мухи лежали между двойными рамами. «Вспотела. Бедная, что ей снится?»

В душе она знала, что виновата перед Улей, недостаточно сделала для того, чтоб приблизить девочку к себе, когда это было возможно. Она обещала Василию Христофоровичу, выходя за него замуж, что будет Уле вместо матери, она даже представляла, как они станут вместе играть, наряжать кукол, у них появятся свои маленькие секреты и хитрости, но такие обещания гораздо легче давать, чем выполнять, и все ее планы быть доброй мачехой рассеялись еще скорее, чем иллюзии стать счастливой женой. Нервозная, часто плачущая по пустякам золотушная девчонка, ни разу не позволившая до себя дотронуться, с ее дурацким простонародным именем, которое Вера Константиновна не желала произносить, супругу механика лишь раздражала. С этой девочкой что-то было не так. Что именно, Вера Константиновна понять не могла, но, когда украдкой глядела на падчерицу, чувствовала в ней скрытый изъян, и этот изъян ее пугал и останавливал от того, чтобы повести себя так, как дерзкая девчонка заслужила. Одно время Вера Константиновна неудачно попыталась Улино доверие и любовь завоевать, давая ей задание распутывать клубки ниток и воспитывая таким образом в девочке терпение и выдержку, подобно тому как когда-то таким же образом воспитывали саму Веру Константиновну в ее старом дворянском доме на окраине Воткинска. Она думала, что сама Уля похожа на такой клубок, и если его терпеливо, методично освобождать от кривизны и нарочитой спутанности, то можно будет добиться, что она станет послушной. Ей даже казалось, что все так и происходит и девочка медленно, но становится ей покорна, подпадает под ее власть, однако как-то раз, зайдя к падчерице в комнату, увидала, что Уля читает книжку. Девочка была так увлечена, что не услышала чужих шагов, и у воспитательницы, готовой похвалить ребенка за усердие, слова застыли на языке, когда до ее ушей донесся лихорадочный, яростный детский шепот:

> Год прошел, как сон пустой,
> Царь женился на другой...
> Но зато горда, ломлива,
> Своенравна и ревнива.

«Это я-то?» — подумала она с обидой.

— Ты меня любить не обязана, — сказала она Уле. — И я тебя тоже. Но раз уж мы с тобой любим одного человека, то не должны делать ему больно.

— Никого вы не любите, — ответила Уля, исподлобья на нее глядя.

— Почему ты так думаешь? — поинтересовалась Вера Константиновна, чуть покачиваясь и рассматривая Улю так, словно та была диковинным зверенышем, принесенным из леса и посаженным в клетку.

— Если б вы его любили, у вас дети были бы.

— Ну это уж точно не твое дело, маленькая нахалка, — нахмурилась Вера Константиновна и едва удержалась от того, чтобы не ударить падчерицу по губам.

— Вас сюда никто не звал.

— Ты, вероятно, думаешь, что взрослый мужчина может прожить вдвоем с дочерью? — Она посмотрела на корзину с нитками и заговорила спокойнее: — Ты уже не дитя, Юлия. Даже в куклы не играешь. Моя мать умерла, когда мне было тринадцать лет, и отец начал приводить в дом девушек чуть постарше меня. Ты бы этого хотела?

— Папа не такой.

— Такой или не такой, я знаю лучше тебя и пытаться изгонять меня тебе не советую, — блеснули глаза взрослой женщины.

— Если вы не будете лезть в мою жизнь, — отрезала маленькая.

Они заключили худой мир, но был он непрочен. Механику, более чуткому к машинам, чем к людям, казалось, что два близких ему человека женского рода прекрасно между собою ладят и потому ошибались те, кто советовал ему после развода вторично не жениться, подождать и дать Улюшке вырасти. Люди всегда могут найти общий язык, благодушно думал Василий Христофорович, сидя за обеденным столом в окружении двух очаровательных, улыбающихся женщин, но никогда он не заглядывал под стол, где нет-нет да туфельки жены наступали на туфельки дочери, и с течением времени эти как бы случайные столкновения делались все более частыми и болезненными. Вера Константиновна была уверена, что и в эти дурацкие Горбунки они ездят назло ей, потому что никто не хочет в этом доме с нею считаться. А кроме того, год от года ее все больше раздражали манеры падчерицы. Взрослеющая, хорошеющая Уля представлялась ей вульгарной, еще более дикой, неистовой, чем в детстве, — какое уж там терпение и какая кротость! — и хотелось одного: скорей бы эта девчонка куда-нибудь делась, улетела, ускакала, и чтоб больше ее не видать.

Особенно остро она почувствовала это после того, как у Ули начались регулы. Падчерица ни слова ей о том не сказала, но ощутившая эту перемену Вера Константиновна, хоть и пожалела оставленную один на один со своей природой девочку, испытала по отношению к ней почти физическую неприязнь и брезгливость.

«Уж лучше бы она была мальчиком. Или я завидую ее молодости? Ее будущему? Ревную ее? — снова подумала она о себе безжалостно. — Прямо как в той сказке: свет мой, зеркальце, скажи... Я смерти ее хочу? Извести, отравить, сжить со свету? Нет, неправда. Я другого хочу».

А чего другого?

Она вышла на улицу и закурила папироску. Курила она по ночам тайком от Василия Христофоровича, прятала папироски и с ужасом думала, какой может выйти скандал, если он их случайно обнаружит или просто учует, что от нее пахнет табаком.

«Может быть, мне с ним развестись? В сущности, я имею на это полное право, особенно теперь... Он никчемный нелепый человек, толстяк, он убил во мне женщину, подавил все мои инстинкты, кроме одного, а потом отнял и этот. Он деспот, чудовище, злодей, а мне, прежде чем замуж выходить, надо было посоветоваться с его бывшей женой да хорошенько все разузнать. Какую-то сумму денег он мне выделит, а я устроюсь работать и буду жить независимо. Поступлю на женские курсы. И курить буду столько, сколько захочу. Это унизительно, в конце концов, таиться в мои годы», — думала она, с наслаждением затягиваясь и глядя, как вырывается клубочками горячий дым изо рта.

С ночи переменился ветер, небо ненадолго очистилось от хмари, и в мире вдруг стало так тихо, так чисто, так прохладно, что женщина замерла и даже комары ей не мешали. Злые мысли ушли, и Вера Константиновна ощутила удивительное чувство покоя. На небе одна за другой таяли редкие бледные звезды. Вдали угадывалась река, где-то сонно брехала собака, утро уже разгоралось, и все сильнее поднимался из низины туман. Густая молочная смесь заволакивала пространство, в ней тонули и избы, и деревья, и дорога. Мелькнула чья-то фигура, Вера Константиновна торопливо спрятала папироску в рукав и увидела идущего посреди улицы пастуха.

— Здравствуй, Трофим, — сказала она приветливо.

— До ветру вышли, барыня? — громко поздоровался он, снимая картуз, картинно кланяясь и как-то странно подмигивая ей, и она чуть не задохнулась от этой наглости.

— Уезжать, сегодня же уезжать, — пробормотала она и не сразу заметила, как из тумана выплыла еще одна фигура и прояснилось хорошо знакомое надменное лицо соседа. Жена механика покраснела так, что сама эту краску на лице почувствовала. Очевидно, что Легкобытов слышал вопрос пастуха. Она поймала на себе его насмешливый взгляд и догадалась, что он хочет ей что-то сказать, но, униженная, не поздоровавшись, чуть ли не демонстративно повернулась к охотнику спиной и вошла в избу, где ничего не изменилось — так же похрапывал муж, зудели комары, и только волосы у Ули стали более сухими и светлыми, а дыхание ровным.

Вера Константиновна хотела зарыдать во весь голос и тем разбудить Комиссарова, рассказать ему, что случилось, и потребовать, чтобы они немедленно собрались и уехали в Петербург, как вдруг давешний вопрос Трофима показался ей не грубым и оскорбительным, а смешным и все тяжкие раздумья о собственной доле и уж тем более о собственной наружности — никчемными и призрачными, она еще молода, привлекательна, здорова, и нет и не может быть у нее никаких седых волос и морщин, и дыхание ее чисто и свежо, и тело совершенно, и ждет ее прекрасная, счастливая жизнь, а Юля... Что Юля? Не век же она будет с ними, и нечего переживать за свою холодность и отчужденность — чем сдержаннее она будет, тем раньше девчонка от них уйдет.

От этой мысли ей стало теплее, тяжелее, сонная дрема навалилась и прижала тело к прохладной простыне. Вера Константиновна хорошо знала и любила этот момент проваливания в сон, когда в реальность начинают впутываться потусторонние образы и постепенно затмевать собою старый гулкий дом, тканые ковры на стенах, портрет неизвестного генерала — вот с таким блестящим, благородным мужчиной надо было бы ей познакомиться. Она еще балансировала на грани яви и сна и слышала, как грызет корку хлеба мышь под полом, как горланит петух, но из другого измерения уже сыпались на нее хмелем какие-то мягкие вещи, и вот она оказывалась на долгой дороге, ведущей вниз со склона холма, и там, на этой дороге, в беспорядке разбросанные лежали блестящие металлические предметы. Они приблизились, и Вера Константиновна увидела, что это части велосипеда: погнутое колесо с выломанными спицами, руль, педали. «Легкобытовский, — подумала она удовлетворенно, — а жаль, я всегда хотела на нем прокатиться... Я на свете всех милей», — засмеялась она, вздрогнула и поплыла наконец по течению своего мятежного сна, не слыша того, как проснулся сначала муж, а затем его дочь. Начался еще один невыносимо долгий и так быстро сгоравший летний день. Но Вера Константиновна была уже далеко, сон влек ее за собой, и чем душнее становилось в гулком доме, тем тревожнее, слаще и жарче сон делался, и она снова шла в синей юбке по незнакомой лесной деревне и чувствовала, как жаркий ветер обдувает, развевает волосы и ласкает ее легкие ноги и чьи-то синие глаза жадно смотрят на нее из глубины леса и сами своего взгляда боятся.

5

Легкобытовскую тягу к ружью Уля остро чувствовала и была не по-девичьи, а по-женски раздражена тем, что охотник не на то время тратит, и даже хотела похитить у него оружие, чтоб неповадно было беззащитных птичек и зверушек ради собственного удовольствия убивать, да еще заставлять ее Алешеньку по-собачьи себе прислуживать, доставать из ледяной воды подстреленных гусей и уток, таскать тяжелые заплечные мешки, разводить костры из сырых дров, спать на одном боку в тесных охотничьих избушках, лишь бы отчиму было попросторней, и отыскивать в лесу забытые или впопыхах брошенные растяпой вещи. В Уле с детства живо было чувство неведомой, обостренной справедливости, жажда мщения и такого правдолюбия, что она была готова и себя, и любого человека изничтожить, лишь бы правды добиться. Рано поняв, что у правды и справедливости врагов множество, она для того и носилась ветреными ночами по земле, чтобы в тот час, когда зло вылезает из укрытий, всех недругов распознавать. А наутро ничего ночного умом не помнила, но сердцем не забывала, бывала дерзка, пряма сверх меры, непочтительна и безрассудна не только с мачехой, но и с иными взрослыми людьми, на что указывали ее отцу в гимназии и угрожали снизить ученице Комиссаровой оценку за поведение. Василий Христофорович относился к этим угрозам снисходительно и говорил в ответ, что у его дочери доброе и честное сердце, а все остальное ему неважно, крайности ее характера объясняя неопытностью и жадностью к жизни.

— Это я и сама знаю, — заметила в педагогической беседе с ним Улина гимназическая начальница Любовь Петровна Миллер — женщина умная и справедливая, которую даже Уля уважала и ей не перечила. — Я вашу девочку очень люблю, но помните: к беде неопытность ведет.

— От опыта беды еще больше, — возразил механик, однако с Улей поговорил, посоветовав ей не лезть попусту на рожон, а больше прислушиваться и присматриваться к тому, что в мире делается. Но Ульяна сызмальства привыкла жить своим умом и торопилась скорее во взрослую жизнь попасть, в ней самой разобраться, а то, что ее не устраивает, переменить. Не устраивал же ее в это душное лето Павел, Матвеев сын, который, чем больше она о нем размышляла и к нему присматривалась, все вернее представлялся ей олицетворением коварства и зла, возмущавшего ее юную душу. Стремительный, хищный, расчетливый, легконогий странник с ясными глазами вместо сердца, не человек, а зверь, лесной Кощей, от цепей которого надо было срочно мальчика Алешу спасать, из плена вызволять. Но для того, чтобы со злодеем побороться, требовалось его изучить, все повадки исследовать и выбить у него страшное жало.

Однако сколько глупая девочка лесного царя ни выслеживала, он никогда ружья из рук не выпускал, сам его чистил, не доверяя ни Алеше, ни Пелагее, и в те недолгие часы, когда с собой не носил, запирал в шкафу, а ключ от шкафа хранил в потайном кармане охотничьей куртки на особой застежке, которую один знал, как расстегнуть и ключом воспользоваться. В отместку раздосадованная Уля дразнила Легкобытова в лесу, водила за собой, но близко не подпускала и увидать себя никогда не позволяла. Подходила с подветренной стороны и звала, но так негромко, что Павел Матвеевич не мог понять, чудится ли ему или нет странный зов то ли зверя, то ли птицы, то ли заблудившегося в лесу ребенка. Он смотрел на Карая, но умный пес, обмануть которого девичьими проделками было невозможно, оставался спокоен, и привыкший доверять собакам больше, чем людям, Легкобытов легко шагал дальше по лесной дороге, подмечая те изменения, что каждый день в лесу случались: покрасневшие ягоды, пробивавшиеся из-под травы грибы, упавшие листья и следы от пробежавшей ночью по белому мху остролицей лисицы. Это был его возлюбленный мир, та простодушная, милая природа, с которой он был обручен, чувствовал себя ее единственным женихом, ничего в ней не боялся, смело смотрел в глаза любому хищнику, знал поименно зверей на своих угодьях, знал, как называются все деревья, кустарники и травы, прозревал подземный рост корней и движение древесных соков и если б мог попросить о чем Небеса, то помолился бы о том, чтоб никогда не кончалась череда дня и ночи, тепла и холода, сухости и влаги, ветра и безветрия, ясности и хмари и чтобы в этом распорядке действий ему было отведено вечное бессонное место смотрителя и хранителя, а никакого Царствия Небеснаго ему не надобно. Пусть оно другим достается или силой ими берется, пусть те, кто хотят, расселяются по звездам и завоевывают Вселенную, о которой грезил механик Василий Христофорович Комиссаров, — Легкобытов же мечтал унаследовать землю, хоть и помнил по урокам Закона Божия, что она достанется кротким, а он какими угодно обладал добродетелями, только не этой. И тем не менее на долгую земную жизнь взамен небесной надеялся, приходя в неистовство, если что-то складывалось не по его хотению. И потому вмешательство в этот мир чужого существа, мучившегося оттого, что в природе справедливости еще меньше, чем у людей, сострадавшего всем пичужкам, на которых охотились большие хищные птицы и жадные злобные люди, и мечтавшего установить в этом мире свои милосердные законы, Павел Матвеевич воспринимал как посягательство и угрозу.

Легкобытов сентиментальности терпеть не мог. Природа, по его разумению, была выше жалости и сострадания, она не ведала ни добра, ни зла, а точнее, все в ней было добром, только не каждому это добро было дано понять. Оттого даже комаров, мух, мошек, оводов, ос, шмелей, муравьев, а также змей, жаб, пиявок Павел Матвеевич обожал как стражников природы, охраняющих ее от дачников — людей породы новой, но быстро размножающейся и сразу сделавшейся ему ненавистной, однако Улю Комиссарову никакие летающие твари остановить не могли, и со временем ее постоянное присутствие в лесу стало не просто охотнику докучать, но напрямую ему мешало: чаще обычного он промахивался даже из легкого «зауэра», опаздывал, раздражался и чувствовал, что кто-то в лесу оповещает зверей о появлении человека с ружьем. Как искусно ни маскировался Павел Матвеевич, сколь долго терпеливо, без единой папироски ни высиживал в засадах, все его трофеи успевали разбежаться или разлететься до того, как он пробирался в самую сердцевину глухих болот или лесных чащоб. Ему и в голову не пришло бы соотнести свои охотничьи неудачи со взбалмошной девчонкой, он искал врага посерьезней, но меры предосторожности на всякий случай предпринимал, так что напрасно Уля неслышно за охотником следовала в догадке, что не просто так идет этот человек своей тропою, а стремится в то место, где выпускает из рук ружье, вешает его на ветку и меняет обличье. Попасть туда ей не удавалось. Стоило только зайти в лес поглубже и пересечь неведомую границу, как Легкобытов исчезал, и Уля была готова поклясться, что он сам превращается в неведомое существо, в птицу, в лешего или в дерево, которого вчера на этом месте не было, а сегодня глядь — появилось, большое, кряжистое, с сильными, раскидистыми ветвями. Или, наоборот, в высокую и гладкую корабельную сосну из северной чащи либо в редкую траву, которая под этой сосной произрастает.

Она терялась без него в лесу, боялась заблудиться, и ее тянуло крикнуть, позвать его, но обнаружить себя было еще страшнее, и Уля просто сидела тихонечко, но не плакала, а ждала, когда появится отец, возьмет ее за руку и отведет домой. При появлении механика заколдованный мир становился обыденным и нестрашным, и оказывалось, что ни в каком она не в лесу, а за деревенской околицей и то, что представлялось ей непроходимой чащей, было прозрачной рощицей, сквозь которую виднелись темные крыши изб, и слышно было, как брешут деревенские собаки и кудахчут куры. Уля возвращалась домой, рассеянно отвечая на отцовские вопросы, и бывала более обыкновенного замкнута, так что даже Алеша не понимал, отчего она с ним холодна и за что сердится.

...Легкобытов же Павел Матвеевич ни в какого зверя, ни в птицу, ни в дерево не превращался. Пройдя сквозь два болота и три чащи, спустившись в глубокий овраг и перейдя вброд через реку, он взлетал на высокий косогор, откуда видна была вся окрестная земля вплоть до синевшего вдали озера с парусами рыбарей и куполами далеких храмов. Там он садился у большого лесного пня, доставал из-за пояса тетрадку и сочинял роман о провинциальном, как будто бы робком, но очень зорком загорелом юноше, случайно попадающем из лесной глуши в холодную столицу. Легкобытова кусали мухи, и пили кровь комары, бабочки садились ему на плечи, птицы подбирали крошки хлеба у его ног, ткали паутину на голове пауки, и пробивался сквозь запыленные ноги мох, но ничто не могло отвлечь шеломского йога от додумывания другой судьбы, которая лишь в эти минуты и в этом состоянии ему открывалась.

Ему исполнилось к той поре сорок лет, и после тяжелой, гнетущей и бедной молодости, когда всем, кто его окружал, да и ему самому, казалось, что ничего из него не получится, он закончит свой путь мелким чиновником, приказчиком или сопьется, как его отец, ему удалось на удивление многого достичь. Мать его умерла несколькими годами ранее, до начала его литературной известности не дожив. Павел Матвеевич на похороны не попал, телеграмма опоздала, и это было последнее, что мать сумела для сына из-за гроба сделать, зная, что напуганный в раннем детстве смертью отца — Павлуша первым из домашних увидел его застывшим в черном кожаном кресле — ее первенец похорон избегал и о смерти, ни своей, ни чужой, старался не думать. Человеку принадлежит жизнь, и он принадлежит жизни, а что касается того, что будет потом... Как охотник, убивший несметное количество самой разной твари, видевший не одну агонию и не отводивший глаз от своей добычи, будь то маленький дупель или лось с тяжелыми рогами, Легкобытов в индивидуальное бессмертие не верил, поскольку знал, что каждое тело служит пищей другому телу. Вот основной закон бытия, а все остальное придумано с целью дурачить простаков. И большой разницы между людьми и животными он не наблюдал, если не считать того, что первые были вооружены, а вторые безоружны, и оттого поклонялся одной безличной и вечной силе, организовавшей жизнь по своим законам так совершенно, как не организовал бы ее никакой Создатель. А если и природу Господь сотворил, то во всяком случае после акта творения надолго почил и в земные дела более не вмешивался. Или умер, как заметил тот несчастный остроумец, которого себе на беду загубили горбунковские мужики.

С отроческих лет Павлуша не ходил в церковь — сначала это было вроде подросткового бунта, и в одном ряду у него стояли инспектор гимназии, околоточный и поп. Ему было семь лет, когда мать впервые привезла его в город и он попал на службу во Введенскую церковь. Сначала покорно стоял, а потом заскучал, принялся слоняться по храму, и никто не заметил, как, нарушив ход богослужения, деревенский мальчик забежал в алтарь прямо сквозь Царские врата.

— Он у вас еще архиереем будет, — не стал ругать перепуганную, неловко оправдывавшуюся женщину священник. — Кто Царскими вратами пройдет, сана сподобится.

Священник тот вскоре умер, оставив молодую печальную вдову с трехлетней дочкой, а Легкобытов сподобился иных чинов. В Петербурге он ездил к сладострастной охтинской богородице Дусе Мирновой, разговаривал с ее мужем Давидом и сыном Соломоном, узрев в сей троице гораздо больше живого огня, чем в казенном вероисповедании. «Кто смотрит на меня как на женщину, получит женское, а кто ищет божественного, тот получит откровение», — восхищался Дусиными словами Павел Матвеевич и, если б не врожденная осторожность, верно, попробовал бы и того и другого, но жене ни разу не изменил, а божественных откровений избегал, придерживаясь своих отношений с церковью. Когда религиозная Пелагея Ивановна пыталась уговорить мужа ходить в храм хотя бы по большим праздникам, чтоб не сердить простой народ и не вызывать подозрение у отца Эроса, каждый месяц докладывавшего в консисторию о сектантах и не без оснований предполагавшего, что петербургский барин к самой вредной и тайной из сект принадлежит, охотник отвечал, что пойдет лишь в такую церковь, в которую пускают с собаками, ибо собаки безгрешны и ближе к Богу, чем человеки, а самая божественная литургия, на которой ему доводилось присутствовать, случилась в утреннем весеннем лесу после их первой с Пелагеей ночи, когда тысячи птиц на разные голоса славили живого Бога, а они двое, как Адам и Ева, лежали нагие на сухом мягком мху и смотрели в небо. Пелагея, уж на что была к мужниным речам привычная, испуганно втягивала голову в плечи, ожидая, как бы не ударила небесная молния от Ильи Пророка, а потом долго отбивала поклоны и шепотом разговаривала с иконами, умоляя всех святых не гневаться и простить за ее молитвы умствующего дурака.

Она давно смирилась, приспособилась и верно служила мужу, и он ею, сам того не замечая, пользовался. Терпеть не мог неприятных дел и все, что было ему не по душе, но надо было сделать, сваливал на Пелагею. Это она договаривалась с местными крестьянами, если охотничья собака вдруг съедала чью-то курицу или легкобытовский жеребец потоптал крестьянскую кобылу. Она одной ей ведомыми травами вылечила пса, которого он при всем своем собаколюбии попытался отучить от шкодства, выстрелив собаке солью в бок; она не для детей своих, а для него одного снимала сливки с молока; она каялась всякий раз на исповеди, что живет невенчанная и дети ее считаются незаконными, записаны на фамилию прежнего мужа; она шла за Павлом Матвеевичем по следу, исправляя все его ошибки, приучив себя к его капризам, взбалмошному, взрывному характеру, к его рассеянности и невероятной, вдохновенной, взаимной любви к самому себе, к тому, что своих собак он знает и ласкает чаще, чем собственных детей, чего уж говорить о ней самой или ее Алешеньке. Но за всем этим, как за весенней пеной, Пелагея угадывала беззащитность, детскость и невероятную тайную глубину и зоркость его натуры, перед которой робела, обмирала и благоговела, внутренне к ней подбиралась и опутывала Павла Матвеевича невидимыми тонкими волосами, его берегла и хранила, как не сумела бы это сделать ни одна женщина на свете.

Легкобытов о незаурядных способностях своей народной, как он ее звал, жены догадывался, охотно рассказывал о ней и хвастался перед друзьями-литераторами, но в душе относился небрежно и многого в ее характере недооценивал. Он оставлял на письменном столе все конверты и листы, но его откровенные дневниковые записи и заграничные письма на изящной дамской бумаге читал матери Алеша, и он один знал, как сужаются зрачки ее черных глаз. Всех избалованных барынек, всю эту тонкую белую кость Пелагея ненавидела и злилась от того подчеркнутого уважения, с которым обращалась к ней механикова жена, отвечала ей сама дерзко или невпопад и про себя знала: сколь бы ни строила потаскуха глаза ее мужу, ничего промеж ними не будет. Даром, что ль, она в своей любви рисковала бессмертной душой и не отпустила бы мужа от себя никуда, даже в геенну огненную, если б ее саму вдруг простили за беззаконное сожительство с барином и дали бы пропуск в рай на одно лицо.

Однако Павел Матвеевич ни о чем таком не думал, он садился за стол и, когда писал, парил, как парила во снах отроковица Иулиана. Его писательский альбом казался ему свободной, ведомой лишь одному ему территорией, на которой он размышлял над ходом жизни, описывал травы, растущие в полях под Клином, и среди них особенно одна была ему дорога — трава фацелия, странным образом вызывавшая в памяти упущенную берлинскую любовь; он вспоминал Петербург, писал про писателей-алкоголиков, педерастов, морфинистов и кокаинистов, распутных, развращенных и развращающих всех, кто к ним попадал, про нелепую, дурную, тяжкую их жизнь, которую они обожествляли, презирая всех непосвященных, и самого Павла Матвеевича держали за профана, географа, легкобыта.

Однажды в соседнем с Горбунками селе, где они жили тогда с Пелагеей, ребятишки играли на Пасху с огнем и случайно подожгли деревню. Загорелась сухая трава, ветер был сильный, и в одночасье полыхнуло. Легкобытова и Пелагею пожар застал верстах в пяти от села на охоте. Увидев дым, они бросились к дому, и, когда добежали — сначала он, следом, запыхавшаяся, дородная, она, — уже одна за другой вспыхивали деревенские избы и метались вокруг люди, вытаскивая самое ценное. Возле одной избы даже стоял обитый на городской манер диван. Бросившись в охваченный пламенем дом, Легкобытов сгреб в охапку кипу альбомов и с ними одними, не успев взять ни денег, ни шубы, выбежал, столкнувшись нос к носу с подоспевшей женой.

— Васенька где? — только и выдохнула та, спрашивая про младшего, трехлетнего их сына, которого оставили дома на попечении старушки, убежавшей спасать свое хозяйство и о младенце запамятовавшей, так же как запамятовал о нем в тот миг и сам Павел Матвеевич.

Бежать в избу снова возможности уже не было, но и косточек, когда пламя погасло, в золе не нашли. Не потому, что дитя дотла сгорело, а потому, что его успела вынести из огня Танька-дурочка, деревенская юродивая, которую не знали, чем отблагодарить, а она ничего для себя не попросила и вскорости умерла. Похоронили ее с той пышностью, с какой не хоронили на селе никого, а после на могиле начали твориться чудеса.

Просвещенный отец Эрос признавать этих чудес не захотел и в воскресных проповедях отчитывал темный народ за суеверие. Но деревенские бабы на благоукрашенную могилку шли и шли со всей округи со своими требами, и Павел Матвеевич даже фельетон на эту тему сочинил, опубликовав его в «Биржевых ведомостях» и еще раз подчеркнув ту пропасть, что между народом и казенной церковью существует. А никакой личной вины он за собой не чувствовал, ибо относился к жизни фаталистически, и главное призвание, за которое если и будут с него там спрашивать, знал, и за каждое свое слово был в ответе, извлекая эти слова на свет божий в одиночестве и тишине, никем не виданный и ни разу за своим колдовским ремеслом не застигнутый.

Он давно подметил, что, покуда рыщет по просторам родной земли, мир вокруг него стоит. Когда же он останавливается — мир начинает идти, и это движение только тогда и можно запечатлеть. Или, как он сказал однажды Алеше Ремизову: «Птица на лету не поет. Чтобы петь, ей надобен сучок». И для Легкобытова лесной пень на косогоре сделался тем сучком, с которого он пел, озирая не только открывавшиеся глазу просторы, но и бедную свою молодость, мечтая искупить ее несчастия, воскресить утраченное или добрать недобранное. Начиная с того, что его маленький герой не присутствует при смерти отца, не пугается в отрочестве продажной женщины и из гимназии его не выгоняют с волчьим билетом, а он сам из нее уходит, скитается по Руси, по тайным ее обителям, узнает ее неведомых людей, законоучителей, странников и юродивых, путешествует по миру, едет в Америку, а потом возвращается в Петербург и побеждает апокалиптический град тем сокровенным знанием, которого нет ни у кого. Но когда его повсюду приглашают, зовут, предлагают возглавить религиозно-философские советы и избирают в академию, легко от всего отказывается и уходит обратно в лес, оставляя декадентов в растерянности и с ощущением бессмысленности жизни.

Павел Матвеевич знал название своего романа, знал, чем начнет и закончит, знал всех героев и их прототипов и заранее представлял, как эти люди будут себя узнавать, но никого и ничего не боялся — он вышел в литературу как на бой, однако что-то или кто-то его обескураживал и мешал роман написать, на чей-то острый глаз, как на сучок в лесу, напарывался Легкобытов, и все мечты его рассеивались, как пороховой дым, и становилось видно, что выстрел неудачен, — то ли не достигнута цель, то ли лишь одна дробинка из нарядного дамского ружьеца попала в тело неведомой птицы, и та улетела, затаив на охотника обиду. И Легкобытов с досадой отступал, однако затеи своей не бросал и часа своего ждал, ничего в собственном прошлом не забывая и не прощая.

6

Не забывал этого прошлого и сам ранимый, нежный и злой человек, коего Павел Матвеевич с юности избрал в герои и тираны своей нескладной жизни и чьему завету быть поближе к лесам да подальше от редакций уже много лет исправно следовал. Однако у философа пола, которого по гимназической привычке охотник кликал Козлом, вряд ли имея в виду, что Козел по своему названию животное трагическое, были свои о Легкобытове неприязненные воспоминания. В том далеком году, когда приключилась их ссора, приехавший из Москвы педагог встречи с учащимся хулиганом в темном переулке над обрывом реки опасался еще больше, чем боялся известного литератора ныне повзрослевший его ученик. Р-в даже купил палку со свинцовым набалдашником, о чем сообщил своему литературному опекуну, мутному критику Страхову, и передвигался по городу осторожно, избегая темного времени суток и подозрительных мест. Со стороны можно было подумать, что воплотившийся в чужом обличье учитель древнегреческого языка Беликов по Итальянской улице шествует, распугивая обывателей, но на поверку ничего беликовского в Козле не было. Скорее наоборот — полная человеку в футляре противоположность, обнаженность и уязвимость, аллергический ожог и страдание.

Аллергия была у Р-ва на все: на газеты, на кареты, на стены, двери и луну, но особенно на скверный городишко, куда он сам напросился, после того как его измучила и бросила старая жена. Прозывался городок очень трогательно — Елица, по имени глубокой извилистой реки, впадавшей в Дон, и был стар, красив, благороден, с большими соборами, купеческими домами, знаменитым на всю Россию острогом, который в городской ландшафт вписался и обывательской жизни не мешал. В таком городе жить да жить, о таком городе трактаты писать, но Р-ву в нем было нехорошо, воспоминания о презревшей его, оскорбившей женщине терзали нервическое существо философа, он мучился от одиночества, неутоленной похоти, неустроенности, безбытности, и, когда приходил в гимназию и видел тупые, сытые, сонные физиономии купеческих сынков, которые, хоть ты тресни, не желали запоминать разницу между иератическим и демотическим письмом, его охватывал бес гневливости.

Гимназисты относились к педагогу с опаской. Никто не знал, в каком настроении учитель придет на урок, за-

60

трясется ли у него левая нога и он станет спрашивать всех подряд, требуя, чтоб ему называли никому не понятные крючки на каком-то дурацком Розеттском камне, или же на Р-ва внезапно нападет вдохновение, мутные глаза оживятся, загорятся, и из уст огнем взметнется рассказ про деревянный фаллос бога Осириса и «Книгу мертвых», столь завораживающий, точно рассказчик сам служил во время оно жрецом, и можно будет спокойно рассматривать под партой порнографические карточки, не боясь, что учитель их отнимет. Р-в про тайные пороки учеников знал и относился к ним снисходительно, но одно лицо в классе, высокомерное и гордое, было ему по-настоящему ненавистно, и никакого снисхождения к его обладателю философ делать не собирался.

Наглая физиономия принадлежала высокому плотному мальчишке, второгоднику и бездельнику, в чьих глазах Р-в читал визионерское презрение и, как в темном зеркале, видел собственное кривое отражение: нескладного, казенного, скучного мечтателя, который дальше мечтательности никуда не пойдет и ни на какой поступок не решится. В третьем классе, точно желая продемонстрировать Р-ву разницу между мечтою и ее осуществлением, мальчишка подговорил нескольких одноклассников удрать в Австралию. Они украли у родителей деньги, купили ружье, лодку и в самом начале учебного года двинулись вниз по Тихой Елице. Два дня не было о беглецах ни слуху ни духу, а потом все трое были схвачены в среднем течении Дона знаменитым на всю губернию поимщиком конокрадов Тихоном Жлобовым. Последний выставил наблюдательный пост на высокой горе в том месте, где Тихая Елица впадала в Дон, и, как писала впоследствии газета «Елицкий курьер», подобно орлу, кружащему над долинами и холмами, Жлобов разглядел злоумышленников, кинулся за ними в погоню и настиг. Перепуганных, раскаявшихся еще прежде, чем это раскаяние потребовалось, мальчишек потащили к директору гимназии Баксу и устроили над ними суд.

Более всех усердствовал страдавший пятидневными запоями учитель географии Ванов, оскорбленный уверенностью учеников, что прямиком в Австралию вынесет их по батюшке Дону плот, и подозревавший, что в этой несообразности могут увидеть незрелый плод его томительных уроков. Все шло к тому, чтобы беглецов отчислить, и их отчислили бы, когда бы не вмешался какой-то блаженный и не призвал пожалеть никаких не смутьянов, не бунтарей, не нигилистов, а хороших, необыкновенных детей, уверовавших в мечту.

— Из русского, черт его побери, гимназистишки не сделаешь казенную штучку, мы ж не немцы какие, — заявил Р-в на педсовете и вызывающе посмотрел на директора гимназии.

Бакс промолчал, а Р-в и сам не понял, зачем так поступил, но, верней всего, в нем заговорила совесть, ибо вся авантюра с австралийским побегом была подсказана ученикам его древнеегипетскими сказками.

С той поры мальчик смотрел на своего заступника и подстрекателя так, будто прозревал в нем тайное знание, и неотступно за ним следил. Куда бы ни шел Р-в после уроков, его преследовала долговязая фигура с наглой ухмылкой и голодными глазами и чего-то духовного требовала, как требует зимой еды отощавшая кошка, которой кинешь один кусок, а она потом от тебя не отстанет и будет приходить к дому, злобно мяукать и шкодить, да еще товарок приведет. Мальчишка таскался

один, но Р-ву подростковое внимание было оттого досаднее, что в ту пору его жизнь начала счастливо меняться: он встретил в Елице овдовевшую молодую по-
падью, благочестивую добрую женщину из тех русских
семейств, которые только в таких городках и могли на
свет божий явиться. После смерти мужа она продолжала жить в семье свекра, воспитывала маленькую дочь
и не искала личного счастья, зная, что ей предстоит ве-
ковать одной до смерти. Едва увидев ее, философ влюбился тотчас же. Со всею страстью своей раздражитель-
ной натуры он обрушился на нее, настиг, как настигает
в открытом поле непогода. Попадья пыталась ему про-
тивиться, не принимала ухаживаний, пугалась, дичилась,
молилась о том, чтобы Господь отвел от нее напасть, но
постепенно стала привыкать к этому странному, с безумным блеском в глазах, всклокоченному, гневливому человеку, легко переходившему от слез к смеху и снова
к слезам, точно и в самом деле два пререкающихся анге-
ла сидели на его узких плечах. Но еще прежде, еще раньше полюбила своего будущего приемного отца ее семи-
летняя дочка.

— Он хороший, мама, он добрый, — шептала она. —
Ты женись с ним.

— Да я и не знаю как, Асенька, — отвечала мать с со-
мнением. — Не пара я ему. Он ученый.

— А ты не думай ничего, ты просто женись.

Это было странное, счастливое время их сближения,
узнавания, их обреченности друг другу, бесконечных
разговоров — его сумрачных рассуждений о понимании, в которых она мало что понимала, и ее бесхитрост-
ных рассказов о своем детстве, об отце и первом муже.
Ей казалось, что она говорит слишком просто, скучно,
она стеснялась самой себя и не знала, о чем рассказы-

вать можно, а о чем нельзя, не обидится ли он, не заругается ли, но он умел так ее слушать, что все страхи скоро рассеялись. И, когда она однажды рассказала ему, что не окончила гимназию, оттого что мать забрала ее из второго класса, после того как девочке поставили четверку за поведение, и это было так неприлично (четверка за поведение, на что они намекают! — воскликнула ее мама), он заплакал от умиления, услышав этот стыдливый, извиняющийся рассказ, и она почувствовала, что никакой фальши, ничего наигранного в этом умилении нету. И в своих молитвах попадья не просила Создателя отвести от нее беду, но, не смея мечтать о личном, шептала: «Господи, да свершится воля Твоя!», а сама про себя думала, чтобы воля эта была за то, за то... Она почувствовала, что привязалась к этому неопрятному, утробному человеку навсегда, однако тут другая встала меж ними преграда. По странным законам того же человеческого сердца давно потерявшая интерес к Р-ву старая жена отказалась давать развод. «Что Бог сочетал, того людям не расчесть», — изрекла она начетнически, и что-то болезненное, страшное, навечно униженное и оскорбленное мелькнуло, на миг открывшись, и снова закрылось в ее непроницаемых темных глазах.

Философ, кого не первого та горькая бездна утянула и вдохновила, писал на кержачку чувствительные доносы, но чем больше он старался и чем убедительнее, до самых мельчайших, интимных подробностей описывал невыносимость прежней супружеской жизни, чем больше жаловался градоначальнику на то, что жена отказывала ему в законных ласках и считала мужнино семя грязью, а начальник угощал красноречивыми р-вскими эпистолами всю подведомственную ему канцелярию и сочинял в ответ учтивые отказы, тем упрямее раскольница становилась и чужому счастью не позволяла осуществиться.

Жить вместе без венца Р-в и его возлюбленная не могли: попадье не позволяло семейное воспитание и благочестивое окружение. Философ мучился и не знал, что делать. Он бросился в провинциальный разврат, но и разврат его не утешил. А тут еще этот глазастый шалопай, его преследовавший на каждом шагу и как будто бы о чем-то догадывающийся, посылающий ему невнятные сигналы, так что, даже гуляя со своей недосягаемой подругой в холмах над Елицей, Р-в ощущал на спине его настырный взгляд, а потом приходил на урок в гимназию и сталкивался со своим мучителем лицом к лицу. Как ему хотелось злого мальчика отодрать за уши и сказать ему: не смей шпионить, не лезь в чужую жизнь!

А мальчишка все равно лез. Он скверно учился, был своей овдовевшей матерью страшно избалован; говорили, что с учеником Легкобытовым лучше не связываться, что у его семьи огромный капитал и конный завод в тридцати верстах от города, и у выросшего в нищете в заволжской Ветлуге Р-ва это вызывало еще большую неприязнь, а у мальчика его непонятная неприязнь — обиду и гневливость. Они кружили вокруг друг друга, как два петуха, и в конце концов все закончилось личным столкновением на уроке, хамством нераскаявшегося ученика, дерзко заявившего, что он считает себя умнее и значительнее всех в классе.

— Ты, может быть, себя и умнее меня считаешь? — спросил Р-в ядовито.

— Вы образованнее, — ответил мальчик с дрожью в голосе.

— А ты?

— А я талантливей.

— Чем это, позволь спросить? — усмехнулся философ.

— Поведением.

— Чем-чем? — захохотал учитель, но никто его смеха не поддержал.

— Я б унижения от бабы не перенес.

Он снова как-то странно даже не мигнул, а издевательски хлопнул медвежьими глазками, и Р-ва передернуло от отвращения.

— Уходи из класса, кривляка!

— Вам надо — вы и уходите. — Оскорбленный голос ученика натянулся как струна, а потом сорвался и лопнул: — Коз-зел!

В просторном помещении, где сидело двадцать мальчишек, стало тихо. Гимназисты оторвались от проказ и запрещенных забав и тупо, как молодые бычки, уставились на двух спорщиков. Отчаянное мартовское солнце освещало их нежные, тронутые пороком возраста лица, и Р-ву показалось, что сейчас эти бычки замычат, поднимутся и пойдут на него всем стадом. Забьют, задавят тут же. Ему стало душно и невмоготу.

— Это все Нитщ, — произнес учитель, захлопывая классный журнал и впервые называя фамилию человека, которую его ученик запомнил на всю жизнь. — Что ж, я уйду, но ты за мной побегаешь. Уроки для тебя окончены.

В тот же день он написал докладную директору, а еще два дня спустя добился того, чтобы наглого подростка отчислили, снова восстав один против мнения педагогического совета и презрев уговоры и слезы Павлушиной матери, которая в действительности была бедна и еле-еле растила пятерых детей и в ногах у него валялась, умоляя пощадить ее сына и снизойти к ее несчастному положению. Но чем больше она унижалась, тем непреклоннее делался Р-в, вспоминая нанесенное ему оскорбление и чувствуя, что, если эти наглые, голодные глаза вновь появятся перед ним, он не выдержит и взорвется.

— Или он, или я, — сказал учитель директору.

— А вы не слишком-то последовательны, — ответил печальный Бакс, подрагивая густыми усами. — Тогда защищали, сейчас гоните. Для педагога это нехорошо. Я бы оставил, разумеется, его, но, к сожалению, это невозможно. Только вы неужели не боитесь, что вам когда-нибудь станет из-за этого случая неловко? У вас же биография.

— Не станет, — сказал Р-в со скукой. — К моей биографии ваш хулиганчик отношения не имеет.

Однако странная, едва ли не мистическая связь учителя и ученика, их поединок и родовая вражда не оборвались, а брошенная философом напоследок фраза «ты еще за мной побегаешь» сбылась так долговечно, как египтянин и помыслить не смел. Мало ли было у него гимназистов, мало ли столкновений и встреч, но, когда философ украдкой, в нарушение всех законов и постановлений Синода тайно обвенчался в закрытой церкви со своей стыдливой возлюбленной; когда вырвался из ненавистной Елицы, переехав с семьей сначала в равнинный, окруженный болотами город Белый в Смоленской губернии, а оттуда еще ниже в Петербург; когда стал печататься у Алексея Сергеевича и после нескольких голодных лет начал хорошо зарабатывать; когда им принялись увлекаться и он сделался моден; когда его несправедливо, подло ударил под дых восторженный апокалиптик Соловьев, ни за что ни про что назвав Иудушкой, и это клеймо надо было с себя смывать; когда он познакомился с Димитрием и Зинаидой и они пригласили его в свое литургическое троебратство; когда Р-в вошел в тайные салоны и кружки, стал посещать вместе с подросшей падчерицей Асей эротические сеансы и мистические действа, во время одного из которых они пили кровь из вены молодого еврея-доброхота, а потом Р-в каялся перед благочестивой женой и обещал ей впредь никуда без ее позволения не ходить, ни в какие истории не влипать и Асю с собой не таскать, но все равно ходил, не в силах победить сырую натуру; когда им возмущался кучерявый фарфоровый Блок — как-де вы можете одновременно состоять в Религиозно-философском клубе и печататься у черносотенцев — и еще сильнее любил и ненавидел бесполый, похожий на Миклухо-Маклая среди дикарей Мережковский; когда у него рождались беззаконные дети и он писал долгие прошения правящему архиерею с тем, чтобы им разрешили носить его фамилию, а просвещенный либеральный владыка Антоний мягко отказывал, и это выводило просителя из себя; когда Р-в, так любивший Церковь, восставал на Христа и за это его предлагал предать анафеме сам себя оскопивший нижневолжский епископ, — что бы с ним ни происходило, философ чувствовал, что кто-то, легонько, но прочно вцепившись в его хохолок, по его стопам след в след идет.

Этот кто-то женился на замужней и рожал с нею беззаконных детей, ходил к сектантам и искал у них правды, писал про эрос и танатос, про темного и светлого бога, корчил обезьяньи рожи и в каждой гостиной самозванно кликал Р-ва своим литературным опекуном, намекая на какие-то особые их отношения, а у философа не было ни сил, ни желания эти сказки опровергать. Он старался своего ложного двойника не замечать, но двадцать лет спустя после нелепого, уже давно позабытого столкновения в Елице на одном из петербургских литературных собраний, где столько глупого и ненужного происходило и Р-в сам не знал, зачем он туда ходит и перед кем мечет бисер, нескладный, статуеобразный, великовозрастный ученик предстал перед своим гонителем с потертым ягдташем за спиной. Философ пола не удивился, не испугался, не задрожал, а только почувствовал, как подступает к горлу старая елицкая тоска и оживают в памяти картины бесприютства, голода, одиночества и унижения. Захотелось уйти, нечто похожее на приступ клаустрофобии, страшной болезни, терзавшей Р-ва с детства, с ним случилось, он побледнел и пошатнулся, но крепкий, чернобородый, пропахший дымом охотник его подхватил.

— Когда б не вы, — сказал он неизменившимся тенорком и достал из охотничьей сумки два тома собственных сочинений с наипочтительнейшей надписью, страшно, до красноты в лице тужась и потея, — из меня бы ничего не вышло.

Р-в почувствовал в тот момент, что в зале Географического общества, которое литературное собрание для собственных нужд арендовало, все замерли и на них двоих уставились. Со стороны казалось, нет и не может быть более трогательной картины, как если бы верный сын вернулся к блудному отцу, поддержал и простил его. Лохматый юноша тридцати трех лет ждал, что его сейчас обнимут, облобызают и благословят. Своим известным всей России вострым глазком Р-в читал на лице литературного подростка не только щенячий восторг, но и торопливое, чуть небрежное — признай меня и подвинься, освободи место. Казалось, этого ждали все, но он — не признал. И не потому, что не мог забыть елицких обид и преследований или творческое поведение молодого пришлось ему не по нраву. Не потому, что вся эта никому не известная, давно забытая провинциальная история с отчислением нагловатого мальчишки могла подпортить Р-ву репутацию, выставив в роли полицейского-держиморды, — с каким удовольствием ею воспользовались бы добчинские и бобчинские от большой литературы, его ненавидевшие, трусливо боявшиеся и только того и ждавшие, что он на чем-то поскользнется! Не потому, что в те годы, когда странный тип из горького прошлого явился в литературу со своей дурацкой котомкой и старательными книжками, похожими на выученный урок, который был ему когда-то задан, и вот он пришел наконец отвечать, поздно было в литературе начинать — Блок да Белый прославились в двадцать с небольшим, — а потому, что увидел и понял в сильно переменившемся елицком хулиганчике нечто другое, чуждое себе.

— А ничего из тебя и не вышло, окромя того, что каждый день по утрам выходит, — сказал философ грубо, а про себя подумал: «Не ты мой наследник, хоть и тщишься им стать. Ты счастливый, ты пострадаешь немного, поплутаешь, да и выберешься, проживешь жизнь долгую и радостную, но это не мой путь. Ты ошибся, мальчик. Ты ненавидишь страдание. А его надобно полюбить».

И умный мальчик все понял. Он вздрогнул, как от удара хлыстом, отшатнулся, но на землю не спрыгнул, а лишь прочнее вцепился в опекунский хохолок, и с той поры Р-в слышал о своем обезьяне от самых разных людей, которым тот вдруг оказался чрезвычайно полезен. Одного он водил повертеться к хлыстам, хотя и знал, что хлысты не вертелись, другого брал с собой на охоту и одаривал трофеями, третьего защищал от обвинений в плагиате и дарил таинственные птичьи слова и позывные, которых у него было так много, точно он владел заветным кладом. Он вязался к благородному Блоку, пригодился Вячеславу Великолепному, съездил в «Славны бубны» к хитроумному Волошину, подружился с Алешей Ремизовым, и маленький, трогательный, как гном, обидеть которого грех, Алеша уговаривал Р-ва обратить на своего бывшего ученика внимание и быть с ним поласковей, а в ответ на вопль философического сердца «мне не нужны обезьяны, пусть катится обратно в свои леса!» учинил дурацкую обезьянью вольную палату и зачислил туда обоих, и Р-ва, и Легкобытова, а потом еще отрезал зачем-то хвост от обезьяньей шкуры, привезенной из Африки мужественным поэтом Гумилевым для своей капризной суженой. В эту историю тотчас же влез граф Алексей Толстой, который совал свой могучий нос во все дырки, но графа в палату не приняли: сказали, что у него чересчур большие ноги, сомнительное происхождение да не получившая развода у прежнего мужа жена-еврейка. Граф жестоко обиделся на столичных жидоедов и уехал в Коктебель, где перепортил в отместку всю писательскую деревню, а у Р-ва немногие оставшиеся зубы заломило — как же он ненавидел тогда русских писателей, расшалившихся, точно провинциальные гимназисты в мартовском классе, но и деваться от них ему было некуда.

На забавы и проказы прыщавых литературных юношей можно было б не обращать внимания, но вот уже скучный критик с нелепейшим именем Разумник написал бестолковую панегирическую статью, в которой сопоставил двух литераторов, идущих по одному путику, — знаменитого, но уже нисходящего философа Р-ва и мало кому известного поэта в прозе Л-ва, — отдав предпочтение младшему, восходящему. Положим, этот умник всегда был занудой, и правильно, что Зинаида ядовитого паучка на порог к себе в салон не пускала, а он в ответ злобно шипел и дружил против нее с профессорским сынком Боренькой Бугаевым. Только кто мог тогда представить, что злыдня чужими руками изгонит однажды и самого Р-ва, хотя именно он интеллигентскую секту в девятьсот третьем году основал? Кто мог предположить, что однажды в Петербурге соберется большой философический совет и на этом совете Р-ву выпишут волчий билет, а наглый мальчишка будет в том совете восседать и решать его судьбу? Однако именно так, загадочным, насмешливым, обезьяньим образом, сбылось пророчество директора Бакса и повторилась, перевернулась ситуация тридцатилетней давности, когда Р-в выставил из елицкой гимназии самого нерадивого и невоспитанного ее ученика.

7

Тот физический изъян, который подозревала и которого боялась Вера Константиновна у своей непрошеной падчерицы, у Ульяны действительно был, хотя и превратился чудесным образом в свою противоположность. Очень долго шеломская бегунья не умела ходить. Уже давно все ее одногодки бегали по двору на Знаменке, а она сидела на руках у матери и смотрела вокруг блестящими, неподвижными глазами. Не жаловалась, не кряхтела, не тянулась к ярким игрушкам, иногда принималась ползать, но как-то странно, по кругу, точно кто-то привязал ее к невидимому столбу. Родители поначалу не обращали на эти странности внимания, а когда показали полуторагодовалую дочку дворцовому доктору, тот, бегло взглянув на нее, сказал, что девочка скоро пойдет — надо только набраться терпения. Однако убывало время, Уля упорно не желала ходить, и стало понятно, что с ее ножками что-то не так. Новые доктора, призванные на консилиум, мучили Улю осмотрами, говорили между собой по латыни, а перейдя на русский, ничего утешительного родителям сообщить не спешили.

Все переменилось в их доме с того дня. Больше не слышались в нем ни музыка, ни женский смех, ни разговор гостей. Не приходили молодые художники, которым покровительствовал помощник дворцового коменданта, все было подчинено одному — поставить девочку на ноги. Василий Христофорович и его супруга перепробовали все, что было можно: они возили дочь за границу, на воды, показывали ее европейским знаменитостям, затем стали ездить в далекие монастыри, к мощам, чудотворным иконам, источникам, канавкам, к старцам и старицам. И хотя Комиссарову все это казалось смешным, неприличным и даже лицемерным, ради здоровья дочери он был готов и в церковь пойти — только все было так же тщетно. Как ни постилась, ни молилась, ни изнуряла себя его жена, сколько ни била земных поклонов, сколько дочку ни причащала и ни соборовала, какие только молебны ни заказывала, ничто ей не помогало.

Уля росла живой, любознательной, умной девочкой, она рано научилась говорить, а потом и читать, рисовала, пела, смеялась, разучивала наизусть стихи, однако ноги ей не служили. По-прежнему она ползала по кругу, упорно, с какой-то ей одной ведомой целью, точно число этих кругов должно было нечто значить, и что-то страшное, одержимое было в этом круговом пути. Они пытались отвлечь ее яркими игрушками, сладостями, шарами, но, не обращая ни на что внимания, Уля ползла.

Со временем механик к такому положению дел привык. Он изготовил для дочери удобную коляску, летом они часто уходили в луга, и он собирал для нее полевые цветы, читал Апухтина, он еще больше ее любил и жалел, целовал и гладил ее худенькие, непослушные ножки, он надеялся сделать жизнь дочери счастливой, насколько это возможно, но жена его не успокоилась, и все чаще Василий Христофорович видел в ее глазах странную решимость. Она винила во всем одну себя, носила только серые платья, постарела лицом, так что никто не дал бы этой усталой пожилой женщине ее молодых лет. Иногда она исчезала из дома, но никогда не рассказывала о том, где была, и с каждым днем выглядела все более замкнутой. Василию Христофоровичу, который знал жену лучше, чем самого себя, все это казалось странным, пугающим. Разговаривать с ней было бессмысленно, как помочь ей, механик не знал, он только чувствовал, что теряет ее. Жена уходила от него, уходила в далекую, темную, неизвестную сторону, куда ему не было ходу.

— Что с тобой, Маша? — спрашивал он с тоскою. — Вернись.

И в голову ему лезло:

Да, васильки, васильки...
Много мелькало их в поле...

Но жена не возвращалась.

А потом Уля пошла. Даже не пошла, а побежала. Это случилось однажды солнечным февральским утром,

74

когда Василий Христофорович вошел в детскую и увидел дочку возле обледеневшего, искрившегося от моро-
за окна. Повиснув на локтях на подоконнике, Уля смотрела на улицу через оттаявший от ее дыхания кусочек
стекла, разговаривала сама с собой и болтала ножками,
как она часто любила делать, и в такие минуты механик
не сводил с нее глаз и забывал про ход времени, который обыкновенно чувствовал, словно в его голову
были встроены часы. Но вдруг за окном мелькнула чья-
то тень, девочка замолкла, замерла, вскрикнула и с пла-
чем не поползла, а какими-то дикими скачками бросилась от окна и взобралась к отцу на руки. Растерянная,
испуганная, не понимающая, что с нею происходит, она
дрожала в его руках, и сквозь выступившие у него на
глазах слезы Василию Христофоровичу почудилось, что
она сейчас не только пойдет, но и взлетит.

Она была так прекрасна, что он даже побоялся вспугнуть неловким движением свершившееся чудо и держал
ее некрепко, как птичку, а потом обернулся на незаметно вошедшую жену и поразился выражению ее глаз. Не
радость, не счастье, не восторг — какой-то грустный
ужас в них застыл. Она взяла у него дочь, прижала к себе
и спросила:

— Кого ты там увидела, Уленька?

Девочка задрожала еще сильнее и вцепилась в мать.

— Забудь то, что ты там видела. Ты поняла меня?

И больше всего механика изумило не то, что жена
разговаривала с трехлетним ребенком как со взрослым
человеком, а то, что Уля все понимала и кивала. Она
была очень бледна, а потом глаза у нее закрылись и она
то ли уснула, то ли потеряла сознание. Комиссаров растерянно смотрел на жену. Страшная мысль, что дар ходить отнимется так же внезапно, как появился, ударила

Василия Христофоровича, но женщина его испуг предупредила:

— Она проснется и начнет ходить. И не будет ничего помнить.

И вышла со спящей девочкой на руках.

Ее не было довольно долго, и Василий Христофорович не решался ее потревожить, а когда вошел в спальню, то увидел Улину мать, одетую в дорожное платье.

— Я должна уйти.

Она смотрела на него сухими, ясными, строгими глазами, в которых не было ни капли безумия. Беспощадно смотрела.

— Что ты еще придумала, Маша? — пролепетал он.

— Так надо. Я обещала.

— Кому?! Что ты обещала?! Что должна забыть Уля? Почему ты не хочешь мне ничего сказать?

— Ты воспитаешь ее один и не пытайся меня искать. Когда Уля подрастет, возьми себе, если хочешь, другую женщину.

— Но почему? — взвыл он, с тоской понимая, что уговорить ее, переубедить невозможно.

Однако она ничего ему больше не объяснила, а он не знал, как объяснить Уле, куда делась ее мама. Но девочка словно что-то почувствовала и ни о чем не спрашивала, а сам он, сколько ни пытался осторожно выведать у Ули, кого увидела она за окном в то белое зимнее утро, никакого ответа не получил. И не мог понять: то ли дочь действительно забыла, то ли не хотела ему говорить, но с этого момента в его чистом, безмятежном отношении к ней что-то нарушилось.

Несколько времени спустя Василий Христофорович уволился из дворца на Знаменке и устроился работать на Обуховский завод, они сменили квартиру, и постепенно Уля стала забывать маму, лишь иногда она ей снилась совсем юной, почти девочкой, только платья у нее были не серые, а белые или розовые.

...Когда Уля чуть подросла, она догадалась, что мама у нее умерла, и стала просить отца отвести ее на могилку.

— Я только там поплачу, а потом дома не буду плакать, я буду себя хорошо вести, — обещала она.

Василий Христофорович не знал, что дочери ответить, но могилку так и не показал. И зря, наверное, не показал. С могилкой было бы проще, и на небе была бы звездочка, куда можно смотреть и знать, что там находится мамина душа. Но ничего этого утешительного не было, зато была пустота, которую Уля не знала чем заполнить и играла дни напролет со своими куклами в дочки-матери, а потом в ее жизни появилось одно странное существо. Оно приходило в комнату ночью, садилось у изголовья и трогало ее волосы, гладило по лицу, целовало, как это делала когда-то мама, но это существо было не мамой, а чем-то холодным и страшным, полностью маме противоположным. И Уля боялась пошевелиться, умирая всякий раз под ледяной лаской, с трудом возвращаясь наутро к жизни. Рассказывать о себе это существо запретило. Оно ничего никогда не говорило прямо, но проникало в сознание, и Уля умела понять, что, если она кому-то об этом существе расскажет, этот человек умрет. Просыпаясь ночами, девочка боялась заплакать, чтобы нечаянно не разбудить папу. Если бы была жива мама, она бы приползла в ее постель и сразу же успокоилась, но приходить к отцу она стеснялась и только все время спрашивала у него:

— Почему солнце не такое, как всегда? Почему оно мутное? Почему луна каждый день разная? Почему так кричат птицы? Почему замолчали кузнечики?

И он отвечал ей несуразное, глупое, что заставляло ее возмущаться и говорить:

— Ну посмотри же, посмотри, оно другое, и небо — оно всегда было синее, а теперь белесое. И дымом пахнет. Я боюсь.

— Ну чего ты боишься? — сердился он. — Если у тебя что-то болит, нужно позвать доктора, и он тебя вылечит.

Приходил ласковый, вкрадчивый человек, задавал ей глупые вопросы, на которые она не знала что ответить, а про главное, ночное, молчала, потому что про него нельзя было никому говорить. И доктор, забирая у механика гонорар за визит, торопливо уходил, что-то бормотал про диету, воды и перемену обстановки, сам не веря в то, что лепечет.

— Хочешь, поедем купим тебе новую куклу? Или платье? — предложил Василий Христофорович однажды перед Пасхой и виновато поглядел на девочку, выросшую из всех нарядов.

— Хочу, — сказала она — не ради себя.

Они поехали на извозчике в Гостиный Двор, и Уля вдруг сделалась необыкновенно радостной, оживленной, невидимая внутренняя хворь отступила, испугалась, и отец обрадовался еще больше, коря себя за то, что не догадался до такой простой вещи, как отвезти ее в магазин, раньше. В модной лавке было много народу, надменно-любезный приказчик говорил с Улей как со взрослой, подавал руку и хвалил ее волосы и кожу, потом подошла высокая девушка-француженка и предложила ей пройти померить платье, и Уле все это ужасно нравилось. Она была здесь самой красивой девочкой и впервые ощутила в сердце сладкое чувство превосходства. Столкновение с чужой завистью, с какой на нее глядели нервозные мамаши и их прыщавые дочки, веселило и будоражило ее. Даже то, что она единственная была здесь с отцом, придавало Уле очарование, и она это остро ощутила. То же самое почувствовал и механик, он смотрел на дочку с важной гордостью и не жалел на ее наряды никаких денег, требуя, чтобы им показывали самое дорогое и модное. Но, когда они уже были готовы все примеренное купить, приказчик, желая сделать девочке приятное, подвел ее к большой нарядной кукле с выразительными глазами, одетой в белое платье невесты:

— Когда-нибудь и вы, барышня...

Кукла посмотрела на нее с наглостью, а когда все отвернулись, коснулась Улиных волос и больно за них дернула. Все стало клониться у девочки перед глазами, лица людей исказились, и Уля почему-то оказалась не здесь, но на крыше большого дома, услышав собственный недетский голос:

— Уходим отсюда, папа, уходим.

— А платья?

— Ничего не надо, уходим скорей.

Приказчик с недоумением посмотрел на Комиссарова, и лицо его скривилось в понимающей, полупрезрительной улыбке.

— Сколько ты меня мучить будешь! — рассердился механик.

— Домой, папа, домой.

Там она собрала своих кукол, затопила печку и сожгла все до одной, а потом посмотрела на отца и с какой-то не девичьей, но женской жалостью промолвила:

— Ты, если хочешь, папа, ты женись.

Механик вздрогнул, не уразумев, каким образом она угадала его желание, исполнившееся так быстро, как он и сам не смел предположить, а Уля, когда в их доме появилась чужая осторожная женщина и начала заполнять собой пространство комнат, углов и коридоров, почувствовала, что может бежать вскачь, как научил ее один странный человек на Коломяжском ипподроме.

8

— Я все продумала, — говорила Уля Алеше. — Мы с тобою похожи. Ты так же одинок и никому не нужен в этом мире, как и я. Ты так же тоскуешь и томишься, а вдвоем нам будет хорошо. Мы убежим отсюда. Ты станешь меня защищать, я буду о тебе заботиться. Другого способа спастись нам нет.

Они сидели на песчаной шеломской косе, образовавшейся летом из-за засухи, в двух верстах ниже деревни и смотрели на убывающую, прозрачную воду, в которой обреченно-беспечно играли легкие рыбки с темными пятнышками вдоль узкого стремительного тела.

— Лодка у нас есть, ружье ты возьмешь у отчима. Оно ему все равно скоро будет не нужно, а взломать шкаф ты сможешь — ты вон какой сильный. Главное — ты не будешь больше ему прислуживать. Ты станешь свободным, Алеша!

— И что я буду делать? — спросил он осторожно.

— Как что? — воскликнула Уля. — Жить! — И, поймав недоумение в его взгляде, заговорила с сиянием в глазах: — Ловить рыбу, охотиться и плыть, плыть, плыть.

— Куда плыть? — спросил Алеша еще более осторожно.

— Вот! — Она взяла прутик и на мокром песке у кромки воды с лихорадочным торжеством отвечающей на «отлично» урок гимназистки принялась рисовать карту побега. — Я все продумала. Вниз по Шеломи доходим до озера, оттуда в Волхов и ночью, чтоб нас никто не увидал, пройдем мимо города. Дальше станем сплавляться по Волхову до Ладоги. Я посчитала, на это у нас уйдет недели две или чуть больше. Там продадим лодку, попросимся на какой-нибудь корабль и поплывем на север. — Прутик уверенно чертил контуры Ладожского озера, делая его несколько более вытянутым, чем оно было на самом деле.

— А дальше? — спросил Алеша совсем бережно, почти уже не дыша.

— А дальше совсем все просто. В Олонецкой губернии есть водопад в Надвоицах, за ним большое озеро, там мы найдем место для зимовья и срубим избушку. Тайга большая, в ней много пушного зверя. Ты станешь траппером.

— Кем? — покраснел он.

— Охотником за пушным зверем, — пояснила начитавшаяся в предыдущую зиму Джека Лондона Уля, — а я научусь выделывать шкуры. Избушка будет стоять на берегу большого озера, там, где в него впадает ручей. Когда я была маленькая, у нас на стене висел бабушкин ковер с этой избушкой. Я тогда не умела ходить и все время на него смотрела. Я все знала, очень давно знала, еще до того, как ты здесь появился. Я очень сильная, Алеша, я верная, я все смогу, ты никогда не пожалеешь.

Уля говорила, увлеченно размахивая руками, глаза у нее горели, ноздри вздрагивали, длинные волосы растрепались на ветру и струились по Алешиным щекам, ей казалось, еще мгновение — и она выдаст свою тайну, побежит, не в силах себя сдержать, и оба они не заметили высокого человека, который подошел к Улиному чертежу и стал внимательно его рассматривать, одобрительно наклоняя голову то так то эдак. Вокруг человека крутилась собака, но на рисунок умный пес не наступал, и чертеж рассыпался только вечером, когда случилась сухая гроза и сильный ветер перемешал прибрежный песок, однако дождь так и не пошел, лишь множество молний озаряло небо, и кривые зигзаги поглощали Ильмень-озеро и большие леса, отвечавшие небу огнем и стелющимся по земле дымом лесных пожаров, охватывающих деревню огненным кольцом.

...Даже если бы Алеша и стал в Улин рисунок вглядываться, вряд ли бы он в нем что-то понял. С географией, в отличие от арифметики, у него было неважно. Его мир ограничивался местами, в которых он бывал и хорошо знал, а другие его не интересовали. Еще хуже он понимал, что затеяла сумасбродная барышня, которая то и дело ставила его в тупик своими выдумками, капризами и причудами. Алеша никогда не перечил ей, поскольку знал, что любые возражения чреваты вспышками раздражения и ярости, которые он не умел погасить. Надо было соглашаться, а дальше надеяться на то, что легко воспламеняющаяся и так же быстро остывающая Ульяна передумает. Когда летом она приезжала, он чувствовал себя на двух работах: по хозяйству у матери и отчима и в услужении у Ули. Она любила таскать его по лесу, лазить на деревья, исследовать, где берут начало ручьи, и забираться на гривы. Иногда он так уставал, что казалось, лучше бы сумасбродная петербурженка исчезла из его жизни, но, едва они расставались, начинал скучать и ждал, когда наступит лето, она приедет — каждый раз новая, незнакомая, в городском платье и с городским запахом. Своей тоски по ней Алеша не показывал, но и скрыть не мог, хотя совсем не понимал, что эта девочка в нем нашла и чего от него хочет.

Так бывало в прежние лета, но в это многое переменилось. За год Алеша вытянулся, возмужал, и, хотя его нежное лицо оставалось по-прежнему детским, в синих глазах появилось новое, непонятное Уле выражение. Это случилось после того, как весною Алеша пошел с отчимом на тягу и заночевал в дальней деревне Бухаре, где в тот день хоронили молодую крестьянку, погибшую странной и страшной смертью. Осенью женщина пошла в лес за травами и пропала. Ее долго искали, и лишь по весне, когда в лесу сошел снег, полуистлевшее тело травницы нашли в волчьем капкане, куда она случайно попала и истекла кровью, не сумев освободиться или докричаться до помощи. Кто этот капкан поставил, было неведомо; судя по всему, то был человек пришлый, и Павел Матвеевич со своими охотничьими собаками и ружьем почувствовал себя в Бухаре неуютно, пусть даже сам он капканов никогда в жизни не ставил и такую охоту презирал. Однако Бухара была деревня дикая, зимой отрезанная от мира непроходимыми дорогами, а летом болотами, и люди там жили под стать своему месту — темные, пугливые, суеверные, которым свалить вину на пришлого человека ничего не стоило.

Охотники не стали проситься на ночлег, а легли в овине на краю деревни. На околице раздавались пьяные голоса, рыдания сменились криками, а потом дикими протяжными не то песнями, не то воплями, но постепенно деревня затихла. Апрельский воздух сгустился и застыл, взошла на ущербе первая после Пасхи луна. Ее мертвый свет пробивался сквозь прорехи на кровле и освещал помещение. Жидкие полосы медленно перемещались по стенам, и Алеше казалось, что он видит, как плывет по небу желтое, дрожащее, дразнившее своим бесстыдством тело. Он долго не мог уснуть и ворочался от возбуждения: накануне Павел Матвеевич пообещал, что разрешит ему пострелять из ружья.

Ни о чем в жизни Алеша не мечтал так страстно, как о том, чтобы взять в руки «зауэр». Он догадывался, что сможет обращаться с этой драгоценной вещью ничуть не хуже, а наверное, даже и лучше, чем вспыльчивый, нетерпеливый человек, который не раз из-за своей порывистости и дрожи в руках промахивался. Алеша давно просил дать ему пострелять, подговаривал мать, чтобы та упросила мужа, но Павел Матвеевич всякий раз находил предлог отказать и вот наконец теперь, когда поднялся еще один, бог знает какой по счету месяц в Алешиной жизни, согласился.

Луна над Бухарой погрузилась в ночную тучу, Алешу потянуло в сон, в голове у него стали мешаться обрывки неясных мыслей и воспоминаний, возникло мокрое от слез, прекрасное лицо его матери, мелькнули строгие Улины глаза, а потом уснувшего мальчика разбудил шорох. Он подумал, что это мышь, и привычно махнул рукой, но мышь не испугалась, а пробежала по его лицу. Он широко открыл глаза и не увидел, а почувствовал, как мягкие губы жадно целуют его лицо. Было темно, в нескольких шагах от него, широко раскинувшись, спал отчим, и неизвестная женщина с пряным лесным запахом прижалась к мальчику всем телом. От ужаса Алеша чуть было не закричал, но женщина закрыла ему рукою рот.

— Тише, тише, миленький, — прошептала она, обдавая его сладким запахом вина.

«Это сон», — спокойно подумал Алеша и первый раз не смог удержать ту горячую важную силу, что его перепоняла. Ему стало ужасно стыдно, но женщина не ушла, она лишь крепче и суровей обняла его, и скоро Алеша почувствовал, что готов любить ее снова. Тяжелые волосы щекотали ему лицо, он неуверенно трогал ее плечи, и два желания в нем боролись — любить и уснуть, но, как ни пытался он бодрствовать, все равно заснул, не выпуская из рук ее тела, и не увидел, как на рассвете, поглядев на его лицо, женщина ойкнула, густо покраснела и стала торопливо надевать синюю юбку.

Разбудил его Легкобытов.

— Ну что, малый, натешился? — спросил он грубо.

Алеша бросил на отчима растерянный, умоляющий взгляд, он хотел остаться здесь еще и дождаться новой ночи, но Павел Матвеевич, не дав ему ни умыться, ни поесть, потащил в лес и весь день гонял как последнюю шелудивую собаку, заставляя вытаскивать из холодной воды уток. Алеша исполнял все, что он велел, терпеливо ждал и не смел напомнить об обещании дать ружье, но Легкобытов забыл или делал вид, что забыл, он палил и палил из обоих стволов назло Алеше, так что они перегревались и приходилось ждать, пока остынут, и дострелялся до того, что на узкой протоке посреди болота перевернул лодку и стал тонуть, безнадежно увязая ногами в иле и напрасно цепляясь руками за стебли рогозы. Он кричал изо всех сил, но ветер относил его голос в сторону...

Алеша доставал очередного селезня, когда его ушей достиг этот отчаянный высокий крик, и, обернувшись, он увидел опрокинутую лодку. В следующее мгновение мальчик бросился в воду. Водоросли опутывали его тело, не давая плыть. Вдали за заломом виднелась такая же опутанная водорослями косматая голова человека, похожего на водяного, а рядом с ним болталась вверх днищем узкая, верткая лодка-долбленка. На мгновение у пловца мелькнула мысль оставить, бросить его, и никто ничего никогда не узнает, а самому вернуться на сеновал в Бухару и ждать новой ночи, но еще раньше, чем эта мысль ушла, Алеша поднырнул под залом и до звона в ушах, до кровотечения из носа плыл среди острых водорослей, пока не добрался до оконца. Там кое-как перевернул челнок и втащил в него охотника, чья борода уже почти полностью была покрыта водой и только ноздри с шумом вдыхали последний влажный воздух возлюбленной им земли.

— «Зауэр»! — произнес Павел Матвеевич первое слово, когда к нему вернулось сознание.

Алеша побледнел.

— Ищи!

Он нырнул, и — о чудо! — первое, что нащупали его руки, было цевье. Мальчик потянул его из воды и достал черную корягу.

— Разведи костер и ищи. Будешь искать, пока не найдешь, — бросил Легкобытов и встал на краю болота.

Алеша нырял весь день и нашел ружье тогда, когда не было уже никакой надежды его найти. Молча положил перед замершим и уже покрывшимся легким налетом весенней пыльцы охотником и лег возле костра на топком берегу. Он ждал хотя бы слова ласки или похвалы, но Легкобытов, с жадностью схватив «зауэр», стал очищать его от грязи, а потом мельком поглядел на Алешу:

— За ружье спасибо, но стрелять из него я тебе не дам.

— За что? — вздрогнул тот как от удара.

— Ты перепутал порядок жизненных действий, сынок, — произнес Павел Матвеевич с печалью.

Алеша не стал ничего больше спрашивать, но первую свою женщину так и не увидел. Он даже не мог сказать, во сне или наяву она была, а выяснить у помрачневшего, окунувшегося в бездну небытия и, вероятно, нечто в ней узревшего Павла Матвеевича не решался, однако с той поры его неудержимо потянуло ко всему женскому.

Он не умел без содрогания смотреть на женские ноги и плечи, на голые руки, на выбивавшиеся из-под платков волосы и, когда начался сенокос и его поставили вместе с бабами метать сено, мучился от их недоступной близости. Деревенские женщины его томление замечали и норовили ухватить за жесткие волосы: «Ах, бесстыдник!», но в голосе звучало не порицание, а скрытое одобрение.

Уля тоже почувствовала, что с Алешей что-то не так. Она не могла выразить своего нового ощущения словами, но ее сердце испытало неведомый прежде укол ревности. Те взгляды, которые он бросал на крепких деревенских баб, его смущение, неловкость, краснеющее при их виде лицо — все это ее мучило и так сильно, так обидно отличалось от того, как легко и просто, как небрежно он смотрел на нее. Однако еще невыносимее было видеть, как нагло глядят на ее Алешу, как шепчутся за его спиной загорелые сильные крестьянки и как насмешлив их взгляд, когда падает на Улю с ее маленькой грудью, узкими бедрами и тоненькими плечами. Она была готова исцарапать нахалкам лицо, и ей тем более жаждалось сделать так, чтоб ни одни женские глаза на друга ее детских игр не пялились и чтоб он ничьих глаз не видал.

Подслушанный ею рассказ Павла Матвеевича об упущенной любви преследовал Улю. Она не желала себе такой судьбы: при всей сумасбродности и склонности к фантазированию Уля была девушкой волевой и хорошо знающей, что ей в жизни нужно. Единственное, что ее удерживало дома, — она не хотела доставить своим побегом радость мачехе. Но оставаться ей назло было еще глупее. Вообще, если бы ее спросили, чего она хочет, и она честно бы на этот вопрос ответила, Уля одною частью своего существа признала бы: ей хотелось сделать так, чтоб из-за нее сходили с ума, устраивали погоню и поиски, чтобы она где-нибудь в глухом углу заболела и лежала в жару и там бы ее нашли, собрались все близкие, но бросившие ее люди. И она... Тут Уля не была уверена — то ли умерла бы у них на глазах и душою смотрела б, как они безутешно скорбят и терзаются, то ли — умирать ей все-таки не хотелось — выжила бы, но до конца дала бы каждому прочувствовать свою вину. В идеале хорошо было бы сначала умереть, а потом воскреснуть, но как это сделать, Уля пока не знала. Главное, ей нравилась идея — убежать, уплыть, исчезнуть.

Но была у нее и другая, потаенная, не детская, но женская мысль. Уля знала, что теперь, когда они останутся с Алешей вдвоем на несколько дней, пусть даже безо всякого Ильмень-озера и Волхова, без избушек и пряжи, а просто встанут где-нибудь на островке в устье реки и будут ждать погони, тогда и там случится то, к чему она не столько еще телом, сколько сердцем и головой была готова, и это свяжет их навсегда. Она боялась этих мыслей и чувствовала себя преступницей, старалась ни о чем запретном не думать, но чем больше не думала, тем сильнее было охватившее ее возбуждение, от которого все тело казалось покрытым мелкими пузырьками. «Я буду хорошей женой и матерью, — шептала Уля в свое оправдание и еще больше пугалась этих внутренних слов, — я не брошу своих детей, я не буду с ними холодна, не отрекусь от них, не назову их бывшими, я сделаю так, что у них будут родные братья и сестры и никто не почувствует себя одиноким. Если бы у меня была младшая сестра или старший брат, разве я оставила бы их? Все это лишь оттого, что я одинока».

9

Еще не встало солнце, когда, легко проснувшись и бросив быстрый, прощальный взгляд на дверь, за которой спали отец с мачехой, Уля спустилась к берегу на условленное место. Накануне деревня долго гуляла по случаю Петра и Павла и просыпалась позднее обычного, но все равно надо было спешить. «Только бы он не проспал, только б не испугался, только б не передумал, только б никто ему не помешал», — твердила, словно молилась, Уля. Но Алеша был. Одетый в охотничью куртку с капюшоном и с похищенным ружьем за спиной, он что-то деловито, по-хозяйски укладывал в покачивающейся на воде лодке. Поклажи было много, и Улино сердце накрыло нежностью. Беглянка остановилась, замерла над обрывом, не в силах пережить то счастье, что уже ждало, лежало в ее руках, а потом негромко позвала:

— Алешенька!

Тот, кто стоял около лодки, обернулся, и Уля увидела Павла Матвеевича Легкобытова. Маленькие колючие глаза глядели на нее с острым любопытством. Густая борода скрывала рот, и было непонятно, злорадствует сей человек или сочувствует ей.

— Вот уж никогда не подумал бы, — молвил охотник, — что мы окажемся с тобой так похожи, девочка.

— Где Алеша?

— Он не придет.

— Откуда вы знаете?

Павел Матвеевич пожал плечами.

Уля тяжело и некрасиво заревела. Ей было очень стыдно, что она плачет в присутствии человека, который был ей в тот миг неприятнее всего на свете, но поделать с собой ничего не могла: слезы лились по ее лицу, и было непонятно, откуда их берется так много. Они давно должны были кончиться, но текли и текли, как будто внутри Улиного тела образовался неиссякаемый родник. Легкобытов ее не утешал.

— Ты в нем ошиблась. Ты свободная, а он нет, — сказал он с непонятным ожесточением. — Сказали ему: сидеть! — он и сидит.

— Это вы его таким сделали! — крикнула Уля. — Вы!

— Есть собаки, которые поддаются дрессировке, а есть — которые не поддаются, — не стал отрицать своих педагогических заслуг Павел Матвеевич. — Одних никакая сила, даже половой инстинкт, не заставит ослушаться своего хозяина, другие по зову любви убегают. Как псы они ни на что не годятся, и их обыкновенно пристреливают, чтобы не портили породу. С людьми обстоит с точностью наоборот. Тебе не повезло.

— Я вам Алешу не отдам, — сказала Уля с яростью, и ноздри у нее раздулись.

— Я так и думал, что ты любишь присваивать себе человеков, маленькая разбойница. Но скажи на милость, зачем тебе чужая собачка, которая ходит на веревке и не знает, что ее можно перегрызть? Хуже того, знает, но боится, что ее отшлепают.

— Вы чудовище!

— Неправда! — рассердился охотник. — Он попал в хорошие руки. А представь себе, что на моем месте оказался бы какой-нибудь урод или хам. Что бы он из такого вот Алеши слепил? Податливые самцы — самая

90

скверная на земле порода. А тебе это месть за мечту и хороший урок, — добавил он назидательным, скучным голосом и повелел: — Ну, садись.

Безвольная, ничего не соображающая Уля села в лодку. Легкобытов погреб, и вскоре деревня скрылась из виду. Лодка ходко шла вниз по течению, Уля молча глядела на темную воду, от которой поднимался зябкий туман. Вода притягивала к себе и уговаривала стать русалкой. Это был самый лучший выход — утонуть и превратиться в деву с хвостом вместо ног, а потом утащить в свое царство Алешу, чтобы он больше ни в чьи руки не попадал — ни в плохие, ни в хорошие. Но тут же ей вспомнился утопленник, которого задел их перемет, и Улю передернуло при мысли, что похожее произойдет с ее телом. Она погрузилась, как в воду, в оцепенение, а Легкобытов молчал, боясь неловким словом ее вспугнуть.

Что-то странное происходило в тот миг с душой Павла Матвеевича. Его желание отругать дерзкую девчонку за дурное поведение и прочесть ей суровым голосом наставление, запретить днем подглядывать за взрослыми людьми, а ночью шляться по лесам ушло, и все заготовленные слова замерли на губах. Ни одно существо на свете никогда не вызывало у него столько трепета и нежности. Уля была совсем близко — юная, свежая, загорелая, с завитками светлых волос, рыжими крапинками на лице, со своим едва уловимым запахом и нежным пушком, и ее присутствие в этой лодке было так же странно, как если бы молодая самка оленя, ланочка, случайно оказалась рядом с человеком и, не замечая его, позволяла себя разглядывать, едва поводя чуткими ушами. Легкобытов опустил весла. Лодка тихо текла по мелеющей реке. Сколько это продолжалась — пять минут, десять, час... Он потерял чувство времени, ему вдруг показалось, что он — это не он, не сорокалетний, много чего повидавший и мало понявший в жизни человек, но юноша, подросток, убегавший от страшной голой женщины в Австралию и снова очутившийся в той поре, когда можно было еще что-то переменить в своей судьбе, судьбу не поломав.

Какая-то повязка, которая все это время закрывала ему глаза, исчезла, упала на землю, и он увидел мир преображенным, еще более подробным, чем видел обыкновенно, с прояснившимися смыслами и ключами ко всем загадкам, и самое ценное, что было в этом мире, находилось в этот час рядом с ним — стоило только протянуть руку и схватить. Он не мог почему-то этого сделать и бескорыстно ревновал Улю ко всему миру, был готов от всего ради нее отказаться и сложить к ее ногам, даже несчастный «зауэр», лишь бы была у него возможность охранять эту девочку от любой беды, ей угрожавшей.

Вдруг где-то недалеко в лесу раздался резкий звук. Уля вздрогнула и подняла голову с опухшими от слез прекрасными темными глазами.

— Что это?

— Не бойся, милая, сухое дерево от времени упало.

— Куда мы плывем?

— Как ты хотела, козочка. Вниз по Шеломи до Ильмень-озера, оттуда в Волхов и в Ладогу. А потом через Онегу в Надвоицы.

От нового Алешиного предательства Уля окончательно очнулась:

— Высадите меня на берег!

— Зачем? — удивился Легкобытов. — Если что-то в детстве запало тебе в душу и ты не решишься свою мечту осуществить, она погибнет в тебе и ее труп тебя отравит. Погибшая мечта становится ядом, с этим ничего не поделаешь. Чистое поле глазасто, темный лес ушаст... — проговорил он загадочно и крикнул: — Стой! — но, прежде чем его руки метнулись за Улей, козочка уже выпрыгнула из лодки и поплыла к высокому берегу, за которым начинался лес.

Она плыла неумело, неуклюже, взбивая воду руками и ногами и высоко задирая голову, течение сносило ее, пузырилась в воде клетчатая шотландская юбка, и развевались волосы, мешая плыть, тянули за собой водоросли и русалочьи руки, засасывал водоворот в глубоком омуте, и били резкой струей по ногам ледяные ключи. Несколько раз голова ее исчезала с поверхности воды, и в какой-то момент Павел Матвеевич подумал, что девчонка не доплывет. Ласточки и стрижи стремительно проносились над водой, пронзительно кричали реющие чайки, Уля то появлялась, то исчезала, но все равно плыла, и казалось, птицы ей помогают как своей, а в воде поддерживают пучеглазые рыбы и несут к берегу. Наконец достигнув земли, не оглядываясь, очень легко и быстро, какими-то странными скачками она побежала вверх по склону, и вмиг постаревший Павел Матвеевич поймал себя на диком, кошмарном, неодолимом желании схватить «зауэр» и выстрелить ей вдогонку.

«Ужас какой, — пробормотал он, покрываясь холодным потом и почти насильно удерживая собственные руки, — не дай бог еще отцу нажалуется. Этот и убить может».

Мокрая юбка с черно-зеленым тартаном облепляла Улины ноги и всю ее летящую, ладную, аккуратную, невесомую фигурку. «Ах, дурак, — подумал Легкобытов о пасынке, — одомашненный ублюдочек. Но как она хороша!»

Уля была еще так юна, что не будила во взрослом зорком человеке грубой чувственности, однако мысль о том, что эта легкая, неукротимая дева, не знающая власти своих глаз и грации гибкого тела, рано или поздно кому-то достанется, отозвалась в сердце охотника неземным сожалением. Если бы он мог переиграть свою жизнь и очутиться на Алешином месте, неужели какая-то сила или чьи-то запреты, даже слезы Пелагеи — а именно ей рассказал Павел Матвеевич про рисунок на берегу, — неужели даже мать удержали бы его от побега, чем бы тот ни закончился. Если бы... А впрочем, и не Пелагея ведь запретила Алеше прийти на берег реки. Крестьянка вообще повела себя так странно, как Легкобытов и не мог предположить, хотя считал себя знатоком простонародных женских сердец.

— А и пусть с барышней на лодке прокатится, Матвеич, — сказала она, скрестив руки, со странным удовлетворением в голосе, когда он накануне в деталях изложил ей план Улиного и Алешиного бегства и затих в предвкушении взрыва материнского гнева. — Дальше падуна не убегут, а чего парню все дома сидеть да тебе прислуживать?

— Так ведь испортит девку-то.

— На то она и девка, чтоб ее портить, — усмехнулась она.

— Не рано ль?

— Чем раньше-то, Матвеич, тем оно слаще.

И он едва удержался, чтоб не ударить эту наглую женщину по румяному, здоровому лицу, но вместо этого лишь стиснул зубы и в ту минуту решил для себя, что завтра же навсегда уйдет из опостылевшего дома и сбережет Улину невинность, а пасынку сказал, что, ежели тот выйдет утром к берегу, охолостит его, как блудливого кота. Мальчишка с ненавистью на него посмотрел, но взрослого человека попытка бунта не смутила:

— И не я пачкать руки о тебя буду. А папаша ея. Как примус тебя починит.

...Лодка ткнулась в берег, до которого доплыла Уля. Откос поднимался метров на двадцать так высоко и круто, что никакой человек взобраться бы на него не смог. А тем более быстро. Несколько минут Павел Матвеевич задумчиво смотрел наверх и пытался отыскать ступеньки или выступающие корни, но ничего, кроме гнезд береговых ласточек, не находил.

Морок какой-то, подумал он, все померещилось, ничего не было, и никакая девочка в его лодке не сидела и бежать никуда не собиралась. Спит себе спокойно дома, и ничего особенного в этой девчонке нет. И вообще ничего нету. Только много поденок и стрекоз над водой. А птицы все куда-то подевались, точно кто-то их распугал. «Я засмыслился, — поставил он себе диагноз, — вообразил черт знает что и сам же в эту чертовщину поверил. Я вообще склонен верить во всякие глупости. Но что со мной? Почему я не могу жить покойно, почему не умею спать, видеть сны? Заснуть бы, хотя бы ненадолго заснуть и увидеть самый обыкновенный сон, а иначе я сойду от бессонницы с ума. Или уже сошел... Откуда я пришел? Почему все, что происходит, кажется мне таким далеким? Почему я не живу, а подсматриваю за жизнью? Своей, чужой? Кто поставил меня за всеми следить и записывать? Чью волю я исполняю? Кому и зачем служу?»

— Уйти, — прошептал он лихорадочно. — Уйти от них. Уйти, как нарисовала девчонка на песке. Не для этого дурачка, не для себя, а для меня нарисовала, сама не зная, дала знак, подсказку, чертеж, план. Уж я-то перегрызу веревочку, на которую меня посадили. Слаще, Поля, не раньше, слаще в свой час.

Он ухватился за весла и погреб. Лодку потащило вперед, Павел Матвеевич греб все сильнее, как если бы боялся не успеть или за ним уже была снаряжена погоня; река помогала ему бежать, она подгоняла лодку своей последней водой, играла с ней, забавлялась, и потерявший от упоения осторожность охотник слишком поздно услыхал шум водопада. «Не хватало только, чтобы меня опрокинуло на камнях, — подумал Легкобытов, но как-то отстраненно, безо всякого страха подумал, и стал грести к берегу. — Ничего, обнесу». Течение ускорилось, и Павел Матвеевич почувствовал, что не справляется с ним: лодку несло прямо на камни, о которые с пеной билась, ревела и падала куда-то вниз река. Он напрягался изо всех сил, но слабые руки проигрывали вольной воде. «Как глупо... перевернуться и вдребезги... камнепад... Откуда здесь падун? Ведь все обмелело. Уля... сон... пусть...»

Он бросил грести и стал смотреть, как приближается водопад. Лодка неслась вперед с сумасшедшей скоростью, все скорее и скорее, и Павел Матвеевич почувствовал, как вместе со страхом в душе рождается гибельный восторг. Этот восторг становился глубже, он был пропорционален скорости его суденышка, острые глаза охотника озирали пространство, подмечая склонившиеся над водой деревья и уже упавшие стволы. Окунь распугал стаю мальков, метнулась узкая, похожая на палку зеленая пятнистая щука. Впереди раздавался грохот падуна. «Вот так и меня по жизни несет, не сам живу, а несусь... А падун надо будет запереть. Придут люди, распугают всех птиц и запрут падун». Раздался треск, Легкобытова выкинуло из лодки и окатило водой. «Вот и все, конец», — подумал он с жестоким удовлетворением и встал.

Вода едва доходила ему до колен и насмешливо журчала. Полосатые окуни тупо тыкались в ноги. Никакого страшного падуна не было, а был самый обыкновенный перекат, который легко проходили рыбаки по высокой воде, а по низкой протаскивали лодки на бечеве.

За перекатом река разлилась и сделалась совсем неглубокой, обнажились все мели и косы, пахло гнилью и большие птицы кружились над двумя выброшенными на песок трупами — старосты и его безутешного хозяина. Это был какой-то фантастический, никогда и нигде не виданный пейзаж, на который Павел Матвеевич случайно набрел и впервые в жизни испытал от пейзажа ужас. Над водой дрожал сырой жаркий воздух, в нем звенели жирные зеленые мухи, белые червяки ползали по внутренностям вонючих рыбьих тел, из последних сил влачился по сырому песку среди дохлых пиявок и гнилых водорослей скособоченный темный рак. Это пространство казалось безграничным, безустанно расширяющимся, больным, оно терпело бедствие, взывало о помощи и одновременно предупреждало: каждый, кто попытается ему помочь, кто ступит сюда и оставит свой след на этой сырой бесплодной почве, здесь погибнет и станет еще одним мертвым телом рядом с уже лежащими. Но самое главное, самое поразительное в этом месте была его смертная красота — дикая, притягательная, порабощающая душу. Павел Матвеевич никогда не подозревал, что гибель, уродство могут быть прекрасными, волнующими и влекущими до такой степени, что перед ними невозможно устоять. И не надо было больше никуда бежать. Он хотел сделать шаг, но какое-то странное понимание коснулось сознания Павла Матвеевича Легкобытова, точно кто-то очень заботливый, похожий на его мать или на утраченную невесту, вложил ему мысль: не природа, а культура лежала перед ним, и манила, и отвращала, и взывала к сочувствию. Дело рук человеческих. И ходить туда ему не надо, как бы сильно этого ни хотелось.

Сколько времени продолжалось это его стояние, это созерцание мертвой реки, отравленных вод, что текли в большое озеро и еще дальше на север, двух мертвых человеческих тел и прочего скончавшегося водяного народа, он не знал. С трудом охотник нашел в себе силы отвести взгляд от Нитща и его таинственного покровителя, потом мельком посмотрел на застрявшую в камнях, получившую не одну пробоину ладью и, спотыкаясь, преодолевая неясное ему притяжение, побрел к берегу обратно за перекат, в лес, где все увиденное показалось ему сном. Да и в самом деле, какие там могли быть трупы? Какой Нитщ, какой князь Люпа, которого живым никто никогда в глаза не видал. Да и был ли он, этот князь, или выдумали его местные мужики и бабы, чтобы стращать друг дружку? Это опять морок, следствие бессонницы и расшатанных нервов. А реальность была в другом: побег не удался. Не хватало только, чтобы из леса вышел становой Жлобов и отвел его обратно в гимназию.

Солнце уже поднялось на три сосны и, несмотря на дымку, припекало. Он разделся и лег на песок. Ветер обдувал его тело, мысли были рассеянны и блуждали по прошлому, страшась настоящего.

От неудавшегося бегства они переметнулись к гимназии, родному городку, тайному дому свиданий в Елице, возле которого они однажды столкнулись с провинциальным философом Р-вым, и опять возник перед глазами Павла Матвеевича гимназический учитель с его глумливой, язвительной усмешкой и треснувшим коричневым пенсне — как бы дорого дал охотник сейчас за то, чтобы этой встречи не было.

«Ты, может быть, считаешь себя умнее меня?»

Тогда считал. А сейчас не знал, а только чувствовал, что находится на перепутье, прошлое себя исчерпало, новое еще не народилось, и было неясно, народится ли и каким оно будет, а пока что он попал в безвременье, в кусок пустоты, и это состояние томило его деятельную натуру. Но еще больше мучила страшная, как родовая травма, зависимость: все, что ни делал Павлик Легкобытов и в литературе, и в жизни, и на охоте, он делал не для туманной берлинской дамы с ее рыбьей кровью, не для добрых читателей и не для глупых критиков, не ради денег или признания, даже не для этой легконогой девчонки со светлым пушком на загорелом теле, даже не для будущей своей славы, — все его личные жертвы были принесены, предназначены и воскурены в угоду единственному человеку, тому, кто выгнал его однажды вон из жизни. Или, точнее, в эту жизнь, как в воду, толкнул и заставил плыть.

Он хотел услышать от него слово хулы иль похвалы, поймать одобрительный или хотя бы заинтересованный взгляд, но только не тот едва заметный, равнодушный кивок, каким Р-в отвечал на его почтительные поклоны, когда они изредка сталкивались в философическом клубе на Таврической. И для того ему так нужен был никак не выходивший у него роман. Однако, прежде чем дописать, надо было этот роман до конца прожить. В этом видел Павел Матвеевич свой личный писательский шеврон: те люди, что его не принимали, шли от литературы к жизни, а он — от жизни к литературе. И шел как по лесу, так что трава под ним не проминалась. Красиво шел, неслышно, незаметно. Так только за крупным и умным зверем ходят...

10

Возможность поквитаться со своим несостоявшимся литературным опекуном представилась П.М. Легкобытову зимою четырнадцатого года. Р-в проштрафился в ту пору перед общественным мнением просвещенной столицы дважды: во-первых, он написал оскорбительную для всякого порядочного человека статью, в которой призывал правительство не впускать в страну политических эмигрантов, а во-вторых, опубликовал несколько фельетонов в связи с делом Бейлиса, которые образованная русская публика немедленно прочла как антисемитские. И хотя трудно было найти во всей России человека, который больше петербургского Приапа знал и любил бы все еврейское, вплоть до особенностей женского омовения в микве, этого оказалось достаточно, чтобы смесь неприязни, раздражения и ненависти, против философа пола у мыслящих людей скопившаяся, взорвалась.

Ему много чего еще припомнили и не простили, и орден петербургской интеллигенции во главе со Скопцом Аттисовых тайн торжественно положил исключить Р-ва из Религиозно-философского клуба с волчьим билетом. Диссиденту направили письмо, в котором ему было благородно предложено уйти безо всякого шума и по собственному желанию.

— Нет уж, я предпочту быть исключенным, — ответил философ, по обыкновению перебирая в послеобеденный час прокуренными пальцами старинные монеты, и отцам клуба пришлось брать на себя неудобоносимое полицейское бремя.

Первый раз у них ничего не вышло, потому как не собрали кворум. Ко второму заседанию подготовились более основательно. Легкобытов на том совете присутствовал и насладился холодной, да к тому же осуществленной чужими руками, местью вполне. Шумели и скандалили страшно долго, вспоминали былые заслуги Р-ва, сокрушались о его нравственном падении, лицемерили, ярились, говорили кто во что горазд, но тем не менее резолюцию под давлением председательствующего вынесли.

— Если вы не исключите его, уйду я, а со мной весь совет, — пригрозил собранию Верховный Скопец.

Худосочная жена его щурилась, прочие корифеи лорнировали публику, волновались провинциальные евреи, и Павел Матвеевич единственный голосовал против всех: благородство было охотнику паче гордости, да и на результат голосования его мнение повлиять не могло, но в одном он был уверен: Р-в о единственном честном голосе в свою защиту узнает и не сможет не догадаться, кому этот голос принадлежит. То была если и месть, то изысканная, великодушная, не то предисловие, не то послесловие к ускользавшему роману, некая точка в их противостоянии, пока что мало кому заметная, но подлежащая обнаружению позже. Павел Матвеевич вообще с некоторых пор уразумел, что конфликт между учителем и учеником имеет решение не в настоящем, но в будущем, откуда картины бытия будут выглядеть совершенно иначе, чем из их странных времен, где все смотрели на него как на какую-то нелепую фигуру, случайно забредшую в чужой дом. Он для этого будущего жил не меньше, чем для настоящего, он искал к нему подходы, устраивал засидки, прокладывал тропы, маскировался, был заботлив и аккуратен, только того не ведал умный охотник за собственным счастьем, что не до клуба философов было отвергнутому Р-ву в тот мутный год. А если бы знал, то, наверное, давно простил бы все свои обиды, устыдился бы, смирился и пошел жить и охотиться дальше, оставив учителя в покое, но не все было дано знать следопыту за пределами его леса.

На самом деле кто там голосовал за, кто против, кто и что о его исключении думал, кто и для какой цели вообще всю эту комедию придумал, Р-ва не интересовало нисколько. Он давно выкинул основанный им клуб из головы, исключил его из себя, освободился еще прежде, чем его исключили, но несчастье все равно его догнало: две недели спустя после резолюции, о которой с удовольствием написали все культурные газеты империи, ушла из дома любимая падчерица Р-ва Ася — та, что некогда говорила своей благочестивой матери: «Ты женись с ним, мама, женись», еще прежде добрым сердечком угадав, разгадав, что в этом рыжем, гневливом, всклокоченном человеке с нечистым дыханием и гнилыми зубами заключено столько любви и доброты, что хватит всем. И не прогадала, потому что Р-в полюбил ее даже больше, чем родных дочерей, был ласковее, чем с ними, чтобы она, не дай бог, никогда не подумала, что в этом доме лишняя, чужая, и она ему доверяла самое сокровенное, что обычно девочки говорят матерям. Доверяла, а теперь ушла, не желая оставаться под одной крышей с реакционером, мракобесом и черносотенцем, и вот этого Р-в не мог простить никому.

Ася уже уходила однажды в церковную общину к некоему отцу Мирославу, служившему в церкви при лекарском училище, и тогда впервые Р-в понял, что есть кто-то, значащий для нее больше, чем он, но тот уход его не огорчил. Отец Мирослав, высокий, худой человек с красивым грубым лицом, был по происхождению малороссом из западных губерний, с неизгладившимся униатским налетом и какой-то нерусской цепкостью во взгляде. Приходил он и на заседания философского клуба. Молча сидел, так что трудно было понять, одобряет или осуждает происходящее, а у себя на дому устраивал по воскресеньям вечеринки с чаем и печеньем. Там было попроще, чем в чванливом клубе, и люди бывали разные: бедные литераторы, курсистки, студенты академии, вольноопределяющиеся, странники, захаживал и инспектор — сосредоточенный благонамеренный человек, однокашник хозяина, архимандрит Феофил. Был он для своего звания еще очень молод и также немногословен, но, когда все же начинал говорить, все тотчас замолкали, и это всеобщее внимание к архимандриту Р-ва раздражало: насколько он любил многосемейных попов, настолько же не любил монахов. Раздражало Р-ва в Феофиле все: и щупленькое тельце, и смуглое, сухое, вечно постное лицо с черными, будто приклеенными волосами, и подчеркнутая вежливость, и перебирающие четки быстрые, ловкие, невинные руки с младенческими розовыми ноготками, но более всего глаза — опущенные долу, однако глядевшие всегда горе, поверх того, что было Р-ву дороже всего на свете, — живой, теплой человечьей природы. Феофил казался ему воплощением той силы, что с этой жизнью боролась и вербовала к себе, как в секту. И ладно еще, когда в монастыри шли под старость или уходили овдовевшие священники, но совращать в тюремную обитель молодых, полных жизни мужчин и женщин, обрекать их на борение плоти и искушать содомским грехом — все это казалось Р-ву преступлением против жизни. Он с Феофилом иногда на эти темы спорил, и среди студентов существовало предание, будто бы споры их заканчивались обыкновенно тем, что философ говорил горячо и страстно, а Феофил не произносил в ответ ни слова, но тем не менее, иссякнув, Р-в заключал:

— А может быть, вы и правы.

Но это легенда была, которую сами студенты из чрезмерной любви к своему инспектору сочинили. На самом деле Р-в никогда правоту Феофила ни в чем не признавал. Он ученых монахов звал язвой церкви и других искал в этом мире людей. И когда однажды отец Мирослав, часто паломничавший и привозивший с собой странников из дальних мест, каких-то божьих старушек, гунявых юродивых, блаженных стариц, перехожих калик, каких-то Феклуш и Марфуш, когда Мирослав привез откуда-то не то из Сибири, не то с Урала *его*, Р-в возликовал, точно обнаружил в куче навоза жемчужину. Тогда о *нем* еще мало кто слышал и знал, и, когда *он* вошел, поначалу не обратили внимания: мужичонка серее некуда, невзрачный, тихий, с мелкими запыленными чертами лица, молча выпил чаю, больше не захотел, «Благодарю», — сказал глухим голосом и положил стакан боком на блюдечко. Но что-то переменилось в комнате: люди сделались тише, ниже ростом. «Как будто их и нет тут никого, — поразился Р-в. — Все исчезли». Даже Феофил смутился, поблек и пригнулся. Все признали *его* первенство, всех *он* был недосягаемо выше, хотя и не говорил ничего особенного. А перед тем, как уйти, бросил взгляд на Р-ва. Ничего о нем не зная, не читая, не слыша о его распрях с петербургским владыкой Антонием, глянул так, что философа ударило током.

— Кто это? — спросил Р-в у хозяина.

— Божий человек, — ответил отец Мирослав. Доверчивое лицо его просияло, потеряв хохлацкую хитрость, и священник стал рассказывать, как был с матушкой прошлым летом у странника в деревне и тот вывез их в лодке на середину реки, а потом лодка сама поплыла вверх по течению.

Но Р-ву не нужны были эти смешные чудеса. Ему и так все сделалось понятно: Россия прислала в Петербург своего пророка. Огромная молчаливая страна ответила уверенно, хлестко, крупно, чтоб ни у кого не осталось сомнений в ее силе. И Р-в был готов первым посланца этой силы признать вопреки шипению либералов.

Но еще больше полюбила и потянулась к божьему человеку Ася.

— Он весь как натянутая тетива, — рассказывала она отчиму, и лицо у нее сияло. — Когда он говорит о Боге, хочется сесть у его ног, обнять их и заплакать. Я не понимаю, откуда это берется. Он некрасив, у него неинтересное лицо, низкий голос, грубые манеры, но он очень талантлив. Талантливее всех, кого я видела. Даже тебя. За ним можно ходить и записывать, как за учителем. Но он странный такой. Однажды мы пили чай, он опустил руку в вазочку с вареньем, и все, кто сидел за столом, стали по очереди облизывать его пальцы. А меня он спросил: «Что, гордая очень?»

— А ты?

— Я не хотела, а потом взяла и лизнула его руку.

Ася заплакала, и Р-в прижал ее к себе. Он гладил по спине эту полную, болезненную девушку, которую помнил худеньким подростком с исцарапанными ногами, которую воспитывал, таскал на декадентские собрания, защищал в девятьсот пятом от полиции, когда ее пытались втянуть в революционное подполье и она по глупости и доверчивости дала свой адрес для пересылки нелегальной литературы, не понимая того, что мишенью смутьянов была не она, но он — эти политические скопцы хотели сделать так, чтобы ее арестовали и тем самым заставили бы его выступить против правительства. По счастию, все обошлось, и он не стал Асе ничего объяснять. Он от многого ее оберегал и думал, что знает ее всю, но никогда не предполагал в ней отзывчивости и открытости к вере. За одно это он уже мог полюбить и простить неведомого ему человека. И эти пальцы, которые она должна была облизать, Р-ва не смущали: он не понимал и не принимал веры без телесности и без личности. Религия там, где есть учитель и его тело — где есть Авраам, Моисей, Пифагор, царь Давид, Соломон, Будда, Мухаммед, Иоанн Креститель, Иисус, еврейский цадик или этот темный мужик с пронизывающим взором, за которым была готова, бросив все, ходить его Ася и облизывать ему руки. А каким образом учитель добивается того, чтобы за ним шли ученики, — тайна, и либо ты человеку поверишь, примешь его таким, какой он есть, и пойдешь с ним до конца, либо — уходи сразу, чтобы не оказаться потом отступником или предателем. Середины тут не бывает.

Даже когда до Р-ва стали доходить слухи, что странник живет с женой священника и с другими женщинами, он не только не смутился, но этим слухам поверил, увидел в них добрый знак, ибо, ненавидя аскетизм, благословлял всякое сожительство между мужчиной и женщиной, лишь бы в нем не было насилия и принуждения. Беззаконная в глазах церкви любовь не была в его понимании ни грехом, ни прелюбодеянием, но отзвуком и образом тех древних, ветхозаветных времен, когда у царей было много и жен, и рабынь, и наложниц. И все считалось в порядке вещей, и все было свято и прекрасно, и он мечтал о том, что это прошлое вернется, потому что человечество ходит по своей истории кругами, а иначе давно бы подошло к концу — ведь история совсем недолгая и бережливая, пространства и времени у нее мало. Она обманывает людей тем, что показывает им якобы новое, а ничего нового на самом деле нет и быть не может. Все рядом — Египет, средневековая Русь, Израиль, и все, что происходит, все уже было, только люди этого не помнят, им хочется верить, что они первооткрыватели, первопроходцы...

А потом тяжело заболела жена Р-ва, с ней случился удар, она обезножела и с трудом могла говорить. Настала самая ужасная, самая черная полоса его жизни. Ему стало не до Аси с ее исканиями и страданиями, мелочными показались все литературные споры, и обиды, и распри с церковниками, и выпады против евреев, и против декадентов, и против революционеров — вся его жизнь сократилась, скукожилась, свелась к одному: как чувствует себя сегодня женщина, которая взяла на себя его грехи и по ним платила. Он возил ее к докторам, среди которых по какой-то беспощадной насмешке судьбы была еще одна его ученица, но гимназии не в Елице, а в Брянске — княжна, хирургиня, поэт, да, как потом еще оказалось, и сама больная болезнью людей лунного света. Но и она ничем не помогла, ничем. И другие тоже не помогали, только выманивали деньги, мошенничали, плутовали и лгали, да еще пытались вести с ним ученые беседы и читали свои беспомощные стихи. И ему приходилось быть вежливым, что-то невнятно отвечать, а когда бывало совсем невмоготу, ссылаться на усталость, и они уходили обиженные, но деньги все равно брали. Как же — профессура, интеллигенция. А он думал об одном — о жене. Чувствовал, как устал метаться от отчаяния к надежде, как вымываются у него силы и негде взять новых. И тут снова возникла, выплыла Ася.

— *Он* меня домогается.

Сказала не отчиму, матери. И та, измученная болезнью и детьми, снова слегла. Р-в узнал обо всем от нее и вздрогнул, как от удара хлыста.

— Этого не может быть, — ответил он Асе. — Если только ты не захотела сама.

Ася задохнулась от обиды, а он посмотрел на нее совсем другими глазами и подумал с неприятной самому трезвостью: что можно от такой ждать? Годы прошли, ни мужа, ни детей, весталка, старая дева, в голове у которой нет разницы между собственными неудовлетворенными фантазиями и явью. Девиц надо отдавать замуж рано. Как только становятся способны к деторождению, тогда же и отдавать за их сверстников, пока и те не испортили собственных тел в домах терпимости или рукоблудием. Законодательно, принудительно, для их же счастья и общего блага, для здорового, неиспорченного потомства отдавать. А иначе они перезревают и с ними что-то случается, как случилось с Асей. Валоводится с литераторами, а те потом небылицы в свои литературные дневники записывают, что она-де больна сифилисом, которым наградил ее изнасиловавший во сне отчим. Всех почему-то страшно интересовала его личная жизнь, все в нее лезли, и Р-ву было плевать, что о нем говорят и какие нелепые слухи распространяют, все равно оболгут, и ничем защитить свое имя он не сможет — разберутся потом, и, возможно, оттого он чувствовал сродство с тем далеким, неведомым человеком, о котором плели неизмеримо больше, не понимая, не желая, не умея его понять. Наверное, когда-нибудь родится, придет тот, кто все поймет и объяснит, но не в этом мертвом городе, а где-нибудь в Сибири или в маленьком русском городе близ большого монастыря. Только это будет не на его веку.

На его веку была Ася, и что делать с ней, он не знал. Лишь жаловался своему другу отцу Павлу, что Ася потеряла острый глаз, обеззубилась, обессолилась. А отец Павел в утешение ему говорил, что надо быть снисходительным и не требовать от людей большего, чем они могут дать. А сам дружил с «отесенькой» — с Новоселовым, которого Р-в не выносил, и не потому, что Новоселов с изуверским исступлением преследовал путника из Сибири и с кем только в своей ненависти не сближался, а потому, что он ничего не понимал в жизни, ничего, а главное, не понимал, кому служит и кто им пользуется. Р-ва вообще поражали эти люди, которые называли себя патриотами, монархистами, православными, а делали то же самое, что делали и революционеры, если не хуже, разоряя свой дом. Ах, как тяжко было жить в стране, где до такой степени все перемешалось...

А потом странник и отец Мирослав рассорились, но почему это произошло, Р-в не знал, хотя и пытался узнать. Странника стала опять преследовать полиция, и он на время исчез, говорили, будто бы отправился в паломничество на Святую землю и в Петербург уже не вернется, но он снова появился и снова исчез, и опять много писали о нем в газетах, а отец Мирослав заболел туберкулезом, и его перевели служить на западную окраину империи, в те места, откуда он был родом, но все приписывали этот перевод интригам мужика. Община распалась, и Ася вернулась домой. Однако, сколько Р-в ни пытался с ней говорить, она замыкалась, как ракушка, и ни слова ему не отвечала. За матерью почти не ухаживала, жила своей жизнью, в которой ни церкви, ни священства — ничего больше не было. Напротив, она все чаще ругала то, чему раньше поклонялась: и монахов, и батюшек, и прихожан, а более всех — своего прежнего вожатого. Пошла на какие-то женские курсы, и он стал замечать за Асей нехорошее — появились мужеподобные подруги, пошли темные разговоры, начались гадкие касания. Р-в почувствовал мозжечком объявившуюся в его доме лунную породу — их много тогда развелось, мужеобразных женщин, которые заражали собой все вокруг.

Это было время, когда все его признали и к нему пришла самая великая его слава, богатство и почет. Но ему они были не в радость. Он смутно чувствовал, что не ладится главное его творение — семья. И началось это несчастие с Аси. Были времена, когда девицы сбегали из дома с мужчинами, покрывая позором своих родителей и воспитателей. Он бы этого не испугался. Даже если бы она вернулась с неизвестно от кого нажитым ребенком. Он бы принял его, назвал своим внуком и благословил. Но Ася ушла из дома, и не просто ушла, а ушла жить с женщиной, не русской ни по крови, ни по духу, осквернив то, что было для него самым дорогим, — семейное, теплое, родовое начало и естество жизни. Наверное, если бы она искала, как больнее всего его ударить, то поступила бы именно так, но как раз оттого, что все произошло не нарочно, ему было особенно больно. Но еще страшнее делалось тогда, когда он думал о том, что похожее может произойти и с другими его домашними. С теми, кто был его крови.

Он отдал бы в этот момент успех всех своих книг, всю свою скандальную славу, все угадываемое им далекое литературное бессмертие за то, чтобы были счастливы его дети. Ну пусть не все, ну хотя бы кто-то, ну хотя бы один, но жесткое, злое, упрямое предчувствие говорило, что счастливым из его дома не выйдет никто...

И тогда в минуты отчаяния он уходил из дома и до изнеможения бродил по петербургским улицам, гулял вдоль Невы, вглядывался в лица прохожих, иногда, озябнув — а он замерзал очень быстро, — заходил к Ремизову погреться, объяснял его жене разницу между стиркой и постирушкой, советовал, как лучше заклеивать на зиму окна, утешаясь в этом странном, похожем на душное звериное логово доме, и, блаженно протягивая руки к печке, говорил хозяину:

— Никогда я не понимал слов Господа ангелу Лаодикийской церкви. Что это значит: о, если бы ты был холоден или горяч? Объясните мне, что плохого в том, что человек теплый? Почему теплых надо обязательно изблевывать? На теплых мир держится, ими жизнь продолжается.

— Но вы-то горячий, — отвечал Ремизов, любуясь им и улыбаясь детскими пухлыми губами.

Он сердился, спорил, хотя в душе ему было приятно, что Алеша так о нем думает, но, когда шел пешком или ехал на извозчике домой, снова чувствовал тоску и бессмыслицу жизни. Как-то раз эта тоска довела его до того, что он заблудился в Петербурге, словно в глухом лесу.

Стоял на Невском, смотрел по сторонам и не узнавал большого города, как какой-то иностранец, азиат, черный араб. Его толкали прохожие, кричали извозчики, а он растерянно вертел головой, и руки у него тряслись от отчаяния. Гимназистка, полудевочка-полудевушка, ровесница его дочерей, подошла к нему и спросила:

— Вам помочь, дедушка?

У нее были добрые серые глаза, смотревшие на него с доверием и участием, и философу полегчало.

— Проводите меня немного, милая барышня, — сказал Р-в ласково, опираясь на ее руку. — Вы не торопитесь? И не торопитесь. Не спешите расти, девочка, — ничего там хорошего нет. Ах, какая вы славная. Лицо у вас хорошее, нежное. И глаза такие необыкновенные. А как идут вам ваши веснушки. Не вздумайте их сводить. И быстрая вы, ловкая. Я вот никому не завидую, а родителям вашим позавидовал бы. Ну-ну, что это с вами? Вы плачете? Не плачьте. Не надо плакать, милая барышня. Лучше помолитесь за меня, грешного. За меня, за тяжко болящую жену мою, за деточек и за непутевую падчерицу. За всех помолитесь.

Часть II
ДАЖДЬ ДОЖДЬ

1

Если бы Вера Константиновна Комиссарова ведала, что деньги, судьба которых так волновала ее с первых дней замужества, лишая возможности открыть литературный салон или завести собственный иллюстрированный журнал, ее супруг в течение многих лет отдавал на нужды одной невзрачной политической коммуны, каких после смуты пятого года развелось так много, точно гигантская лягушка отложила на Невском проспекте икру, бедная женщина, верно, закатила бы истерику, впала в транс, бросилась в Шеломь-реку или подала бы на развод за прелюбодеяние. Конечно, это было несколько предпочтительнее, чем если бы он дарил их ее предшественнице, но коммуна оказалась прожорливей любой кокотки. Но зато и неблагодарней, и единственное, что могло бы Веру Константиновну утешить, — дальше прихожей ее мужа коммунисты не пускали. Деньги снисходительно брали, хоть и давали понять, что его взносы в сравнении с настоящими пожертвованиями серьезных людей — пустяки, а дальше — шиш. Комиссаров не раз просил проверить его в настоящем деле, однако ему лениво и даже не стараясь быть убедительными объясняли, что он должен прежде заслужить доверие, и довели попреками до того, что Василий Христофорович взорвался и потребовал себе бомбу.

— Коммуна индивидуальным террором не занимается, — ласково, но твердо, как капризному ребенку, сказали Комиссарову. — Хотите геройствовать, поступайте в боевую организацию к эсерам.

— Я пробовал — не взяли, — честно признался Василий Христофорович и опустил голову.

— Не надо было из дворца уходить. Вот там бы вы сгодились. А теперь кому, кроме нас, интересны? Так что сидите, голубчик, тихо и делайте, что вам велят.

Роль стороннего наблюдателя механика оскорбляла, однако он послушно выполнял все задания, которые ему давали, хотя в голове и проскальзывали мысли о том, что занимается он глупостями, да и не рассказывают ему коммунисты всей правды, оттирают от серьезных дел, опасаясь его честности и неподкупности как свойств ненужных и потенциально опасных. Ему хотелось бы с кем-нибудь про это поговорить, но не с кем было, за исключением разве что Легкобытова. Тот пусть и был по большому счету штрейкбрехером, однако писателям мировоззренческий туман простителен, и общие вопросы жизни Василий Христофорович с Павлом Матвеевичем обсуждал и, хотя ни в чем с ним не соглашался, от его мыслей отталкивался и делал свои умозаключения.

— Политические программы всех партий смешны и ничтожны, — говорил он, расхаживая по террасе легкобытовского дома, и свежевыкрашенные половицы под его большими ногами скрипели и вздрагивали как живые. — Ну что они там хотят изменить — государственный строй, право собственности, убрать цензуру, дать политическую свободу? — допрашивал он писателя с горячностью и, не дожидаясь ответа, продолжал: — Человечество в том виде, в каком оно существует, себя исчерпало, и оттого реформировать общество, улучшать нравы, заниматься благотворительностью, просвещением, творить милостыню — все это бессмысленно. Реакционна, несовершенна, унизительна сама человечья природа, с которой очень скоро будет покончено. На смену ей придет новая, в которой человек станет свободен от власти тела и никто из людей не будет понимать, отчего предшествующие поколения когда-то так странно и нелепо жили. Для чего плакали, смеялись, влюблялись, изменяли друг другу, стрелялись из-за любви и некрасиво, нерационально размножались. Это и будет подлинное Царствие Небесное, которое силой берется и которое жрецы христианства хотели у нас украсть.

— Графа Толстого, голубчик, почитаете? — спросил Легкобытов с сочувствием. — «Крейцерову сонату» по ночам наизусть учите?

— О нет! Этот, с его киселем, — еще хуже, — отмахнулся механик. — Уж лучше Федоров. Он был путаник великий, неуч и вообще человек отсталый, но, как ни странно, именно он понял важную техническую вещь, которую почему-то не понимает никто. Даже вы с вашими дурацкими ухмылками. Для достижения высших целей человеческому роду необходима энергия, а взять ее больше неоткуда, как если не перенаправить ту силу, что бессмысленно и абсолютно неэффективно расходуется на половую любовь, на решение более важных задач. Я оттого вам это говорю, что вы бессознательно нащупали в юности верный путь, но зачем-то с него свернули — надо было и дальше так жить. Не страдать из-за женской любви или ее отсутствия, а подчинить себя более важным и достойным целям. Отцов нам уже не воскресить, но младенцев спасти можно, а для этого необходимо уничтожить болезни, голод, нищету и прекратить войны, в основе которых лежат похоть и жажда обладания.

— А вы, милый мой, оказывается, сектант, — неприятно засмеялся Павел Матвеевич. — Вот и чевреки то ж самое говорят и попов не любят. Всем неймется жеребцов облегчить и меринов в оглоблю запрячь. Да только кобылиц не спросили — согласны ли?

— Нечего и спрашивать — от баб сырость одна.

— Как же вы без женщины-то обойдетесь?

— Так и обойдусь.

— Обмануть природу никому не удавалось, — произнес Легкобытов нравоучительно. — Я, впрочем, знавал одного священника, который молитвой мертвых умел воскрешать. Он-то как раз девственник был. Только если вам его лавры покоя не дают, то...

— Я знаю, о ком вы говорите, и ничего общего с этим мракобесом иметь не желаю, — отрезал Комиссаров. — Попы тут вообще ни при чем. Это ложный путь, который способен лишь увести нас от истинной цели. Девятнадцать веков, из года в год, день за днем человечество поклоняется Христу, строит церкви, монастыри, грешит, кается, снова грешит, и что, разве стали мы от этого лучше, добрее? Разве можно считать, что это время пошло людям на пользу, а не было прожито ими зря?

— Нет, вы точно толстовец. Ну почему вы считаете, что мы должны непременно становиться лучше? Нам бы хуже не стать.

— Хуже? Миллионы людей страдают, прозябают во тьме, нищете и умирают от ранних болезней, — с трудом сдерживая гнев, заговорил Комиссаров. — Матери в деревнях хоронят через одного младенцев, и это считается в порядке вещей. Большинство людей на земле не знают до сих пор электричества, медицинской помощи, железных дорог, машин. И это будет продолжаться до тех пор, пока мы будем оставаться частью природы и не освободимся от ее власти над собой. Природа — наш враг. Она насылает людям несчастья — засуху, голод, наводнения, землетрясения, делает нас зависимыми от себя, вынуждает выдумывать сказки про богов и на каждом шагу обманывает как неразумных детей. Разве не это мы видим здесь последние недели? Посмотрите на лесные пожары, сколько бед они приносят людям! В России две сестры — голод и засуха — рука об руку ходят и собирают свой урожай. Природа должна быть побеждена, потому что ее царство есть царство горя и несправедливости. Она должна быть полностью заменена техникой. И так будет. Сегодня мы живем уже лучше, чем столетие назад, но представьте, как переменится жизнь еще через несколько десятков лет, если приложить к этому усилия и вырваться из дурной круговерти нынешнего времени.

— Нет уж, благодарствуйте, — проворчал Легкобытов. — Я не желаю перемен и никаких усилий прикладывать ни к чему не собираюсь. Оставьте меня, пожалуйста, в любезной мне круговерти. Я если и люблю механику, то не до такой степени, чтоб на Козье болото можно было прилететь на железных крыльях или на гигантской стрекозе. Человек должен помнить свое звание и не лезть туда, куда его не зовут и где просто так не ждут.

— А что, хорошо, конечно, этаким образом жить, охотиться, пописывать в альбом, дрессировать собак, томиться воспоминаниями прошлого, таскаться за волшебным колобком своего таланта, а там — трава не расти, да чтоб людей поменьше вокруг, особенно мужиков, — сказал механик с издевкой.

— Как раз трава-то и расти, — возразил Павел Матвеевич, пропуская замечание насчет мужиков, и его чернявое лицо приняло надменный вид. — Я сам расту как трава из земли, и потому уничтожить меня невозможно. Но много ль вы про этот колобок знаете, чтобы о нем играючи, небрежно говорить?

— Слишком вы, голубчик, щекотливы для отшельника. А тем более для травы, которую положено косить, щипать и топтать, чтобы лучше росла, — ласково засмеялся Василий Христофорович, и Легкобытову почудилось, что его рыхлый товарищ только кажется похожим на безобидного чудака-мечтателя, а на самом деле тоже из породы сектантских вождей — провоцирует, отвлекает, куда-то заманивает, а где очнешься — бог весть.

Стряхивая наваждение, он попытался встать, но механик его остановил:

— Все эти ваши идеи вовсе не новы и не оригинальны. Они давно носятся в воздухе и как пыльца садятся на мечтательные головы. Вот вы мне сейчас, например, напомнили одного странного человека. Я никогда о нем не рассказывал? Четыре года назад мы с Улюшкой были на авиационной неделе на Коломяжском ипподроме. Народу пришло видимо-невидимо, у всех восхищенные лица, восторг, изумление, слезы на глазах. Ликовали, как на Пасху. Собственно, это и была наша техническая Пасха.

— Мне это неинтересно, — нахмурился Павел Матвеевич.

— Да, да, — повеселел Василий Христофорович. — Я как раз о том и толкую. Все стали как-то моложе, бодрее, ближе друг другу. Забыли о своих спорах и раздорах. Ходынка, отлучение Толстого от Церкви, поражение в Японской войне, погромы, пожары, кровь на Дворцовой площади, поп Гапон, Азеф — все позабылось, ушло в прошлое, стало мелким по сравнению с той высотой, на которую поднимались эти люди. И не только сами летчики, но и те, кто на них смотрел. Я подумал тогда: вот мы недовольны своим временем, жалуемся на что-то, а между тем нам выпало жить в историческую эпоху, увидеть первые шаги того, что принесет человечеству счастье. Самолеты — это ведь только начало, и этот поток уже не остановить, даже если кто-то один или несколько человек будут против. Он неизбежен, как неизбежно наступление нового времени, а с ним и нового человека. И в тот день мы все это ощутили. Неважно, богатые, бедные, образованные или нет, — мы все словно обновились и сблизились друг с другом. Обнимались незнакомые люди, юные девы и замужние дамы во все глаза смотрели на летчиков, и никто их за это не осуждал. Уля моя при виде самолетов просто голову потеряла. Я не мог на нее налюбоваться. Она после того, как я второй раз женился, была несколько подавлена, а тут хлопала в ладоши, радовалась вместе со всеми, и я только боялся, как бы толпа ее не задавила. Шутка ли, увидеть своими глазами, как люди поднимаются в небо. Вы никогда не видали? Летчик садится в кабину, которая похожа на ажурную коробку, самолет сначала бежит по рельсам, а потом отрывается от земли, взлетает и летит над землей, над крышами домов, кронами деревьев, над людьми, над всей нашей убогой печальной стороной. Может ли быть что-нибудь более прекрасное на свете!

— Птицы умеют делать то же самое не хуже, — буркнул Павел Матвеевич. — И безо всяких рельсов и ажурных коробок.

— Я же и говорю, что вы мне напомнили сейчас того человека, — еще больше обрадовался Василий Христофорович. — Представьте себе, в этом многолюдье вдруг откуда-то возник злобный измятый господин чахоточного вида с необыкновенно красивой, нарядно одетой дамой. Трудно даже было понять, что могло их двоих связывать. Господин был явно не в себе. Мне даже сначала показалось, что он пьян. Но он был просто сильно возбужден, а впрочем, возможно, и то и другое. «Эти крылья мертвы! — стал выкрикивать он каким-то треснувшим голосом. — Это материя, распятая в воздухе, на нее садится человек с мыслями о бензине, треске винта, прочности гаек и проволоки. Человек должен уметь летать сам. И он будет летать. А ваши летчики — не люди. Они механизмы, куклы». Уля моя затряслась от обиды, у нее сжались кулачки, выступили на глазах слезы. «Как вы можете! — возмутился я. — Летчики разбиваются, гибнут, они мужественные люди». «Их смерть не трагична, но травматична, — отрезал он. — Они придатки машин. И только». И вдруг он выскочил на дорожку и побежал. Он бежал очень быстро, вытянув зачем-то руки, и стал похож на комара-дергуна со своими смешными длинными конечностями, но мне вдруг показалось: еще мгновение — и он взлетит, пронесется над толпой. Мне даже померещилось, я вижу, как это происходит. Вот сейчас он оторвется от земли. Вот еще немного. Вот уже оторвался. Но он споткнулся, упал и покатился по траве. А когда поднялся, обвел толпу глазами, словно кого-то искал, и сказал, глядя мне в глаза, с недоумением: «Не получается. Пока не получается. Но должно получиться. Должно». Я хотел было ему ответить, что нельзя, не может, на все есть свои законы, но публика засмеялась, и как-то очень нехорошо, злобно над ним засмеялась, заулюлюкала, засвистела. И вдруг Уля моя, которая еще минуту назад была готова броситься на этого сумасшедшего с кулаками, задрожала, закричала на этих людей, и они замолчали, отошли, оставили его одного. А Уля сказала: «Поехали домой». Я растерялся: «А как же самолеты?» — «Он прав, они — мертвы».

— Так и сказала? — ухмыльнулся Павел Матвеевич.

— Мне вдруг сделалось страшно обидно. Я ведь очень обрадовался, я поверил в то, что техника сильнее и умнее человеческих страстей, она способна исцелять душевные травмы, врачевать наши недуги и несовершенства, как вдруг увидел, что не просто ошибался, но был посрамлен. И кем? Стоило оказаться среди тысяч уверовавших одному безумцу, скептику и пошляку, как моя родная дочь пошла за этим одиночкой. Променяла великолепное царство на жалкого городского сумасшедшего.

— Что делала все это время дама? — перебил его охотник.

— Дама? А что дама, — пожал плечами механик, — очень хорошая, благородная дама. У нее, по-моему, была такая усталость и тоска в глазах. И стыд за своего спутника.

— Тоска и стыд, — пробурчал Павел Матвеевич, — не сомневаюсь. И вы хотите все это уничтожить? Представьте себе людей без стыда. Пусть даже они научатся летать.

— Но ведь не знают же стыда ваши собаки.

— Это вы не знаете собак! — рассердился охотник. — На свете нет более целомудренных и стыдливых животных. Вы никогда не видели, как они совокупляются, а потом не могут расцепиться и сколько муки и стыда бывает тогда в их глазах? А как деликатно собаки оправляются? А как переживает охотничья собака, если оплошает на охоте? А как готова душу положить за хозяина? Да я отдам все ваши паровозы и самолеты за одного толкового пса. И нечего сравнивать меня со всякими сумасшедшими. Я земной, вменяемый человек. И знаю, что каждый призван соответствовать тому, для чего и как он создан природой: птицы — летать, рыбы — плавать, а люди — пешком ходить. Зачем нам небо, если мы никак не можем землю обустроить?

— Ну вот, — засмеялся Комиссаров ласково, и на лице у него появилась хорошая детская улыбка. — Рассуждаете как Толстой, а меня же еще в толстовстве обвиняете.

2

Все лето они читали газеты, которые привозили из Петербурга, и никогда прежде Василий Христофорович не ждал этих газет с таким нетерпением, никогда не переживал от того, что узнает новости не сразу, а с опозданием на сутки. Известие об убийстве австрийского эрцгерцога в Сараеве, странное, вызывающее с обеих сторон — шутка ли, ехать в открытом автомобиле посреди враждебного города, точно ища гибели и провоцируя молодых сербских безумцев, — и последовавший затем новый кризис на Балканах Комиссарова не удивили. Россию давно пытались втянуть в военный конфликт, но, большая и неповоротливая, она плохо поддавалась усилиям извне, зато была очень чувствительна к малейшим колебаниям внутри, и гораздо больше механика заинтересовала история, случившаяся в Тобольской губернии. Там в праздник Петра и Павла средь бела дня был убит человек, о котором давно говорила вся Россия и которого Комиссаров знал лично. Работая в молодости на строительстве Великого сибирского пути, Василий Христофорович встретился на тюменском тракте с одним порывистым мужичком, исходившим пешком полстраны и побывавшим в Иерусалиме и на Афоне. Они проговорили несколько часов кряду в постоялой избе, пережидая непогоду, или, как тут наоборот говорили, погоду. Говорил больше мужик, а механик слушал, завороженный его голосом, взмахами рук, истовой набожностью и темными, но очень глубокими и оригинальными речами. Как человек нерелигиозный Комиссаров остался нечувствителен к их содержанию — все эти святые чудеса, искушения, соблазны, бесовские шалости, ночные видения, молитвы и посты были Василию Христофоровичу скучны, чужды, дышали ветхой стариной и беспросветной деревенской тьмой, подлостью и невежеством, которые он в своей стране ненавидел и с ними боролся, однако интонация, манера изложения и внешний облик, изможденное постом лицо, а особенно бессонные глаза говорившего его удивили и возымели над ним власть. Но еще больше поразила прозорливость странника.

— Ты сам-то холостой будешь? Али нет, женатый? — не спросил, а полуутвердил крестьянин.

— Женатый.

— Женатый, да бездетный.

— Ну, — по-сибирски буркнул Комиссаров.

— Ничего, скоро в Россию уедешь. Там дочка у тебя родится. Великий князь ее крестить будет. Скорби из-за нее примешь, но не отчаивайся, они прейдут.

Неприятное ощущение того, что кто-то смеет лезть в его личную жизнь, причем лезть столь же бесцеремонно, сколь и точно, Василия Христофоровича уязвило, упоминание о великом князе показалось горькой насмешкой, дурацкой мужицкой мечтой о встрече с царем, однако несколько времени спустя в Тюмень приехал с инспекцией дядя государя, высокомерный, грубый, громогласный человек, наводивший на всех, кто с ним сталкивался, ужас. Комиссаров был единственным, кого великий князь не испугал. Механик не прятал глаз, не вилял голосом и своей толковостью и расторопностью высочайшему ревизору так понравился, что тот предложил ему должность помощника коменданта во дворце своего родного брата Петра в Петербурге.

— Хозяйство большое, а глаз мало. Да и те, что есть... — поморщился он, с трудом стаскивая с крупных рук лайковые перчатки. — Брат человек мягкий, безвольный, а меня челядь хоть и боится, все равно тащит. Ты-то ведь много воровать не станешь, а?

Василий Христофорович воровать не собирался вовсе, но еще меньше ему хотелось ехать в Россию.

— Жена у меня, однако, ваше вели... — начал он.

— К царю так будешь обращаться, когда допустят, — оборвал его великий князь лениво. — Так что, говоришь, жена?

— Большого города страшится. Огород у нее.

126

— Огород можно и на Знаменке завести. А ехать все одно придется. Тебя ж тут теперь со свету сживут, мил человек, ежели останешься. Народ-то у нас, сам знаешь, добрый, независтливый, однако.

Так Комиссаров, сам того не желая, перебрался в Петербург и стал заведовать хозяйственным обиходом в великокняжеском дворце на Знаменке, супруга его, как и предсказывал мужик, вскоре забеременела, а когда у них родилась дочь, великий князь стал Улиным крестным.

— Ну и что в том удивительного? — пожал плечами Легкобытов, которому механик о мужике однажды рассказал, опустив весь семейный эпизод как слишком личный и к тому же очень мутный, ему самому до конца неясный. — Мало ли на свете бобылей-странников. Семью заводить неохота, работать лень, вот и бродят от села к селу. Да еще блудят как коты.

— Этот семейный, трое детей, свой двор.

— Значит, рано или поздно одно из двух бросит. Либо шататься перестанет, либо от семьи уйдет. А что глаза бешеные да язык подвешенный — кто на Руси не краснобай?

Однако мужик никуда не ушел и бродяжничать не бросил, а Василий Христофорович вновь увидел его несколько лет спустя на Знаменке. Как он там оказался, знал ли он великого князя раньше и не он ли посоветовал ему взять Комиссарова на службу — все эти вопросы в один момент пронеслись в голове механика и были с ходу им отметены как чрезмерное нагромождение обстоятельств в угоду случаю. Мужик за пару лет заметно переменился, он больше не размахивал руками, лицо его округлилось, разгладилось, и на механика он поглядел бегло, тотчас отвернувшись, то ли виду не хотел подавать, что знакомы, и заважничал, то ли вправду позабыл в хороводе лиц, перед ним мелькавших, а Комиссаров напоминать о себе не стал, но вся дальнейшая история пребывания речистого крестьянина в Петербурге поразила Василия Христофоровича бредовостью, немыслимой в просвещенном и благородном двадцатом веке.

О благочестивом страннике писали, будто бы он обладает немереной мужской силой и растлевает женщин, что петербургские барыни толпой едут в его деревню и моют мужика в деревенской бане с согласия и чуть ли не по просьбе своих мужей, а какая-то сумасшедшая генеральша и вовсе ушла от супруга, бросила детей и всюду за ним следует, потому как он ее излечил от болезни, за которую не брался ни один доктор. Появилась подпольно изданная брошюрка лихорадочного, фантастического содержания, наполненная исповедями его жертв и неистовым возмущением написавшего ее миссионера, как если бы тот был оскорблен чем-то лично, но чем больше книжицу запрещали, тем более жадный вызывала она интерес, и складывалось впечатление, что и запрещают-то ее намеренно, дабы этот интерес не остывал.

На мужика нападали все подряд: бывшие толстовцы, ставшие ортодоксальнее, чем обер-прокурор Синода, революционеры, превратившиеся в монархистов, космополиты, заделавшиеся патриотами, депутаты Думы, бретеры, министры, генералы, попы и журналисты. Даже великий князь, через дом которого пришел мужик в Петербург, ненавидел его теперь люто и подговаривал против него, а заодно и против государыни всех Романовых.

— Представь себе мой ужас, — услыхал однажды Василий Христофорович слова своего высокородного кума, обращенные к высокой изящной женщине в монашеском одеянии, которая иногда бывала на Знаменке, — что этот человек пришел к Ники через меня!

— Ты здесь ни при чем, голубчик, — отвечала игуменья ласково с нерусским акцентом — двое спускались по лестнице, и их приглушенные голоса разносило эхо. — Сколько раз я говорила сестре: Алиса, прогони ты этого развратного варнака... Преосвященный Феофил рассказывал, что когда к нему пришла на исповедь одна дама...

Голос женщины сделался глуше, а потом и вовсе утонул в гулком пространстве, растворился в больших напольных вазах и спрятался за гобеленами, и последнее, что успел Комиссаров расслышать, было: «Феофил не мог ошибиться...»

В одиннадцатом году, когда Комиссаров во дворце уже не служил, по городу стали распространяться напечатанные на гектографе соблазнительные письма императрицы и ее дочерей, крестьянину адресованные, и поползли слухи о том, что царица с мужиком живет, а взрослых царских дочерей он самолично купает. О позоре венценосной семьи заговорили повсюду, и, каким бы коммунистом механик к той поре себя ни числил, он испытал, читая подметные сочинения, острое чувство стыда.

— Дело даже не в том, есть ли там хоть крупинка правды, да и вообще непонятно, откуда эти письма взялись и насколько они подлинны, — волнуясь, говорил он Легкобытову. — Но представьте себе, что в подобном скандале оказалась бы замешана английская королева. Что сделал бы любой джентльмен, если бы услышал мерзости о ее величестве?

— Не знаю, я, слава богу, не джентльмен и никогда не был в Англии, да и вообще державу эту не почитаю, — отвечал Павел Матвеевич небрежно. — Но для французской королевы похожий скандал окончился гильотиной. А полковник наш сам виноват. Если ты царь, либо держи страну в узде и не позволяй никому о себе сплетничать, а тем более публично, либо следи за тем, кого принимаешь ты и в особенности твоя жена. В наше время невозможно царствовать как Екатерина с ее гвардейцами.

— Да при чем тут это! — взвился Комиссаров. — За подобные разговоры в английском клубе морду набили бы, а в России гадливо хихикают и потирают потные ручки, передавая поганые слухи. И вы туда же — полковник! Я нашего государя за этого мужика, если хотите, только уважаю. Да, уважаю. Он взыскал пророка, он допустил до сердца крестьянина, водителя, чего не делал ни один русский монарх, и это не его, а наша общая, соборная вина, что пророк оказался ложным.

— Взыскал пророка, допустил до сердца, пал — где вы слов-то таких нахватались? Да жулик он просто, этот ваш мужик! Жулик, а еще к тому же декадент!

— Вы его видали?

— Я других видал.

— И что?

— А то, что все русские мужики жулики, все бездельники, распустились без господ, порядка не знают, как сеять рожь — не знают, ничего не умеют, учиться ничему не хотят, дальше своих оврагов и заборов не видят, государственного в них ни на грош, темны, необразованны, жадны, склочны, подозрительны, завистливы, безбожны, легковерны, единственное их достоинство —

любят и умеют хоронить. А еще, если надо, — плясать на похоронах, а потом трупы своих благодетелей выкапывать и вниз по реке пускать, — прибавил он угрюмо. — И вы хотите, чтобы природа такое вытерпела? Да она и так к нам милосердна сверх меры. Вы посмотрите, что сейчас делается, — кругом леса горят, а мужики чай пьют да дождика поджидают вместо того, чтоб канавы рыть. Вы всё на природу киваете, а она тут при чем? Я давеча захожу к одному землепашцу: «Пойдем лес спасать, неужто у тебя душа не болит?» А он мне? «Лесбес. Успеется, барин. Горит теперь нешибко. Батюшка Эрос молебен отслужит в воскресенье, Господь дощик пошлет, и ладно. Сгорело-то всего десять десятин, не больше». Молебен им, а? Как вам такое? Вы думаете, это они так в Бога шибко веруют? Если бы! Наш бедняга Эрос для них вроде шамана. Они к нему только затем и ходят, чтоб корову подлечить, ребенка от золотухи и поноса заговорить, да еще бабы норовят яйца попу под зад подсунуть, чтоб курица неслась лучше. Вот и вся вера православная на Руси святой! А завтра огонь к их домам подступится — что они делать станут? Батюшку клясть? Другого требовать? Царю поклоны бить — помоги-де, царь-государь, или, того хуже, на царя с вилами пойдут? Или всех своих покойников из земли повыкапывают? Только им и этого мало будет, они нас с вами первых в поджогах обвинят, топорами порубят, а про все ваши личные, господин механик, заботы о них — забудут. И не надейтесь, никого они не пощадят. Будь моя воля, я бы этим паразитам не дождик дал, а пустыню аравийскую устроил бы. Палками погнал бы их канавы рыть. Они только один язык понимают. И царь нам другой нужен, а не эта тряпка. Мы с этим царем еще наплачемся. А мужик ваш разлюбезный — хоть здешний, хоть сибирский, хоть какой — этого царя несчастного слопает, как чушка, и не подавится, а потом по нему же будет слезы пьяные лить: как-де я мог поднять руку на сваво государя!

А дальше Легкобытов и вовсе понес такие поклепы на народ и околесицу про сильную власть, которая единственная этот народ может привести в чувство, что Комиссаров и слушать не захотел. Он очень не любил, когда при нем русское ругали, Василий Христофорович это право лишь себе давал, потому что знал наверное: если и уронит горькое слово о родине и ее народе, то от избытка любви к ним и обостренной тревоги, ибо болит у него все русское, болит и болит... Но одно скрепя сердце был готов признать механик: не надо было его сибирскому вожатому во дворце оставаться. Пришел, посмотрел, поговорил с государем, послушал, что говорит царица, погладил по головке царских деток — и ступай, дядечка, дальше, броди по долгим русским дорогам, ночуй где придется, ешь что дадут, проповедуй, учи, утешай, возвращайся летом домой косить сено, а осенью снова уходи странничать, но нигде не задерживайся и к месту ни к какому не прирастай. Ни у барина, ни у мужика, ни у князя, ни у старца дольше трех дней не оставайся. Вся твоя сила в волюшке твоей, в том, что ничего тебе от господ не надобно и свободен ты, как морской ветер. Нет же — мало того что принесла его нелегкая в Петербург, да еще и в полон здесь взяла. А этот город кого только не ломал?

— Бабы его испортили, — молвил Василий Христофорович с глубокой, затаенной личной печалью, — наши петербургские барыньки, поманили кружевным бельишком — он и не устоял.

— От оно как! — крякнул Павел Матвеевич с пронзительным удовольствием, точно Комиссарову удалось попасть влет в мясистую птицу со ста шагов. — Бабоньки, стал быть, у вас во всем виноваты.

— Да, — повторил механик еще печальней и тише. — С нашими барыньками и святой не заметит, как согрешит.

— Так зачем же он, болезный, к бабонькам-то сунулся, а?

— Спасти от греха хотел, а вышло так, что они его в грех ввели. Я же говорю вам: от баб сырость одна.

— А я вам вот что скажу, господин хороший, — восстал Легкобытов. — Вы этих сырых баб видали? А я видал и знаю. Эти бабоньки такое наплетут, что никому мало не покажется. Русская женщина на разврат не решится, а насочинять про свои грехи мастерица, каких свет не видывал. Она в жизни греха бежит, а про грех говорить любит. Она мысленно в нем купается, чувственно его проживает, а потом придет на исповедь к какому-нибудь попу доверчивому, и даже не к попу — это еще ничего, когда поп, попы семейные, женатые, дочерьми обремененные, бабскую природу лучше нашего с вами знают, — а придет вот к такому Феофилу, с юности клобук нацепившему и ничего в жизни не знающему, окромя аскезы своей, да еще духовных высот и метафизических глубин, вывалит на его бедную головушку все свои фантазии женские, слезами измочит, обрыдается, и он уж поверит ей во всем, да еще у самого воображение чертей нагонит. А она, как почует, что ей верят, больше и больше распаляться станет, и не только потому, что унижение ей паче гордости, а потому, что досаден, непонятен, жалок ей этот монашек невинный и хочется его своими чарами обаять,

133

пожалеть бедненького, оттого что он женской ласки не знает. А инок тот, вместо того чтоб бежать от такой дуры куда глаза глядят, вообразит невесть что, ужаснется, преисполнится собственной значимости, спасти ее решит и тайну ложной исповеди от испуга вывалит. Да еще так вывалит, что она в газеты попадет к какому-нибудь миссионеру, публицисту, факелу горящему, толстовцу-ренегату, которому только дай демонов пообличать. Да и дамочке того и надо, чтобы весь мир про ее несуществующие грехи знал и говорил, потому что нет для нее ничего слаще публичного позора. И своего, и чужого. Лишь бы рукоплескали. Театральный мы народец, зрелища любим, это нас и погубит. А журналисты ваши? Этим только бы напечатать скандальненькое. А если еще можно при этом царский двор задеть... Да вы кому верите-то, наивный человек? — Он с досадой отшвырнул кипу газет. — Или думаете, вам тут правду напишут? И кто напишет? Меньшиков? Суворин? Не-Буква? Яблоновский? Пругавин? Или кондитер этот с бабской фамилией, на половом вопросе помешанный? Лгут! Голубчик, все лгут. И те, кто на него нападает, и те, кто защищает. А правды не знает ни один! И никогда не узнает!

— Это в вас ревность какая-то говорит!

— К кому? — сказал Легкобытов презрительно.

— Да вы ему завидуете, — вырвалось у Василия Христофоровича, — мужику завидуете! А еще тем, кто его любит, потому что сами полюбить не можете. — И по выражению потемневших легкобытовских глаз Комиссаров понял, что попал.

— Вы вот что. Вы в своих примусах разбираетесь? — произнес охотник задушенным голосом. — Вот и разбирайтесь. А в то, чего не понимаете, не лезьте!

134

— Буду лезть. — Механик поднялся и подошел к крыльцу, откуда открывалась теряющаяся во мгле торфяных пожаров долина Шеломи. — Всю жизнь меня оттирали, всё за меня решали да указывали. Хватит! А человека этого знаете за что я люблю? Не за то, что юродствует и с генеральш в деревенской бане спесь сгоняет. А за то, что прорвался. Больше никто не смог, я не смог, вы не смогли, а этот — дошел!

...Дойти-то дошел, делов наворотил, всю муть со дна поднял и всех перессорил, сбил с толку, задал загадку, которую и впрямь сто мудрецов не могли разгадать, только вот читала теперь вся Россия — кто с удовлетворением, кто со злорадством и лишь немногие со скорбью — страшное известие на первых полосах возбужденных газет: убит! Женщина из простонародья с обезображенным от сифилиса лицом подбежала к нему средь бела дня на сельской улице, когда он возвращался от обедни, и ткнула ножом в живот. А где она этот нож купила или кто ей его передал, кто ее вдохновлял и направлял, кому это убийство было нужно? Писали, что крестьянин ее когда-то осквернил и она хотела за себя и за своих не то дочерей, не то поруганных сестер отомстить или же, напротив, проверить, отведет Господь от него оружие и укажет тем самым на его святость или попустит ему умереть; писали про какого-то беглого иеромонаха, который с убиенным сначала дружил, а потом стал его врагом и эту женщину подослал, и она за ним несколько месяцев с кинжалом под юбкой следовала из Петербурга в Ялту, а оттуда в Сибирь и ждала удобного случая. Но что за иеромонах-расстрига и что за страна такая Россия, если по ней беспрепятственно ездят сумасшедшие бабы с кинжалами, если безумствами полна ее душа и темное перебродившее вино играет в густой крови, так что вскипает эта кровь и разрушает в одну минуту самое себя? И как в такой стране жить? Как такую страну преобразовать, воспитать, просветить?

— Вы бы выбрали что-нибудь одно. А то даете деньги на революцию, воюете с попами, а сами, если вас поскрести, монархист почище Тихомирова с Новоселовым. А впрочем, это очень по-русски. Из дворца — в революцию. Только помяните мое слово, кончится большой кровью. И я благодарю Бога за то, что от тех едких ребятишек убежал и мое соучастие в их делах минимальное. Уж лучше охотиться.

— Нет уж, лучше броситься в чан кипящий. Так-то, пожалуй, честнее выйдет, — отвечал Василий Христофорович несколько рассеянно и даже не подозревая, сколь обидно прозвучал для Павла Матвеевича этот несправедливый, по существу, упрек, но тоскливое предчувствие томило Комиссарова, и что-то недоброе чудилось ему и в жарком июльском солнце, и в вечерних, смешанных с дымом лесных пожаров туманах, и в звездах, которые тускло мерцали на темнеющем по мере приближения к макушке лета небе, и в растущей луне, выкатывающейся из-за горизонта, зябко озаряющей поля и поляны и расчерчивающей весь мир на дрожащий свет и неясные тени. И вспоминался Василию Христофоровичу виноватый, опущенный долу взгляд убиенного мужика, некогда появившегося перед ним на тобольском тракте вьюжной сибирской ночью, точно Пугачев перед Петрушей Гриневым, — может, оттого и чувствовал заросший пилигрим свою вину, что хотел сослужить добрую службу понравившемуся ему человечку, а вышло вон оно как — ни ему, бродяге, ни ему, Комиссарову, не надо было в царствующий град вступать. И вот уж одного из них нет, а второму — сколько осталось?

Василий Христофорович вдруг так остро ощутил скоротечность собственной жизни, словно перевалил через гребень и узрел в далекой тающей дымке конец, еще неразличимый в подробностях, но уже очевидный, неотвратимый, связанный с тем холодным городом, из которого ему удавалось иногда уезжать, но невозможно было уехать.

Он не боялся смерти: при том несовершенстве, которым пока еще обладало человеческое тело, некрасивое, стареющее, дряхлеющее, подчиненное тупым инстинктам, смерть представлялась ему единственным разумным выходом и освобождением. Но странное дело, думал Комиссаров, вот если бы его спросили, где и когда, в каком часу умрет сибирский бродяга, нечаянно пригретый в петербургских дворцах, он ответил бы — конечно, там же, в Петербурге, и умрет, но только не сейчас, не так, не июньским светлым днем. А вышло вон оно как — в родном селе смерть принял в самое лето года и в лето своей жизни. Но отчего такая нехорошая, постыдная кончина живота у мужика случилась? Ладно б убили на темной дороге в глухую осеннюю либо стылую зимнюю ночь лихие люди, разбойники, тати, на которых креста нет, а то ведь ярким солнечным днем, в праздник христианский бабонька, Богом забытая и людьми обиженная, умом слабая, без меры ревностная, выпустила кишки. Охотилась, как за зверем, и выследила. И ведь знала, на что идет, жертвовала собой, не побоялась, а значит, и она знала какую-то свою правду. Значит, и она избранницей чьей-то была, презревшей обыденность, довольство и сытость, значит, и она того же поля ягода, что люди, которые

Комиссарова с юности влекли и искушали. Только как же он-то, мужик чудовый, со своим чутьем не догадался, не упредил ее? Или не все прозорливцу открыто и дано знать? А может, и не хотел упреждать? Может, знал, что жертва его для чего-то нужна, и был готов на заклание пойти? Сам на эту смерть напросился и благословил ее?

— Ах, странничек, странничек, где теперь блуждает твоя душа и кому нашептываешь ты свои колдовские речи? — произнес механик романически и настолько остро ощутил свою связь с этим человеком, как если бы они были соединены друг с другом, как детали одного механизма, а теперь что же — цепь порвалась и никак ее не восстановить? И как дальше жить, чтоб вхолостую не вертеться?

Комиссаров поднял голову к небу и спросил, будто там его могли услышать: что это, зачем? Как все понять? В чем смысл сего позорно убиенного персонажа? Что за причудливое порождение неограниченного русского пространства и его последних времен, что за лишняя или, напротив, недостающая деталь в невнятном механизме жизни?

Но чем более витиеватыми становились его вопросы, тем угрюмее молчало небо — тусклое, сизое, закрытое маревом не только над Шеломью, но и над всей Россией, и в газетах писали о том, что в Орловской губернии сгорело десять домов, в Тверской — шестьдесят, горели Петербург, Молога, Изборск, на Волге сгорел целый пароход, в Москве лили страшные ливни и бил крупный град, а в Почаеве — ураган с кровавым дождем, в Вологодской губернии — язва, в Астраханской — чума, в Царицыне — холера. Природа — враг, природа шла войной. И тут же рядом сентиментальные воспоминания о Чехове — десять лет, как нет этого пошляка, прикидывавшегося мягким, добрым интеллигентом и сумевшего обмануть зачарованную страну. Вот уж кого точно терпеть не мог механик Комиссаров. Не понимал, не слышал Чехов Россию, убаюкивал ее своими вялыми, бессильными персонажами, притуплял расслабляющей интонацией и неявным цинизмом, впрыскивал долгодействующий яд. Не технический был человек, силы русской не чувствовал и опасности этой силы, бунта, революции не знал — оттого и помер чахоточный, до большой крови не дожив, убрался до того, как непонятая им Россия восстала. Но как может уцелеть страна, в которой, с одной стороны, Чехов, а с другой — вот этот мужик? Как такое царство не разорвет?

Так рассуждал Василий Христофорович в своем уединении и пил сладкое винцо, поминая новопреставленного раба Божия, слушал, как спит деревня, в которой не раздавалось ни звука, точно вымерла она, и вдруг что-то послышалось ему в ночи: легкий ли топот копыт, быстрые ли чьи-то шаги. Звук был далеко, но чутким слухом механика Комиссаров его различал. Он вышел на улицу и стал всматриваться в сумрак. Таинственный стук становился то более отчетливым, то пропадал вовсе, он раздавался с разных сторон, дразнил, манил к себе и не отпускал, но что-то очень тревожное в нем было, и, хотя никаким предчувствиям, а уж тем более призракам и видениям механик не верил, ужас объял его душу. Крикнуть хотелось, но побоялся не то вспугнуть неведомое существо, не то обнаружить в этой мгле самого себя.

«Может, дух его здесь бродит? — мелькнуло в голове и бросило в пот холодный. — Может, скажет он то, что не успел при жизни сказать? Или слоняется неприкаянный?»

— Панихидку бы надо заказать, — прошептал он, сам не понимая, откуда у него это слово всплыло, — да не согласится поп местный. Не любили тебя, старче, попы, славе твоей завидовали еще пуще, чем литераторы... Эй! — позвал он осторожно, но никто не откликнулся на его зов.

Тихо стало, как в ледяной пещере, замерло все, как если бы мир уже закончился или Комиссаров в нем умер, перестал что-либо чувствовать и ощущать, а потом откуда-то сбоку, с той стороны, где и кого совсем не ожидал увидеть Василий Христофорович, показалась размытая невысокая девичья фигура в синем платье. Ее призрачный облик сгущался, становился более плотным и наконец обрел человеческие очертания.

— Уля! — произнес механик слабым голосом.

Дочь тяжело дышала, была бледна, плечи ее вздрагивали, спутанные волосы закрывали лицо.

— Ты откуда здесь? Где ты была? С кем?

Уля вскрикнула, в глазах метнулся страх, судорога исказила ее лицо, казалось, еще мгновение — и она исчезнет, растворится в задымленных сумерках так же внезапно, как появилась, но вот она узнала отца, удивленно посмотрела по сторонам и заплакала. Она плакала долго, и он впервые за много лет не отталкивал ее, прижимал ее к себе, гладил неумелыми руками по влажным волосам, что-то бормотал, неуклюже пытался спрашивать, но Уля лишь мотала головой, плечи ее тряслись, и в каком-то бреду она произнесла:

— Я снова видела его.

— Кого?

— Он близко есть.

140

— Кто? Кого ты видела?

Она ничего не ответила, невесомое тело обмякло, глаза закрылись, и Василий Христофорович почувствовал физически эту опустошенность и изнеможенность, и острая жалость и тревога в душе Комиссарова сделались невыносимыми. То, что казалось Уле холодностью, отчужденностью и равнодушием отца, было лишь проявлением нежности и любви, которую нельзя было обнаружить, потому что она была отравлена, сплетена со страхом, и чем более чувствовал Василий Христофорович любовь, тем сильнее мучило его предчувствие, что с девочкой может что-то случиться. Так хрупка, слаба, беззащитна она была, и иногда он ловил себя на мысли, что самые счастливые, самые покойные времена в его жизни были те, когда Уля не умела ходить, он таскал ее на спине, звал своей улиточкой и она полностью принадлежала ему. А теперь была открыта миру, ей угрожавшему, и чем больше взрослела, тем больше свою бывшую мать напоминала, в нее превращалась, ею становилась, и это сходство мучило его, а в ушах раздавалось выкрикнутое женой на прощание: «Только доченьку мою не погуби!» А как не погубить? Как вырастить, как сделать так, чтобы не повторила она судьбу ни своей матери, ни своей мачехи? Кто подскажет?

«Ах, Маша, Маша, что ж ты такое наделала? Для чего ты от нас ушла? Что за странный, что за дикий обет ты дала? Для чего? Зачем? Кому? Неужели Бог, в которого ты веришь, так жесток и свиреп, что требует от тебя этой жертвы? И в чем ее смысл? Ты любила нашу дочь больше, чем я. Я просыпался ночами от твоих слез и твоих молитв, я помню, как ты просила, чтобы твой Бог забрал из твоей жизни все, что нужно для Уленьки, я помню это все и ничего не понимаю».

Тяжелый, немолодой человек сидел подле узкой белой кровати, смотрел, как беспокойно, то и дело вздрагивая, спит его дочь, и не замечал, что слезы катятся по его небритому лицу, а потом вышел из дому и отправился в сарай чинить веялку, которую привезли накануне из соседней деревни с просьбой Христа ради успеть починить механизм до обмолота.

3

Незадолго до полицейской акции в Религиозно-философском клубе в Петербурге случилось еще одно наделавшее много шуму событие. В секте чевреков, куда был вхож Павел Матвеевич Легкобытов и где не один год находил утешение и сочувствие, в минуты отчаяния и тоски собираясь примкнуть к чеврекам, назрел бунт. Глава секты Исидор Щетинкин, омерзительный, патологический тип, известный тем, что он превращал своих рабынь в наложниц, порешил забрать у матерей их детей, многим из которых сам был родитель, еще до их совершеннолетия и раздать по сиротским приютам, да так, чтобы бедные женщины не знали, куда попали их чадца. Начался библейский вой несчастных женок, услаждавший Исидорово садистское ухо, но пастырь твердо намеревался проверить преданность учеников и в воспитательных целях идти до конца.

— Враги человеку домашние его, — говорил Исидор, и залысина на его высоком лбу отсвечивала, как свеже-вымытое куриное яйцо. — Враги мужьям их жены, матерям сыновья, а отцам дочери. Подчинить себя тому, кто светел и свят, — немудрено. На то и книжники с фарисеями горазды. Вы же подчинитесь и пойдите в услужение к темному и грязному, вы же падите с ним, поцелуйте его в нечистые уста и любовью своей восстановите его. Только тот, кто познает грех и страсть, познает подлинную святость. Вы пришли сюда за добром, но сначала бросьтесь в чан кипящий, выпейте до дна чашу зла и станьте так же искушены и неуязвимы для него, как я.

Паства внимала наставнику и делала все, что он велел, а фантазия у Щетинкина была богатая. После того как он обобрал своих адептов и переехал в собственный дом на Каменном острове, Исидор решил перепробовать все известные падшему человечеству грехи, как естественные, так и противоестественные. Под его зорким присмотром и при личном участии сестры и братия вместе и по отдельности грешили и каялись, каялись и грешили, доводя друг друга до исступления, однако нашелся среди сектантов тот, кто потребовал, чтобы вождь прекратил проказы, и пригрозил сообщить о его шалостях в полицию.

Любого другого Исидор немедля изничтожил бы, а полиции он по своим причинам не боялся, но сим смельчаком оказался не кто иной, как вольноопределяющийся Павел М. Легкобытов, которого давно надо было гнать, дабы не вводил братию и сестрию в соблазн непослушания. Однако желающий спасти в своей церкви заблудшую петербургскую интеллигенцию, стать ее вождем и ради ее привлечения пришедший вместе с Легкобытовым на совет нечестивых в философический клуб, отец Исидор поддался собственному честолюбию и славолюбию и был за то прежестоко наказан. На Таврической Щетинкина освистали и с хохотом прогнали с трибуны, несмотря на все его былые заслуги и поношения, а какая-то тощая злючая бабенка с лорнетом принялась на него

наскакивать и пронзительно верещать: «Падаль, падаль!»
Исидор перепугался, что она начнет сейчас с ним драться
или ее саму хватит удар, Павел же Матвеевич поначалу
был произошедшим смущен и, оправдываясь, говорил
Исидору, что духовные вожди религиозных философов
глуповаты, глуховаты и подслеповаты-де к дьяволу, а слово «падаль» надобно толковать исключительно филосо-
фически, клубно; он кривил губы и теребил черную не-
опрятную, пропахшую болотом и дымом бороду, а потом
вдруг возьми да прилюдно во время одной из Исидоровых домашних проповедей и брякни, что тот дьявол и есть
сам Щетинкин.

Сказал негромко, вполголоса, но услышали все.
Тусклые, безжизненные лица сектантов просветлели,
глаза раскрылись, заблестели, и в Исидоровой церкви началась замятня. Уставшие от половой горячки
и фантазий самозваного патриарха овечки возложили
на Легкобытова благую участь избавителя города от
змия, пожирающего красивых девушек. Павел Матвеевич и сам не ожидал от себя геройства. Ему была по
душе роль наблюдателя, летописца, верстового столба,
мимо которого несутся навстречу друг другу и сталкива-
ются мутные исторические потоки, он если и возмущался чем-либо, то очень тихо, в альбоме, который берег для будущих легкобытоведов, но тут не выдержало
ли сердце, или заговорил охотничий инстинкт, а может
быть, в действительности Павел Матвеевич лишь прикидывался бесчувственной деревяшкой и ждал подходящего момента, чтоб выстрелить, — в любом случае
он не стал отходить в сторону, а в неурочный час предстал перед учителем, интимно исповедовавшим стояв-
шую перед ним на коленях кареглазую бабенку с обве-
тренными щеками.

— Чего тебе надобно? — спросил Исидор сурово, и даже веко его не дрогнуло.

— Задушить мне тебя надобно, — не задумываясь, дал правильный ответ Легкобытов, стараясь не смотреть на женщину. — А если не задушить, так засадить лет на двадцать в арестантские роты.

— Ах ты, гнида, — молвил Щетинкин с протяжной укоризной. — Тебя подобрали, пригрели, духовно окормили, а ты Иудой стать задумал. Что ж, ступай, доноси, получай свои сребреники, предавай учителя, целуй его.

— Целовать тебя, антихриста, больше никто не будет, — мрачно пообещал Павел Матвеевич.

— Будут! — ответил Щетинкин, неторопливо застегивая штаны. — А ты, хулиганчик, голову себе сломаешь. Или тебе сломают.

Однако Павел Матвеевич не испугался. Он пошел вперед и до конца, использовав то единственное оружие, которое у него было. Легкобытов хоть и пригрозил Щетинкину полицией, но идти в участок, писать тайный донос ему как интеллигентному человеку, носящему высокое звание русского литератора, показалось делом малопочтенным, а вот сочинить донос публичный, авторский, изысканный, так, чтоб аукнулось по всему Питербурху...

Легкобытовские статьи против главаря секты чевреков взорвались, как замаскированная под мыльницу бомба. Их из номера в номер печатало «Русское время», жадная до сенсаций публика выстраивалась в очередь, разносчики газет на улицах выкрикивали легкобытовское имя, и успех был сокрушающий. К успеху тотчас же прицепилась неприязнь. Завистники твердили, будто бы статьи писал не сам Легкобытов, а некто, укрывшийся под его именем, а точнее, это имя у Павла Матвеевича купивший. Говорили также, что фельетонист сгущает краски, а на самом деле ничего подобного в секте не происходит и ловкий человек просто делает себе на сектантах карьеру, а сам меж тем поступил на тайную службу в Синод, где ему лично покровительствуют обер-прокурор Саблер, ретивый миссионер Скворцов и два страстных попа — Восторгов и Востоков. Правоконсервативные «Петербургские ведомости» высказались, напротив, в том смысле, что всякий стреляющий по сектантам метит на самом деле в Церковь, а «Исторический листок» потребовал срочно разобраться, чьим интересам Легкобытов в действительности служит и не состоит ли он помимо «Арктического братства» в масонской ложе «Европа перед Вторым Пришествием» вместе с известным генерал-театралом Джунковским. Оскорбленное тем, что Павел Матвеевич отдал свои горячие пирожки конкурентам, «Братское слово» намекнуло, что разоблачитель либо находится с Щетинкиным в сговоре, либо мечтает занять его место, а один бойкий иллюстрированный журнальчик с фиолетовой обложкой и желтым цветком наискосок напечатал статью за подписью «Незнакомка», утверждавшую, что повышенный интерес Легкобытова к сектантским делам объясняется его собственными половыми отклонениями и по-хорошему надо было бы заняться его интимной жизнью. Неожиданно сурово выразил неудовольствие в коротком, но резком открытом письме из-за границы издатель Максим Пешков, заявивший, что Легкобытов сам не понимает, на чью мельницу льет воду, ибо враг режима есть друг народа. Но жестче всех отозвался известный Павлу Матвеевичу по Светлояру Фома-фарисей, по такому случаю вышедший из ученого затвора и заявивший в пространном интервью «Самодержавному инвалиду», что Господь по его молитвам покарает Легкобытова в течение ближайших трех месяцев.

Павел Матвеевич, вспомнив сумрачный взгляд младостарца, вздрогнул, но не дрогнул. Он не мог уразуметь, какое есть дело царебожнику Фоме до Исидорки, но остановить его не могло ничто, даже угроза получить всеобщий прогрессивный бойкот, отлучение от Церкви, жидомасонскую славу, шпионство за своей лесной спальней и самые отчаянные пророчества о кончине века сего и его неблагодарных сыновей. Дикое, яростное вдохновение овладело писателем. Ни печальные воспоминания отрочества и молодости, ни тоска по женщине, ни северная природа, ни озеро Светлояр, ни охота на вальдшнепа, ни натаска собак — ничто не возбудило его так, как борьба с Исидором, в которой он узрел нечто лично необходимое. Щетинкин и не подозревал, какого опасного человека он впустил в свой пенный чан и с каким знанием дела тот опишет всю его механику управления людьми. Легкобытову удалось развязать языки Исидоровым пленникам и пленницам и записать со всеми подробностями их невыразительные и оттого еще более жуткие рассказы об оргиях и безобразиях. Читая показания паствы против себя, Щетинкин содрогался. Газетные статьи жгли ему руки, и лучше было б вообще их не читать, но не прочесть он не мог, ибо в них называлось его имя. Оно было набрано типографским шрифтом, оно разносилось в десятках тысяч экземпляров по всей России, и неважно, хвала то была или хула, написано было про него, что с юных лет вызывало у беглого монаха чувство, сравнимое по остроте и блаженству лишь с половым наслаждением.

«Известно ли русской публике, откуда взялся сей мерзавец? Этот, с вашего позволения, человек объявился впервые в Царицыне после революционной смуты и как предвестник еще более страшной годины. Но он пришел не со студентами и не с революционерами, — стремительно не писал даже, а несся по строчкам, преследуя по чернотропу тупого похотливого кабана, Легкобытов, — не с безбожной интеллигенцией. Не с евреями, не с толстовцами, не с духоборами и не с молоканами, о дурном влиянии коих на общественные нравы нам все время толкуют, отвлекая от главного. Он пришел оттуда, откуда его менее всего ждали и откуда ему сподручнее всего оказалось нанести удар, — из лона Православной Церкви, из среды монархистов и черносотенцев. В девятьсот пятом ученый монах, выпускник Петербургской духовной академии, он сжигал на площади в Царицыне соломенную гидру революции, в девятьсот седьмом вывесил в Троицком монастыре портрет Льва Толстого и потребовал, чтоб многотысячная паства публично в этот портрет плевала. Он поднимал народ на мятеж, публично призывал сечь по пятницам на государевой конюшне банными вениками премьер-министра Столыпина, чтобы выбить из того масонский дух! Во время самочинных крестных ходов смиренный игумен позволял себе оскорблять прохожих, находя особое удовольствие в том, чтобы публично унижать женщин благородного звания. Нецензурная ругань в его устах была делом обыкновенным и публичным, а правящий архиерей не только закрывал на эти бесчинства глаза, но всячески их поддерживал. Когда светские власти попытались ослушника образумить, применить силу и удалить из города, он сбежал из-под стражи, заперся со своими последователями в соборе монастыря и сутками доводил людей своими речами до психоза. Исступленные женщины в числе нескольких тысяч по его команде вырывались за стены храма и принимались избивать и колоть спицами городовых. Драться с женщинами доблестная русская полиция не привыкла и была вынуждена отступать. Но отступила не только она — отступили мы все. Два года продолжалось это безобразие и беззаконие, два года он терзал наше общество бессмысленными и провокационными выходками, два года будоражил русский народ, пока наконец Синод не нашел в себе силы отправить этого "иеромонаха" в известную своим строгим уставом Лаврищеву пустынь на покаяние. И что же? Публично сняв с себя в монастыре сан, он свободно покинул его и основал секту, в которой, попирая общественные устои, предался разврату, не щадя ни стыдливости, ни целомудрия. А почему это стало возможным? Потому что Исидор Щетинкин есть самое верное, самое грубое и ужасное, самое неизбежное порождение нашего либерального времени, в котором цветут все цветы зла, и это цветение и либерализм общество приветствует, а церковь равнодушно следит за тем, как люди идут не в храмы, но в религиозные секты и мрачные общины, и ни за что не отвечает ни перед Богом, ни перед людьми».

Павел Матвеевич еще много чего понаписал: и про слабого царя, и про бездарную полицию, и про бюрократический Синод с бессильным священноначалием, и про кризис православия на фоне всесильного сектантства, и про аристократические салоны в Петербурге, где Исидора принимали и снабжали деньгами полоумные графини и космополитичные баронессы, и про русскую интеллигенцию — истерическую дуру и рабу, которая от своего обожествляемого народа однажды еще получит, и про убожество националистов и тупость монархистов, но эти филиппики трусоватый редактор «Русского времени» вычеркнул, хладнокровно заявив Легкобытову, что тот сеет панику, однако и прошедшего в печать с лихвой хватило.

«Мы беспамятны, — заканчивал свое послание к российскому обществу Легкобытов. — Мы забыли, каким грозным предвестием может стать в русской истории беглый монах. Но неужели Гришка Отрепьев нас ничему не научил? Или не проходили мы в гимназии уроков смуты и хотим триста лет спустя повторения событий еще более страшных, жаждем новой крови, голода, хаоса и смертей? Иль обезумели мы и потеряли волю к жизни и судьбе? России нужно снова сесть за гимназическую парту и учиться. А шкодливого Исидорку выгнать из класса вон поганой метлой!»

4

«Мерзавец! Ну каков мерзавец! А ведь как просился, какой сиротинушкой прикидывался, голубочком невинным, чтобы ко мне пустили. Жид, жидяра, мадьяр, цыган, басурман», — твердил Исидор тоскливо, вспоминая чернявого борзописца, кляня себя за доверчивость, и горькие мысли о несправедливости и неблагодарности рода человеческого его терзали. Хорошо было этому щелкоперу окаянные словеса плести и бесов тешить, а попробуй праведной жизнью пожить, когда все против тебя и с отроческих лет в воздухе то и дело чертики носятся — то юркий арапчонок как юла завертится и за руку схватит, то пьяная растрепанная баба с поцелуями полезет, и от этой бабы и мерзко, и сладко становится. Сначала только ночью, когда один просыпаешься и не спишь, а потом и днем на людях приставать стали. Страшно делалось, ужас душил от того, что мешались в душе хвала и хула на Господа. Отчаяние наступало, одиночество, ощущение инаковости своей, когда никому из товарищей не расскажешь, что с тобой происходит, и на исповеди не покаешься, самому надо справляться. Тяжко одному против бесовской силы ступать, а куда денешься?

Как убивалась его матушка, когда единственный сын объявил ей в осьмнадцать годов, что собирается пойти в монахи. «Богом тебя, Илюшенька, заклинаю, не надо тебе в чернецы. Нет тебе моего материнского благословления. Хочешь в церькви служить — служи, стань попом, но прежде женись, утешь меня. Какой из тебя монах? Монахи мяса не едят. А ты мясо любишь. Монахи рыбу едят, а ты рыбу не ешь». Это правда была: Илюшенька действительно рыбу не ел, после того как семилетним ребенком подавился рыбьей костью. Да так страшно подавился, что едва Богу душу не отдал, и с той поры рыбу ни в каком виде есть не мог — не то что обычную, запеченную или жареную, а любую, ни в ухе, ни филе, ни котлеты, ни пироги из рыбы. Однако что ж теперь, из-за такой малости в монахи не идти? Нет, тут он маменьку впервые ослушался. И не потому, что мало почитал, а потому, что более всего в Евангелии те слова возлюбил, что глаголали: много званых, да мало избранных. Он себя с детства к сим вторым причислял, ибо тайно ведал: если все претерпит до конца, то не просто спасется, а на такую высоту поднимется, от которой уже тогда дух захватывало. Была у Илюшеньки цель — никому он о ней не говорил, но вынашивал в самой теплой и темной утробе своего существа: он хотел патриаршество на Руси восстановить и — страшно вымолвить, но и смолчать нельзя — первым патриархом нового времени стать, ибо не знал человека более достойного этого звания, чем он сам. Если бы знал, уступил бы ему тотчас же место и стал прислуживать, ноги ему мыл бы, руки целовал, все поношения терпел, но не было такого, а потому — самому надо было крест сей на плечи взвалить.

С такою сокровенной мечтой Илюша взрослел и строил свою жизнь, спасаясь от обступающих его теней и поднимаясь на вершину голой горы. И хотя страшила иноческая жизнь, пугало послушание, отвращало целомудрие и смешило нестяжание, другого пути наверх не было. И как хорошо он начинал, как расправил свои два крыла, и кто б ему, молодому красивому иеромонаху, духовному воину, казаку православия, миссионеру, грезящему стать вторым Никоном, кто бы сказал ему, чем все обернется?

Впрочем, один человек все же сказал. Инспектор академии Феофил. Был он у Исидора, как и у многих студентов академии, духовником и еще, должно быть, провидцем, потому что после одной из Исидоровых исповедей с обычным перечислением незначительных грехов Феофил, не поднимая глаз и не меняя выражения своего худощавого нежного лица, тихо спросил:

— Все рассказал?

— Все.

— А бывает ли так, что во время молитвы или божьей службы у тебя в мозгу возникает богохульство, мерзость, дрянь?

«Никогда», — хотел ответить Исидор, но против воли не с уст слетело, а вырвалось из горла, из самой утробы:

— Бывает.

— Часто?

— Всегда.

— О ком мерзость?

— О Божьей Матери.

— Еще о ком?

— О Духе Святом, — сказал Исидор, опуская голову ниже.

— А видишь ли кого?

— Вижу, — ответил и покосился в угол, где притих в рукомойнике его мучитель-арапчонок и с испугом глядел на чернеца.

— И что ты тогда делаешь?

— Я ими повелеваю.

— Ты говоришь с бесами? — ровный голос духовника дрогнул.

— Я велю им умолкать, и они умолкают. Они послушны мне, как Иоанну Новгородскому.

Арапчонок облегченно вздохнул, а Феофил ничего не ответил. Он казался глубоко погруженным в себя, и Исидор не сразу понял, что он делает. Потом догадался: молится и забыл, где находится. С Феофилом такое случалось — он иногда надолго замирал, застывал в молитве, точно погружался в сон. Исидору стало скучно, захотелось уйти, но уйти без разрешительной молитвы было нельзя. Он переглянулся с арапчонком и тихонько кашлянул.

— Говорить с бесами нельзя, — произнес Феофил безо всякого выражения. — Ты в большой опасности. Никогда не проповедуй и не стремись ни к какому поприщу. Ты тяжко болен. Умали себя. Только молись и кайся. Кайся и молись. И так до самой смерти. И проси у Бога, чтоб она не пришла за тобой прежде, чем твоя молитва будет услышана.

Он накрыл его голову епитрахилью, но не стал читать разрешительную молитву, а быстро вышел. Исидор испугался. Но не последних его слов. Он испугался того, что Феофил побежал докладывать ректору, а с Сергием шутки были плохи — владыка ни в какую мистику не верил, был строг, сух и крут на расправу. Но то ли инспектор тайну исповеди в тот раз сохранил, то ли ректор значения ей не придал, только ничего в его жизни после того случая не переменилось. И советов Исидор слушать не стал: он свою дорогу, свой талант лучше других знал, и никакая сила не могла его отвратить. А бесы? Что ж бесы? Где праведник, там и бесы. Он с ними на бой вышел и должен был победить.

Знал он и того человека, кто ему поможет. Русский царь. Вот чьим другом и наставником мечтал он заделаться, вот какое место его влекло, и о чем смиренно просил он в своих молитвах. И Господь услышал верного своего. Когда проиграли войну с желтолицыми и началась смута, когда повыползали изо всех щелей смутьяны, когда обнаглевшие рабочие стали требовать не просто хлеба с маслом и восьмичасового рабочего дня, а какой-то дурацкой, непонятно зачем им нужной свободы, когда интеллигенты принялись расшатывать Церковь и надрывно своего особого Бога повсюду, кроме храмов, искать, Исидор прославился проповедями против врагов престола. Сначала в своем монастыре, потом в городе, затем в губернии он звал народ к возмущению против революции, к бунту против беспорядка, к погромам демонстраций, и народ ему поверил, толпами за ним пошел. За ним, а не за бессильным губернатором.

Службы в его монастыре длились по шесть часов, на Исидоровых проповедях плакали и кричали тысячи голосов — так красноречив и убедителен был. «Хотите спастись — меня берегите, — разносился его гулкий голос над площадью перед храмом. — Без меня вы все, и дети ваши, и внуки, и правнуки — все погибнете! Здесь, в этих стенах и подле них, ковчег спасения». Златоустом звала его толпа и несла ему со всего города, со всей богатой губернии пожертвования. Во славу Исидорову трудились сотни, а потом и тысячи людей, и вместе с ними он превращал захудалую обитель в неприступную крепость, окруженную стенами со рвом и уходящую в глубь земли долгими и разветвленными подземными ходами. Он не боялся никого и ничего, зато все боялись его.

Много было у него врагов, ненавидели его люто, травили в газетах, подсылали убийц, осуждали архиереи и уговаривали обер-прокурора Синода сослать его в Соловки, могучий и страшный был у него враг — Петр Аркадьевич Столыпин, но еще более великая сила Исидора хранила. Его изгоняли, но он возвращался окрепшим и сильным. За ним шел народ, в том была его высшая правда, и он знал, куда его вести. «Я не поп Гапон, я не буду у царя ничего просить, я царя сам охранять стану и всех его врагов волком выгрызу», — говорил он своим приближенным, самым верным своим ученикам. Говорил в салонах, в архиерейском доме, говорил губернатору. Прямо и не таясь. И услышали о нем в Петербурге, услышали во самом дворце, и однажды призвал его к себе государь. Все тогда были поражены царевым выбором, все шептались за спиной — не надо бы смутьяна-чернеца перед светлые царские очи пускать, соблазну от него много, а пользы никакой, газеты разнесут, по салонам растреплют, народ смутят, да только мудрый царь-государь своих бояр, изменников, трусов и безбожников не послушал. Открылся цареву сердцу верный человек, а верному человеку — царево сердце. Духовными очами Исидор прозрел: все идет так, как должно идти, как начертано ему, и вот он уже служит в домовой церкви в Царском Селе, вот читает проповедь, которой внимает августейшее семейство. Что было ему в тот момент до того, что на него щерился всесильный премьер, — руки коротки у Петруши оказались, а потом и вовсе повержен был враг. И Феофила уже давно не было в Петербурге: не угодил царице и был переведен служить на юг, подальше от дворца. Государь же избрал верного, государь приблизил его к себе, оценил, полюбил.

Но когда чернец был готов торжествовать победу, когда ему поверилось, что свое место возле престола он займет, расчистит, и повергнет в прах всех своих врагов, и шагнет еще выше, открыв в свой черед царю Божий замысел о себе, то оказалось, что заветная палестинка уж занята. И кем?! Аскетом еще более строгим? Праведником святейшим? Молитвенником ревностным? Тем, кому он мог бы свое место и свою мечту по праву уступить и смириться? Если бы! Выскочкой, шарлатаном, развратным неграмотным мужиком, чалдоном сибирским, ходившим в деревенскую грязную баню с петербургскими дамочками и ублажавшим их своим непомерным членом, презренным хлыстом с клейменой фамилией, который прежде Исидора пролез в царскую семью. И ведь как пролез, негодяй! Всех обаял: и Феофила, тогда еще бывшего в силе, и нижневолжского епископа, и двух мистичек черногорских, за великих князей замуж вышедших, и всю черную сотню, — всех надул и таким себя верующим выставил, таким верноподданным, таким речистым, таким монархистом и опытным странником, так всем мозги запудрил, что ввели его недальновидные люди во дворец царский, представили государю, а потом и сами не рады были, да поздно было что-либо поправить. Клещом впился в царское тело. И года не прошло, как хлыст сделался первейшим другом православного царя, исповедником, собеседником, проповедником семьи царской, кому писали длинные письма восторженная царица и ее глупые дочки. А не обученный приличию чалдон этими письмами всюду хвастал и, когда Исидор, побледнев, не поверив, ахнул: «Врешь, собака, нет у тебя никаких писем!», вынул измятые листки и показал: «Возлюбленный мой и незабвенный учитель, спаситель и наставник. Как томительно мне без тебя...»

Это была рука царицы, ее голос — он понял, почувствовал, что это не обман, а подлинное. О, как он тогда хлыста возненавидел! Но виду не показал, стал его наперсником, другом, поехал в Сибирь, ночевал в деревенской избе, ходил с чалдоном в баню, все тайны у него выведал, царицыны письма выкрал и пустил по миру — пусть все знают, что во дворце делается, — а сам бросился умолять своего покровителя, нижневолжского владыченьку, чтобы тот шепнул государю, шепнул первосвященному Антонию: пусть прогонят самозванца и развратника, болтуна, не умеющего чужих тайн хранить, пусть призовут на его место достойнейшего, девственного, целомудренного, аки пес охраняющего в своей епархии царский трон от жидов да леворюционеров, пусть поставят призванного спасти от крамолы всю Россию. И доверчивый владыка послушал, владыка загорелся, владыка и сам чувствовал, что-то не так в государстве российском деется, смута зреет, беду своими руками власти приближают, а хлыст воду мутит и смутьянам на руку играет, да только владыку не послушали, и кончилось все худо, очень худо.

От тех воспоминаний Исидору так больно становилось, что хотелось по полу кататься в отчаянии и злобе. Все ведь продумали, все рассчитали так, что не могло быть ошибки. В Петербурге они с владыкой выбрали точный день в декабре, и зазвали хлыста на монастырское подворье на Васильевском острове, и там с крестом в руках перед святой иконой потребовали, чтобы тот оставил царскую семью, и запретили ему вовсе прикасаться к женскому полу. А дабы неповадно и нечем грешить было, решили охолостить — владыка по себе знал, как это делается, — да только чалдон увертлив и драчлив оказался, вырвался, бесов сын, от четверых дюжих мужей и без штанов, тряся окаянным удом, побежал через Неву-реку во дворец жаловаться. И кого тогда послушал ослепленный, лишенный разума царь-государь? Верных чад своих? Архиерея? Иеромонаха? Богобоязненного странника Митеньку Козельского? Хлыста он послушал, корявого косноязычного мужичонку, блудника, мужеложца, малакию и прелюбодея! Ему поверил.

Владыку сослали на покаяние в один монастырь, Исидора в другой. Владыка стерпел и покорился, иеромонах взбунтовался и пригрозил, что снимет сан, если хлыста немедленно не прогонят от царя. Однако на сей раз Исидора и слушать не стали. И что ему тогда оставалось, как не порвать с ними, написав кровью отречение от лжецеркви и лжепастырей? Владыка увещевал его: не отрекайся от сана, отец Исидор, смирись, не извергай себя из лона Церкви, не будь выкидышем — но вот тут уж он и не послушался. Потому что знал свою правду. Камень, отвергнутый строителями, станет во главу угла.

Он был этим камнем, был Петром, новым патриархом российским, призванным смести дряблую, зажравшуюся, расслабленную, бессильную русскую Церковь, которая в отличие от убогих, чаявших движения воды возле иерусалимской купели, не чаяла ничего, а заживо гнила и смердела. Он знал, что разгонит ее, как некогда разогнал Спаситель торговцев в храме, верил, что за ним пойдут даже не тысячи, как в Царицыне, а миллионы, знал, что вся страна восстанет, правда восторжествует и государь поймет свою ошибку и перед верным человеком покается, вернет его к себе.

Исидор не раз представлял в воспаленных грезах сцену этого покаяния, видел императора, посыпающего пеплом главу, и гордую царицу, стоящую в рубище вместе со своими детьми перед оклеветанным чернецом на коленях на глазах у всего Петербурга. А если не так — он и царя бы нового избрал, себя и царем, и патриархом нарек бы, и тогда точно стала бы Россия тем Третьим Римом, после которого четвертому не бывать. Ах, силы, сколько силы в душе своей ощущал тогда! Спать было некогда, есть ничего не надобно — все Господь подавал и шептал: не отвлекайся, дерзай, чадо. И жаль было, если пропадет эта дерзновенная сила, если не принесет никакой пользы ни пастуху, ни овечкам дома сего. Исидор кругами ходил вокруг дворца, стирал ноги и стаптывал башмаки о подлые петербургские тротуары, он ждал чуда и не обращал внимания на поскучневшего арапчонка, который, зевая, смотрел на его потуги, как глядит рыбак на биение пойманной рыбы в садке — никуда уж она не денется.

А надменный северный город был все так же равнодушен, пресыщен, избалован, и никого Исидоровы речи и выходки не удивляли. Даже газетчиков — те по-

пользовались им, как бесы, покуда он с хлыстом воевал, позабавились и забыли. И за это он тоже хлыста простить не мог: почему ему все, а другим ничего? Почему, стоит чалдону чихнуть, вокруг толпа писак вьется, Дума заседание за заседанием ему посвящает, архиереи гневаются, губернаторы бесятся, а Исидор целую речь скажет, перед покойным Львом Толстым публично покается, повесит его портрет в горнице рядом со святыми иконами, свечи зажжет, ладан воскурит и своим учителем назовет — все равно никто не придет?

Лишь жалкая горстка одураченных баб да слабосильных мужчинок за Щетинкиным последовала, и на них Исидор вымещал свое зло, свою несостоявшуюся патриаршью мечту, а заодно восполнял упущения молодости, ублажая плоть с той же страстностью и вожделением, с какими некогда ее укрощал. А потом стали кончаться деньги, и он испугался, что община развалится, все уйдут от него и пойдут искать другого учителя. Он заметался, забеспокоился и стал молиться, чтоб этого не произошло, но никто не отзывался, а когда он потерял надежду, появились темные люди — соткались из воздуха, как тот мучитель, что с юности его борол. Он этих людей не звал, он не знал, кто они и откуда взялись. Один был невысокого росту, с благообразной наружностью, с бородкой клинышком, в очках, обходительный, интеллигент, ученый из той породы, кого Исидор всю жизнь ненавидел и с кем воевал, а теперь вынужден был с ним говорить, а другой — худой, высокий, с таким острым взглядом, что Исидор, уж на что сильным чувствовал себя человеком, поежился. Однако разговору ни с тем, ни с другим не вышло. Пробовал о божественном — оборвали, пробовал о человеческом —

заскучали; ничего ты в этом не понимаешь, сказал благообразный и спрашивать стал о том, что Исидору было ненавистно: про хлыста, про царя и про царицу. И чем больше спрашивал, тем больше было в сердце ненависти, теперь уже не только к хлысту, но и к тем, кого тот называл «папой» и «мамой». А чем больше ненависти, тем боле жаждалось отомстить. Но мстить темные люди не велели, а велели написать книгу о том, как он стал монахом, как учился в академии и как познакомился, а потом поссорился со хлыстом, про хлыстовых женщин, про украденные письма царицы и ее дочерей. Исидор смутился: говорить проповеди — одно, а книгу написать — другое.

— Не смогу я.

— От тебя ничего и не потребуется, землячок, — выступил худощавый, доселе молчавший, и Исидор узнал в нем своего, волжского. — Другие напишут. Ты только имечко свое поставишь.

— Нет, — возразил он. — Я свое имя никому не отдам.

— Ишь ты, — усмехнулся тот. — И тебе, парень, неймется? Что ж, пиши.

Они дали ему вперед несколько денег, пообещав заплатить остальное потом, и исчезли. Исидор сначала ждал и боялся, страшными ему показались эти посланцы неведомо кого, но их больше не было, и Исидор про повеление сидеть тихо забыл. Он и не умел тихо, он не жил, но несся — или его несло, — и не ведал, что ждет его впереди, и вдруг оказалось, что за каждым его шагом следит беспощадный охотник, выжидая, чтоб выстрелить, как притаившийся в укрытии снайпер. И никто об этой засаде не предупредил. Удушить его надо было, и удушил бы, да не успел. За всеми врагами не углядишь, вот и поскользнулся на ровном месте, не разглядел опасности там, где была. Но кто бы ему сказал, что безобидный мечтатель-натуралист, что-то беспомощно лепечущий про народ и русское богоискательство, чудак, мечтающий навести порядок в сектантском хаосе, окажется самым опасным его врагом?

И в полиции помочь ничем не смогли, отреклись, забыли о прежних заслугах перед охранным отделением, когда инок выводил сыскарей на тайные собрания своих конкурентов: баптистов, молокан, духоборов, — а потом сдал хлыстовскую богородицу Дусю Мирнову. Сдал из мести, потому что, когда еще только по приезде в Петербург он предложил ей заключить союз и объединить паству, сытая, удовлетворенная, посыпанная пудрой Дуся посмотрела на него с таким высокомерием и презрением, что в морду захотелось ей дать, за волосы оттаскать или унизить, и оттаскал бы, и унизил бы всласть, когда б за ней повсюду не таскались плотоядные самцы-апостолы, по очереди ее ублажавшие. Он ей по-другому ответил, только самого его это не спасло. Убежать Щетинкин не успел, был схвачен на Финляндском вокзале, отдан под суд и, несмотря на пылкую речь адвоката Незабудного, потребовавшего защитить свободу вероисповедания и права личности, а на крайний случай признать своего подзащитного душевнобольным, отправлен в арестантские роты в Сибирь, в те самые места, откуда был родом погубивший его чалдон.

Публика разделилась: часть свистела, а другая рукоплескала, газеты торжествовали и бранились, иные говорили о том, что наказание слишком мягкое, уставший от Исидора Синод хранил молчание, а осиротевшая паства, дав неотвратимые свидетельские показания, избрала себе нового учителя, который по своему усмотрению сочетал братию и сестрию вольным браком. Павла Матвеевича Легкобытова пригласили на общую свадьбу в качестве посаженого отца-благодетеля, отдельный почет оказали его народной супруге, а от Исидора все отреклись. Исидора забыли, предали, и единственной, кто за поверженным учителем последовал, была убогая телом, с провалившимся носом, тридцатилетняя сызранская мещанка Фиония, которую все считали сифилитичкой, проституткой бывшей, а она говорила, что дева есть и что бабы и девки сами всегда во всех грехах виноваты, нечего красивыми быть и вводить мужчин в соблазн. Женская красота — от дьявола, вот она молода была, красива, мужики ей проходу не давали, купцы деньги под ноги швыряли, семинаристы замуж звали, чиновники сватов засылали, а она лишь одно у Бога просила — красу ее отнять, так по молитве и вышло. И чем позорнее ее поношение, тем больше славы ей будет.

Фиония Исидора с Царицына знала, где вместе с другими бабами катакомбы рыла и камни таскала, а Исидора своим женихом почитала и каждую ночь зажигала в полночь лампады, ожидала, что он к ней придет. Однако Исидор с явлением медлил.

— Погоди, не время, — говорил. — Как оно наступит, первая узнаешь, а покуда бди.

Сестры Фионию не любили, смеялись над ней в глаза и за глаза, дразнили, звали курносой, подстилкой барской, потаскухой, но, когда Исидора арестовали, все овечки разбежались, и она одна рядом осталась. Ничему не поверила, что худое об отце писали, тверда была, верна и хотела последовать за ним в арестантские роты, но он другое велел. Когда выпало им свидание, для чего

Фиония назвалась его невестой, до икоты рассмешив надзирателей, Исидор шепнул:

— За меня не тревожься. Ты его покарай. Богом заклинаю — убей гадину.

— Писаку? — спросила дева, шумно вбирая изуродованным носом тюремный воздух.

Щетинкин передернулся, задумался на мгновение, точно взвешивая, известие о чьей погибели доставит ему большее наслаждение.

— Нет, чалдона, — сказал, и сожаление послышалось в его тонком голосе. — Писакой другие займутся. А тебе хлыста надо поскорей кончать.

И, наклонившись к Фионии, стал что-то быстро шептать ей на ухо. И чем больше он шептал, тем больше боязни проступало на обезображенном девичьем лице, отчего оно становилось еще более темным и искаженным. Но Исидор говорил, распаляясь все сильнее, точно выступал перед толпой, и постепенно страх девы уменьшался, а на щеках вновь заиграл румянец.

— Все, как ты сказал, сделаю, — ответила она, кланяясь и целуя его руку. — Благослови, отец.

— Бог благословит. И ничего не бойся. Главное, не согреши. Слово «грех» помнишь от какого происходит?

— Да, батюшка, — кивнула Фиония. — Согрешить — это значит не попасть в цель.

— Вот и не промахнись.

Легкобытов об этом таинственном разговоре, к счастью для себя, не знал. Он торжествовал и праздновал славу, и единственное, что его блаженство отравило, были слова философа Р-ва, которые добрые люди до него услужливо донесли: «Нет ничего дурнее общественного устройства, при котором уголовное преследование начинается после газетной статьи. Отдавать

164

власть журналистам еще опаснее, чем полицейским. И вообще, не понимаю, для чего ему сектанты, если так хорошо получается писать про собак?»

Но Павел Матвеевич скушал и эту обиду. «Для романа все сгодится», — думал он с мрачной хозяйственностью, а в голове у него уже зрел замысел, как два дела — изгнание Р-ва из Религиозно-философского клуба и Щетинкина из секты чевреков — объединить в одно, как уподобить двух лжепророков и провести ту параллель, что окончательно расставит все по местам в несостоявшемся духовном романе учителя и ученика. На этот раз ему, кажется, удалось подстрелить и подсолить вечно ускользавшее от него счастье.

5

Веялка была изломана до такой степени, точно ее хозяин испытывал к ней личную ненависть. Комиссарова всегда поражала та жестокость, с какой мужики относились к механизмам. Ко всему так относились — баб своих били, детей били, скотину били, вот и дорогую заграничную машину, поперечную беловую веялку Клейтона пятого номера, ломом, что ли, охаживали? Или думали, ежели по ней посильней ударить, так она заработает? А как не заработала, осерчали еще пуще и разворотили до основания. На, получай, проклятая! Он смотрел на искореженный умный аппарат, и в душе у него ярость мешалась с жалостью, точно перед ним лежал искалеченный человек.

Василий Христофорович терпеливо, бережно, стараясь не причинить машине боль, разбирал ее внутренние органы, соображая, как бы половчее восстановить изломанный вентилятор и что делать с истерзанным четырехзвенным механизмом, где взять или чем заменить недостающие детали, и в голову ему вдруг пришла мысль, что веялка есть образ того существа или, точнее, того предмета, который встречает людей после смерти. О чем-то подобном говорилось в Евангелии, которое он помнил плохо, читал давно и по принуждению, как скучную и необязательную брошюру, но идею посмертного воздаяния запомнил, и была она ему очень близка. Комиссаров хоть и не любил попов за жадность и лень, но одно они правильно говорили: как здесь проживешь, то там и получишь. А иначе где справедливость? Не считать же таковой небытие, которое всех уравняет и сотрет в прах. И теперь, починяя веялку, он размышлял над тем, что слова Иисусовы о небесной жатве следует толковать буквально: никакого Страшного суда в обыденном человеческом понимании там нет, как нет и апостола Петра с ключами от рая, да и рая нет тоже, а вот умный гигантский механизм, который пропускает сквозь себя каждого умершего и определяет, что с ним делать дальше — выкинуть вон или использовать для чего-то путного, — такой механизм, несомненно, существует, ибо ничто в природе не может исчезнуть просто так.

Воображение тотчас нарисовало картину: смерть как жатву и грубую молотьбу цепами, а дальше гигантский ворох постоянно поступающих с земли душ, состоящий из цельных и поломанных зерен, мякины, пустых и разбитых колосьев, сорных семян, кусков глины, обломков соломы, песка и прочих примесей свозится на гигантских возах — русских, немецких, американских, английских — к великой машине, и для каждого воза предусмотрена решетка своей формы и со своим размером отверстий. Весь этот ворох продувается мощным потоком небесного ветра, отделяющего зерна от плевел. Великая веялка никогда не простаивает: каждую минуту, когда люди на земле работают, спят, пьют, любят, убивают, насилуют, грабят, пашут, ловят рыбу, охотятся, рожают детей, болеют, к ней подвозят новые души и на небе совершается своя работа, за которой кто-то следит и веялкой управляет, но этот кто-то — не одушевленное существо, именуемое Богом, а великая эволюция, которой подчинены и жизнь, и смерть. И она никогда не ошибается, не знает усталости, слабости, ее нельзя подкупить, уговорить, обмануть, разжалобить... Где-то там на воздушных путях совершала свой путь душа убиенного странника, очищаясь от грехов бывших и мнимых, уменьшаясь в размерах, чтобы слиться с такими же чистыми зернами и претвориться в небесный хлеб, питающий Вселенную и поддерживающий горение ее звезд. И еще думал мечтательный Василий Христофорович о том, что, когда он сам уйдет отсюда, его место будет подле этого механизма, он станет его смотрителем и будет следить за тем, чтоб не сломалось ничего в небесном устройстве, не кончилось бы масло, не заржавели бы цепи, не стерлись бы звенья, а вся его жизнь здесь есть только подготовка к этой будущей службе.

Меж тем на улице рассвело, поднялось душное, рано состарившееся солнце, укоротились тени, и из утреннего, раннего зноя в окружении собак возник легкобытовский велосипед. Он гремел давно не смазанной цепью и, похоже, существовал отдельно от своего неутомимого наездника.

— Ну что, довольны? — крикнул охотник и на ходу соскочил на землю, дав велосипеду проехать несколько метров по инерции и с дребезгом упасть на землю.

«И этот туда же, — отстраненно подумал Комиссаров, — а потом ко мне чинить придет».

— А-а, вы ничего и не знаете?!

Борода и волосы Павла Матвеевича были растрепаны более обыкновенного, а глаза горели, как на тяге.

— Газет еще не читали? Вот полюбуйтесь-ка!

Он небрежно бросил на верстак «Биржевые ведомости», и Василий Христофорович увидел на раскрытой странице изображение человека, которого оплакивал, выслушивал, высматривал в дрожащей ночи и чью посмертную участь пытался предугадать.

— Не убит, а ранен! — заявил Павел Матвеевич торжествующе. — Перевезли на пароходе в Тюмень, сделали операцию, потерял много крови, но, если не случится общего заражения, будет жить.

Моментальность ответа и способ его передачи поразили рациональную натуру Комиссарова до такой степени, что на глазах у него вторично за одни сутки навернулись слезы. Ему вдруг стало радостно, хорошо, тепло оттого, что мужик жив, и Комиссаров отвернулся от Павла Матвеевича, чтобы тот не заметил улыбки на его лице и слез и не истолковал их на свой лад. Вот как оно повернулось, не хватило, стало быть, бабоньке сил пропороть натруженный мужицкий живот тяжелым кинжалом. Да и то: живуч оказался бродяга, точно душу у него пришили суровыми нитками к телу.

— Ну уж писаки наши порадуются, — говорил Легкобытов возбужденно. — Чуете, как застрочили перья по Руси — нашли неразменный рублик. Донесения исправнику, телеграммы губернатору, прошения епископу, письма министру, челобитные царю, истерические плачи женщин на пристани. Заздравные молебны с колокольным звоном. А газетчики-то, газетчики! Вот вы подозреваете меня в том, что я якобы кому-то там завидую, отношусь неприязненно? Но скажите на милость, как это получилось, что в глухой, нищей сибирской деревне еще до того, как произошло покушение, объявился столичный корреспондент, да к тому же еврей? Случайность?

— Ну, не такая уж там и глухая деревня, — буркнул Комиссаров. — Дворов много. На тракте стоит. И никакая она не нищая.

— Да хоть бы целый город. Не в том дело.

— А в чем?

— А в том, что сей расторопный малый получает деньги сразу по двум ведомствам: журнальному и полицейскому.

— Вы откуда знаете?

— Знаю, — отмахнулся Павел Матвеевич. — Фомка рассказывал. У него и там и там знакомых полно. Тут другой возникает вопрос: Давидсон эту бабу проворонил или, наоборот, знал, что она в Покровском объявится, и получил приказ не вмешиваться, а при случае ей помогать? А главное, кто за ним стоит? Революционеры, полиция, сектанты, Джунковский? Или великая княгиня Елизавета Федоровна, которая за что-то мстит сестре либо хочет спасти ее, уберечь от соблазнов? И наконец, почему дело не было доведено до конца? Чего проще — на святой Руси убить человека? Только, может, они и не хотели его убивать вовсе? А? Вы представьте себе эту картину: больная сифилисом религиозная женщина в черной шали низко кланяется мужику, гундосит у него подаяние, а потом внезапно достает — внимание! — из-под нижней юбки кавказский кинжал, чтобы нанести удар в пах человеку, известному своей мужской силой. Это что же, по-вашему, бытовое покушение? Попытка заурядного убийства, каковые каждый день у нас на Руси святой свершаются? Нет, милый мой, это ритуальное действо. Обряд религиозный. Жертвоприношение существу мрачному, злобному и завистливому.

— Кому? — вздрогнул Комиссаров.

— Есть один зверь, — процедил Павел Матвеевич.

— Волк мысленный? — молвил Василий Христофорович и сам не понял, как сложились у него в голове два этих слова.

— Вы откуда знаете? — насторожился Легкобытов и подозрительно взглянул на своего собеседника.

— Он говорил.

— Про мысленного волка? — переспросил охотник с жадностью. — И что ж он вам говорил?

— Говорил, что всякий грех и всякая добродетель начинаются с помысла, и надо уметь различать мысли и предчувствия, какие из них от Бога, а какие от беса.

— И как же?

— А для этого надо мысли каждое утро и каждый вечер молитвой чистить, как зубы — зубным порошком. Больные врачевать, гнилые удалять. Грехи чаще исповедовать, иначе от человека с нечистыми мыслями дух нехорош бывает. Он говорил, что умеет это чувствовать. А больше я ничего и не запомнил. Только вам это на что?

— Было б не нужно, не спрашивал бы. Постарайтесь вспомнить, пожалуйста, все.

— Нет, — повторил Комиссаров безо всякого сожаления, — не припомню, а сочинять не стану.

— Неужели вы вообще ничего не помните?

— Мы разговаривали о Царствии Небесном.

— О чем, о чем? — изумился писатель.

— Он говорил о том, что каждый добрый человек подобен определенному материалу, из которого в Царствии Божием строятся корабли.

— Хлыстовские?

— Небесные корабли, которые плавают в эфире. Царство Небесное обжито меньше, чем земное, и там еще многое предстоит открыть. И еще он говорил, что не понимает, отчего люди хотят подольше на земле пожить и в рай стариками явиться. Молодым там куда веселей живется. И потому уходить туда надо, пока ты еще в силе и в крепости, и об этом Бога просить.

— Дурачил он вас! — произнес Легкобытов с досадою. — Всех дурачил. И царя, и псаря. Шут с Гороховой — вот он кто! И почему он только повстречался вам, а не мне? Уж у меня б он так не покуражился. Зачем туда прежде срока соваться? Глупости все это сектантские. А Фиония с Исидором что ж? Лишь орудие в чьих-то руках. Эх, дорого бы я дал за то, чтобы посмотреть на кинжальчик, которым его проткнули. Но что же, по-вашему, эта дура безносая сама, своими цыплячьими мозгами до всего додумалась? Нет, голубчик, здесь не ее, здесь чужая пиеса. Эту несчастную не иначе как какой-нибудь философ подучил. Провокатор интеллектуальный, дум властитель. А теперь, поди ж ты, возмущается, в «Новое слово» фельетоны строчит по два рубля за строчку, что убили-де необыкновенного человека страшной серьезности, Илью Муромца наших дней, царя Давида, фараона русского, Ивана-дурака сказочного. Семью ему кормить надо! Люди лунного света, опавшие листья, короб первый, короб пятый. Нет, тетка эта — только пешка в чужой игре. Вот сейчас все кинутся ею заниматься, выяснять, была ли она его либо чьей еще любовницей, откуда у нее сифилис, бросил он ее иль не бросил, что наобещал, чем оскорбил, а между тем совсем где-то в другом месте и другими людьми совершится нечто ужасное, что мы сейчас даже не можем себе вообразить. Вы обратили, разумеется, внимание, что история в Покровском идеально совпала по времени с убийством эрцгерцога в Сараеве?

— Фердинанда же две недели тому назад убили.

— То есть в тот самый день, когда и нашего убить замышляли, если пересчитать на европейский календарь. Но календари рано или поздно сравняются, а в истории останется двойное, кем-то тщательно спланированное нападение.

— Не так, — возразил Комиссаров моментально. — Даже в этом случае разница составляет сутки.

— Да не будьте вы занудой, — отмахнулся Павел Матвеевич с досадой. — В конце концов, они тоже могли ошибиться. Вы лучше поглядите, как ловко придумано: и там и там — одна метода. Убийца-фанатик, за которым — впечатление такое — никого нет. Но на деле кто-то же плетет эти нити, расставляет силки и охотится за нами, подбирает в стежки наши судьбы. Знаете, на что это еще похоже? — произнес охотник с пиитическим вдохновением.

— Ну?

— На убийство Столыпина. В отличие от вас я никогда не любил этого деятеля, он был очень неразборчив в знакомствах, велеречив, порывист, да и всем его красным фразам грош цена, ибо в России нельзя ничего делать решительно и быстро — лишь мягкое, ленивое, тихое, незлобивое и неторопливое правление способно принести на нашей великой равнине достойные плоды. Однако сегодня я вынужден признать, что с его уходом все пошло только хуже. У вешателя был какой-никакой, а инстинкт самосохранения. Он уберегал власть от народа. А народ от интеллигенции. У нынешних этого понимания нет и в помине. Ни у царя, ни у министров, ни у генералов, ни тем более у думцев. Столыпин был последний защитник трона. Впрочем, нет, вру. Предпоследний. Последний нынче валяется в Тюмени на больничной койке, вокруг которой собрались медицинские светила и колдуют над мужицким брюхом, а особливо над его корешком как над высшей драгоценностью империи. Она таковая и есть. Барина в Киеве спасти не доспели, а мужика в Тюмени, того гляди, вытащат нам всем на беду.

— Почему на беду?

— Видит бог, — и Легкобытов впервые за много лет перекрестился, — видит бог, лучше было б вашему сибирскому вожатому умереть бесповоротно этой ночью и не беременить больше землю, которую его товарищ хотел переделить.

— Эти двое были злейшими врагами.

— А у нас на Руси своя своих не познаша — традиция! — резко взмахнул руками, как двумя крыльями, писатель. — Обниматься на небе станем, кто туда залезет и не сорвется. Почерк, почерк убийц — вот что важно! Богров-то ведь тоже вроде этой Фионии был. Лично оскорбленный одиночка, которого по-быстрому казнили, и никого больше не нашли. Но неужели вы всерьез думаете, что никто за ним не стоит? Я не удивлюсь, если и сифилитичку тишком допросят и по-скорому отправят на виселицу либо упрячут в дом скорби. Но все это звенья одной цепи. Столыпин — Фердинанд — ваш сибирский приятель. Тут поле расчищают для невиданной тризны, куда и меня, и вас позовут не спрашивая.

— Вы не там ищете, — сказал Василий Христофорович угрюмо и снова взялся за веялку.

— Это еще почему?

— Потому что умножаете число сущностей сверх необходимого.

— А-а, бритва Оккама? — хищно рванулся Павел Матвеевич. — Никогда не доверяйте этим мракобесам. Ни средневековым, ни нынешним.

— Кому?

— Монахам! Кому еще! — Он вскочил как пружина и принялся широкими легкими шагами мерить двор. — Это вы не там ищете! Здесь серьезный заговор. И не масонский, как иные брадатые головы считают, и навзрыд звенят, и по совиным слободкам ухают и рыдают. Все гораздо хуже. Неужели вы, механик человеческих душ, так и не поняли до сих пор, что настоящее управляется будущим? Или, точнее, из будущего. И что и эти ваши кровавые ребятишки, и газетчики, и полицейские — все они получают приказы прямиком оттуда. Кто-то прогрызает, как мышь, перегородки между временами и не просто наблюдает за нами — это бы еще полбеды, — но диктует нам свою волю. Кто-то там хочет, чтобы мы прожили свои жизни так, чтобы это было удобно им, а не нам. Дети эгоистичны по отношению к своим родителям, внуки — к бабкам и дедам, но уже вдвое больше, и чем дальше, тем сильнее эгоизм становится. Мы еще не научились и уже не научимся так паразитировать на собственном прошлом, как научились они. Наши далекие предки были людоедами ради того, чтоб сегодня ваш граф-спортсмен Толстой мог сделаться ко всем своим радостям еще и вегетарианцем. Ну хорошо, не ваш, не ваш! Ваш — Федоров, он это почувствовал и восстал, но можно ли придумать более смешную утопию, чем воскрешение мертвых людоедов? Кому они сдались? Что будут тут делать? Похоронили их и забыли. Да они нас сожрут, эти ваши грядущие поколения, ради которых вы сегодня и себя, и своих ближних замучили. Наши дети — вот кто несет нам угрозу. Или скажете, что этого тоже не чувствуете? Уля-то ваша!

— Что Уля? — вскинулся Комиссаров.

Глаза у него помутнели, и Павел Матвеевич нижним чутьем почуял, что в следующую секунду механик схватит его за горло и не отпустит.

— Ничего, кроме того, что ваша дочь любопытна и неосторожна, как ланочка, которую должна охранять от злых людей свирепая мать, — ответил он примиряюще и поглядел в глаза Василию Христофоровичу спокойно и бесстрашно. — Отцы для этой роли не годятся, как ни старайся, господин нитщеанец.

— Я нитщеанец?!

— А кто ж еще? Верный ученик и последователь убиенного старосты. Любовь к дальнему! Светлое будущее! Царство людей-механизмов. Иван Грозный — великий русский царь-государь. Новая мораль, новые отношения между новым мужчиной и новой женщиной. И старая как мир похоть в гнилой крови. А я плевать хотел на ваших дальних и новых! — гремел Легкобытов, уводя собеседника от ненужных вопросов. — Декадентов они начитались, марксистов тухлых. Вся история для них — зал ожидания перед вторым пришествием.

— Вы чушь какую-то несете, любезнейший, а к ближним своим и сами не слишком-то милосердны.

— Вас уж это точно не касается. Со своими бабами разберитесь сначала.

Комиссаров побледнел.

— Простите, — сказал писатель, протягивая ему руку. — Простите меня, бога ради... Но я правда чувствую себя очень и очень задетым этой историей. Вы вот о будущем мечтаете, ради него свою жизнь кладете, а я его боюсь. А особенно русского будущего боюсь. Посмотрите вокруг себя. Неужели вы не видите, в каком чудовищном, разорванном мире мы существуем и что нас ждет? Безумное развитие техники, которым вы гордитесь, — это что же, заслуга нашего поколения? Или этот невзлетевший сумасшедший, про которого вы мне давеча говорили. Да и самолеты ваши. Что они, просто так взялись? Придумал их кто-то из вашей механической братии? Нет! Это все нам присылают оттуда, — поднял он палец. — Но присылают не абы как, а с им одним ведомой целью.

— Кто присылает?

— Не знаю кто. Знаю только, что они есть, они живут среди нас и толкают нас к пропасти.

— Вы что же, меня подозреваете в шпионаже? — спросил Комиссаров высокомерно.

— Да ну, какой из вас шпион? — махнул рукой Легкобытов. — Вы простофиля, дурачина, старик из сказки, на котором ездят все, кто ни попадя. Если только не прикидываетесь дурачком...

6

Связь с коммунистами Комиссаров осуществлял через человека, которого знал как Дядю Тома. Ему он передавал деньги и заводскую статистику, которой Дядя Том стал в последнее время интересоваться, прося механика записывать, сколько и какого продукта было Обуховским заводом за месяц произведено. Для каких целей ему это требовалось, Комиссаров не спрашивал, но все задания аккуратно выполнял, хотя порой и сталкивался с недоуменными взглядами заводских инженеров: зачем ему сведения, прямо не относящиеся к его обязанностям?

Обыкновенно посланец предупреждал о встрече заранее, хотя точное место и время обговаривались лишь в последний момент и с такой степенью конспиративности, как если бы за ними двумя охотилось все охранное отделение Санкт-Петербурга. Чувствительный ко всякой фальши механик морщился и Дядю Тома высмеивал, но тот был для уколов неуязвим, и со временем Комиссаров с конспиративностью так свыкся, что, когда в начале июля неожиданно получил от своего наставника открытую телеграмму с предложением встретиться на следующий день после Казанской в Польцах, был нехорошо этим вызовом удивлен.

Все было очень странно, неряшливо и отдавало провокацией. «Так ведь недолго и полиции человека сдать, — думал он по пути на станцию. — Что если он — Азеф?» Дорога пылила, навстречу попадались пьяные мужики и праздные дачники, брели в Печорский монастырь и еще дальше, в Пюхтицы, утомленные профессиональные паломники, дрались нищие, и, как назло, все были некрасивые, нечистые, обессилевшие то ли от долгой дороги, то ли от собственных пороков и страстей. Кто-то справлял на обочине дороги нужду, кто-то любовно обнимался в придорожной траве. Подзагулявший купчик, обогнав Комиссарова, бросил в толпу несколько монет. Началась драка, поднялась еще больше пыль, крики, пьяные слезы. Купец захохотал, швырнул еще, и, когда молчаливый недобрый возчик-белорус привез Василия Христофоровича на станцию, механик был вконец измучен и раздражен.

Дядя Том запаздывал. Поджидая его, Комиссаров изучал расписание поездов и рассматривал публику. Вокзал был построен десять лет назад, но за эти годы пропустил через себя такое количество пассажиров, что казался столетним. Через Польцы шли поезда из Петербурга в Европу, и Василий Христофорович вдруг подумал о том, с каким любопытством и изумлением смотрят, должно быть, иностранцы на эту окруженную лесами и озерами станцию, на пыльные дороги, покосившиеся избы, а потом приезжают в Петербург и еще более поражаются его мрачной красой, тяжелой рекой, огромными дворцами, каких нет ни в Лондоне, ни в Париже. «"Ты и убогая, ты и обильная..." — прошептали губы знакомые с детства строки. — Почему? Что с нами не так? Отчего эта большая страна не может сама себя упорядочить? Только ли оттого, что она безразмерна, расползлась как квашня по половине земли и не ведает собственных границ? Или нас мучает что-то другое?»

Он вдруг вспомнил Легкобытова и его рассказ про несостоявшуюся встречу с заграничной невестой. «Представляю, что он тут пережил. А она, стало быть, так и уехала обратно...» И Василию Христофоровичу тоже захотелось уехать туда, где нет ничего того, что отравляет взгляд. Сколько можно ездить в эту деревню? Да и зачем? На Комиссарова напало то состояние самобичевания и беспощадной требовательности к самому себе, которое прежде приходило лишь ночью. «В сущности, все, что я делаю в жизни, я делаю не потому, что хочу что-то изменить, а потому, что спасаюсь от пустоты и личной бессмыслицы. Кто я? Рогоносец, сластолюбивый толстяк, брошенный любимой женой муж и никчемный отец для единственной своей дочери, которую совсем не понимаю и не могу ей помочь, хотя моя помощь ей очевидно нужна, но Легкобытов прав — мне не хватает для этого чутья. Я не тонок, груб, неумен, я сломал жизнь этой врушке Верочке, на которой неизвестно зачем женился, занимаюсь промышленным шпионажем с неизвестными мне целями и не имею с этого никакого прибытка. Почему так нелепо складывается жизнь и где была допущена ошибка? Я уклонился от цели и ухожу от нее все дальше, как уходит моя страна. Я ухожу вместе с ней, вместо того чтобы ее остановить, направить в нужную сторону. А между тем эта цель у меня была, но я словно ее потерял, упустил из виду и не могу найти. Или же кто-то ее у меня украл, кто-то злобный и хищный, как мысленный волк».

Снова сложившиеся в мозгу последние два слова заставили его вздрогнуть. С недавних пор Василий Христофорович стал замечать за собою странные вещи. Все чаще и чаще он ловил себя на ужасном, чудовищном ощущении, что ему, почтенному человеку, ни с того ни с сего хочется совершить непристойный, неприличный, сумасшедший поступок, мысль о котором никогда прежде не пришла бы ему в голову. Например, подойти вон к той благообразной даме в беленьком чепчике и дать ей пинка. Или публично обнажиться, справить нужду посреди улицы, толкнуть под паровоз железнодорожного служащего или молодую женщину или что-то выкрикнуть грязное, матерное... Что это было, он и сам не понимал, но посторонняя сила вторгалась в его сознание, захватывала его и занимала участки мозга, выедала их, как червь. Или — что было ему ближе — ржавчина, коррозия металла. У него пока что хватало духу с этими

179

мыслями справляться и им противостоять, не слушаться их, не следовать, но изгнать их вполне, очиститься от них он не мог. Они были той реальностью, которая заставляла его думать, что мысленный волк, упомянутый сибирским странником, не есть фикция или фантазия, но действительно существует — микроб, вирус, тля, и этим вирусом заражается все вокруг. Это была разновидность духовного бешенства, чумка, эпидемия, беда. И одной чисткой мыслей, умственной гигиеной тут не справиться, тем более не один он от этого недуга страдал. Во многих, очень многих русских глазах видел Комиссаров похожий болезненный блеск, и бог весть к чему этот блеск мог привести...

...Час спустя они сидели с Дядей Томом в пристанционном буфете, пили понемногу водку и закусывали ее сладкими пирожками, посыпанными сахарной пудрой, потому что ничего другого из закуски не оказалось. Запах гари был здесь сильнее, чем в деревне, он смешивался с запахом угля, переполненных отхожих мест, где-то жарили рыбу с луком, противно жужжали мухи, по лицу, по голове механика тек пот, у него промокли подмышки, и Комиссаров с завистью смотрел на маленького сухого человека, который, похоже, не потел никогда, и представлял далекую, никогда не виданную им пустыню, по которой кружным путем пробирались далекие предки этого аккуратного господина.

«Сколько ему лет? Сорок, не меньше. А выглядит, будто тридцать. Наверняка чадолюбив, и какая-то Сарра нарожала ему кучу детей, обожает его и готовит щуку по-жидовски. Ей в голову не придет ему изменить, а уж тем более бросить. И дети тоже его обожают, и родня, и весь этот еврейский кагал. И он их любит, о них заботится. Мы так не умеем. Но что заставляет этого человека идти в революцию? Почему ветхозаветный иудей презрел обычаи своих отцов и стал поклоняться чужому идолу? Или идол этот ему не чужд? Мы с ним состоим в одной партии, у нас должны быть общие убеждения, цели, идеалы, но я никогда не чувствовал с его стороны никакого родства, ни солидарности, а разве что вежливое любопытство. Любопытство ученого-энтомолога по отношению к некой разновидности жучка. Однако есть в этом человеке нечто такое, что тянет меня к нему, голос древней крови или какая-то странная вечная скорбь».

— Дела идут неважно, — сказал Дядя Том, насыпая в стакан с чаем сахар и аккуратно его помешивая. — Я уезжаю в Вену и имею желание с вами попрощаться.

— И это все, ради чего вы сподобили меня сюда приехать?

— Нет, не все. Я уполномочен передать вам благодарность свою и своих товарищей за то, что эти годы вы были с нами. Хотя, если честно, так и не понимаю зачем.

— Вы никогда не отличались сентиментальностью, товарищ.

— Знаю. — Дядя Том улыбнулся и стал похож на ребенка. Похоже, первый раз в жизни он никуда не спешил, как если бы уже оказался там, где ему не страшна личная опасность. — В России трудно быть сентиментальным.

— А там скучно.

— Меня Европа, если вы о ней, не интересует.

— Что же тогда?

— Шахматы.

— Вы шахматист? — Василий Христофорович ценил в людях таланты, которыми сам не обладал.

— Композитор.

— Простите?

— Я — шахматный композитор.

Он замолчал, и Комиссаров вдруг подумал о том, что сейчас они расстанутся и больше никогда не увидятся; возможно, на этом оборвется его связь с коммуной, случится еще одна потеря и он не будет знать, чем заполнять пустоту и бессмысленность жизни. «Или они решили таким образом меня исключить? Взяли все что могли и теперь указывают на дверь. Что ж, тогда тем более мне нечего терять...»

— Я давно собирался с вами поговорить, — сказал механик, стараясь быть как можно более небрежным. — Если вы уделите мне напоследок немного времени... Благодарю и постараюсь быть кратким. Я очень уважаю вас и ваших товарищей, знаю, что вы постоянно рискуете жизнью, свободой, здоровьем, но за несколько лет знакомства с вами я убедился, что вы совершенно не знаете и не понимаете Россию. Никогда не знали и ничего в ней не понимали. И не любили.

— Вы так говорите оттого, что я поляк? — засмеялся Дядя Том.

— При чем тут это? — Василий Христофорович старался не покраснеть, но почувствовал, что все равно краснеет. — Я и не знал, что вы поляк. Я вообще-то думал, что вы еврей. Разве нет? — брякнул он и побагровел.

— Простите, что разочаровал.

— Вот еще! Что за вздор! — нахмурился Комиссаров. — Я замечательно отношусь к евреям, возмущаюсь тем, что царизм их преследует, и презираю черносотенцев. Я всегда верил в полную невиновность Бейлиса, и, наконец, меня лично задевает черта оседлости...

— Напрасно. Она многих евреев уберегла и помогла им сохранить свои обычаи, — сказал Дядя Том дружелюбно. — Вам не надо оправдываться, Василий Христофорович. Антисемитизм разнообразен и не всегда принимает крайние формы. Это разветвленное заболевание, которое протекает иногда практически бессимптомно. Выражайте свои мысли прямо и не бойтесь никого обидеть.

— Я всегда говорю прямо и не собираюсь оправдываться, — рассердился Комиссаров и от волнения выпил стакан водки. — И вообще, дело вовсе не в крови. Вы меня зачем-то сбиваете и приписываете чужие мысли. А кровь тут ни при чем. Ваше нечувствование России происходит совершенно по другим причинам.

— Да? — Композитор зевнул. — Простите, я мало спал последние ночи.

— Думаете, я не понимаю, отчего вы вдруг уезжаете? — спросил Василий Христофорович с великодержавной надменностью. — Так я вам скажу.

— Сделайте милость.

— Вы относились к революции как к предприятию, в которое вкладывали деньги и надеялись получить прибыль. А теперь, когда увидели, что прибыли не будет, решили забрать капитал и поместить его в более надежное место и под более высокий процент.

— А вы полагаете, прибыль будет?

— Шутите вы или говорите серьезно, но с подобными мерками подходить к революции нельзя, — обозлился механик. — Она, как и Россия, есть явление духа. Ее невозможно измерить деньгами, взять в концессию, заложить в банк, продать, обменять, в ней нельзя ничего ни рассчитать, ни предугадать. С ней нельзя торговаться — ей можно только принадлежать, ее любить, слиться с ней, отдаться, стать ее частью. Как вы, умный человек, не понимаете, не видите, не ощущаете того, что Россия сегодня крайне неустойчива? Она переполнена, перенасыщена, беременна энергией, которая ищет выхода. Нас может качнуть в любую сторону: либо мы станем фанатичными христианами и пойдем Крестовым походом на Константинополь, чтобы освободить Святую Софию, либо отринем вовсе Бога и начнем сжигать свои храмы. Мы уничтожим всех инородцев или, наоборот, уничижимся до того, что они будут над нами властвовать и нас на нашей же земле топтать. Возможно все, кроме середины. В России веками копилось горючее вещество, и сегодня процесс этого накопления закончился, потому что подошел к пределу и достиг критической массы.

— Может быть, поэтому у нас и леса горят? — спросил Дядя Том, помешивая чай в стакане.

— И поэтому тоже, — ответил механик зловеще. — Но они еще пока по-настоящему не горят. Они будут гореть позже. Когда последует либо наш стремительный рост, либо чудовищной силы взрыв, и...

— И вы бы, разумеется, предпочли первое?

— А вы — второе. И оно случится: слишком много перекосов и противоречий. И слишком много вокруг народов и стран, не заинтересованных в нашем росте, за которым последовало бы мировое господство России. А потому — взрыв неизбежен. Вопрос состоит в том, чтобы выйти из этого потрясения с наименьшими потерями и обратить освободившуюся энергию на общее благо. Но это не политическая, а техническая задача. Я пытался говорить о ней с великим князем — на меня посмотрели как на сумасшедшего. Я несколько раз писал прошение на имя государя и просил аудиенции,

184

мне не отвечали, а в конце концов вовсе удалили из дворца.

— Ах вот оно что, — пробормотал Дядя Том, впервые с интересом поглядев на Комиссарова. — Я-то думал, вы оттуда по собственной воле ушли. Так сказать, не вынесли зрелища обжорства и разврата.

— А вы бы вынесли? У них есть время выслушивать любых юродивых, болтунов, блаженных, отдыхать в балтийских шхерах на яхтах, таскаться каждое лето в Ливадию со своими безумными свитами, принимать великосветских бездельников, давать балы, устраивать бессмысленные крестные ходы и никому не нужные прославления каких-то там якобы святых, покупать мазню французских неучей, которые ничего, кроме ярких пятен и голых баб, намалевать не могут. А найти десять минут, чтобы выслушать человека, имеющего сообщить им нечто действительно важное, они изволить не желают. Поверьте, это не личная обида, но когда они отказываются видеть, что происходит вокруг... Что мне оставалось делать? Сидеть сложа руки и ждать? Я так не умею.

— Обиделись-таки?

— Вот и вы мне не верите, — молвил механик с горечью. — Только в отличие от тех — еще и используете.

— А зачем же вы, добрый человек, позволяете, чтобы вас использовали? — усмехнулся Дядя Том. — Вы же далеко не такой простак, каким хотите показаться.

— Потому что очень скоро нас всех ждет катастрофа, — сказал Комиссаров угрюмо. — И не думайте, что отсидитесь в Европе со своими сказочными задачками. Она захватит все человечество и поставит нам всем шах и мат.

— Это как раз то, что вы собирались приватно сообщить государю? — Композитор задумчиво повертел

185

в руке пустой стакан. — Не думаю, чтобы их величество этим заинтересовались бы. Наш царь религиозен, но даже религиозному правителю скучно и неприятно выслушивать катастрофические прогнозы. Такие вещи надо делать тоньше. Я ведь тоже чувствую, что апокалипсис где-то рядом. Близ при дверях, как заметил один проницательный жидоед, которого еще прежде, чем вас, выставили из дворца. У них там странные предпочтения. Но все равно вас не пойму: ежели вы действительно уверовали в то, что России грозит потрясение, почему не пытаетесь его остановить? А если это, как вы утверждаете, невозможно, то зачем подталкиваете? Чего вам неймется? Встретьте катастрофу в ее час мужественно и достойно.

— После того как она произойдет, необходимо, чтобы к власти пришли технически мыслящие люди, — выдохнул механик. — Которые обустроят жизнь в России так, что никакие новые потрясения ей грозить не будут.

— И вы как раз считаете себя тем технически мыслящим человеком, который знает, как все сделать правильно?

— Ничего я не считаю. И вообще дело не во мне, а в нас всех.

— В ком?

— В тех, кто в России живет и другой родины для себя не ищет. И не имеет значения, какой крови и происхождения этот человек, — сказал механик с дрожью в голосе. — Нам необходимо стать независимыми от всего мира и порвать со всеми странами и народами, которые нас окружают. Никто — ни немцы, ни англичане, ни турки, ни так называемые братья-славяне, ни китайцы, ни японцы, ни персы, ни арабы, ни шведы, ни американцы, ни евреи, ни, извините, поляки — ни-

кто не является исторически нашим союзником. Природа так повелела, что у нас, на нашей земле, есть все,
чтобы мы могли жить одни, независимо и не общаться
с миром, — торопливо, боясь опоздать, выбрасывал
Василий Христофорович свои заветные, давно искав-
шие выхода и мучившие его мысли. — Русский человек
столь же талантлив, сколь и ленив. Если ему проще купить машину за границей, он не станет делать ее у себя.
Даже не так. Он ее, возможно, и изобретет, а вот дальше этого дела не сдвинется, потому что появятся ловкие пройдохи, купцы, банкиры, посредники, которым
это изобретение будет невыгодно. А выгодно будет покупать в Англии и получать барыши, покупая здесь за
бесценок наш хлеб и лес и продавая нам втридорога
свои безделушки. И русский уступит, сдастся, махнет
рукой. Русские лишь тогда начнут о себе заботиться,
когда у них другого выхода не останется, когда их к самому обрыву прижмет. Мы — нация катастрофическо-
го сознания и образа жизни, а потому я не только с этой
катастрофой не собираюсь бороться, но призываю, то-
роплю и благословляю ее. Катастрофа нас мобилизует,
проявляет наши лучшие свойства, а покой расслабля-
ет, принижает, чем и пользуются наши враги. Неужели
вы не видите, до какой степени мы зависим сегодня от
европейских держав? Да, конечно, кое-что производ-
дим сами, но если посчитать, сколько ввозим из Фран-
ции, Англии, Германии машин, инструментов, станков, техники? Россия для них — это громадный рынок
сбыта, и меньше всего они заинтересованы в том, чтобы этот рынок потерять. Мы берем безумные займы —
как будем их отдавать? А где лежат и кому принадлежат
русские деньги, вам известно? Впрочем, вероятно,
вам-то как раз известно, — добавил он язвительно. —

Но, если завтра по каким-то причинам европейские страны вдруг объявят России торговый или денежный бойкот или потребуют разом вернуть долги, наша промышленность встанет, а банки лопнут. А если вдруг случится война? Вы представляете себе, до какой степени наша армия зависит от поставок чужого оружия? Оружия! В нынешних условиях любой может нас шантажировать и заставить отстаивать чуждые нам интересы. Вам-то, возможно, на это и плевать, мне — нет! Я в отличие от вас в Европу сбегать не стану. Мне бежать некуда. Я — русский, и мне больно оттого, что мы, огромная, мы, самая великая страна мира, позорно несамостоятельны. Вот в чем я вижу главную ошибку нынешнего правительства. Да, что-то пытался делать Витте — его отстранили. Пытался Столыпин — его таинственным, непостижимым образом убили, а нынешние министры в лучшем случае безвольны, в худшем — выполняют чужую волю, причем неизвестно чью. Вот вы давеча говорили, что черта оседлости евреев спасла. Так и мы должны, — воскликнул Василий Христофорович вдохновенно, — уйти за такую черту, чтобы себя спасти и никого сюда не впускать!

— Что и будет целью нового правительства, в котором вы заблаговременно решили застолбить себе местечко? — Живые, умные глаза Дяди Тома с одобрением посмотрели на Комиссарова. — Стало быть, тоже вкладец делаете, а в будущем на прибыль рассчитываете? Что ж, очень и очень умно. Все остальное глупо, а вот это дельно. Не сердитесь. — Он дотронулся рукой до побледневшего оратора. — Я просто не люблю дилетантов. Знаете, как про иных монахов говорят, — «старателен, но неискусен». Однако признаюсь вам, Василий Христофорович, я рад, что вы мне это вот сейчас сказали.

Камень с плеч, право, сняли. Для нас ведь долгое время было непонятно, какие вами движут мотивы. Сами посудите, вы не честолюбивы, не кровожадны, бес справедливости вас не терзает. Иные из товарищей даже говорили о том, что вы провокатор, засланный агент, государственник, — чепуха, конечно, но я-то, грешным делом, думал, вы к нам от большого горя или какого-то тайного порока подались. Ну, знаете, как бывает, жена рога наставит, дети по дурной дорожке пойдут или вдруг какие-то мыслишки в голове у человека заведутся и начнут его подзуживать, а он их испугается. А то узнает человек о себе какую-то страшную вещь, ну например, что на маленьких девочек не может спокойно смотреть, — и вот он наш. В боевой организации половина смертников, а особенно смертниц — замаскированные самоубийцы. Покончить с собой духу не хватает или так с детства воспитаны, что Бога боятся, хоть и не верят, а ежели акт — то пожалуйста, с величайшим горением сердца и самопожертвованием. И неважно — образованная это дама или скорбная умом и душой мещанка с ножом под ситцевой юбкой.

— Так значит, это вы в Покровском...

— Я же сказал вам, что наша партия индивидуальным террором не занимается, — произнес Дядя Том монотонным голосом. — Но доброхотов я боюсь и ни к какому серьезному делу привлекать не стану: от них никогда не знаешь, чего ждать, и положиться на них нельзя. Зато с вами все разъяснилось. Вот и чудненько.

— Нет! — крикнул механик, так что немногие находившиеся в буфете люди на него обернулись. — Ничего не разъяснилось! Я это говорю не потому, что сам хочу властвовать. Меня вообще, скорее всего, не будет к тому времени в живых. Равно как и вас. Не обольщайтесь!

Мы обречены точно так же, как те люди, о которых вы с таким пренебрежением говорите. Речь идет о следующих поколениях. Они не должны повторять наших ошибок и отдавать власть в грязные торгашеские руки. И я знаю, что инженер, мастер или механик, какие бы у него там ни были мысли, не способен причинить большое зло, в отличие от вас.

— Кого?

— А таких вот политиков, профессоров, адвокатов, журналистов.

— Как этот ваш приятель? — уточнил Дядя Том.

— Какой еще приятель? — переспросил Комиссаров с досадой.

— У вас много приятелей среди журналистов?

— Ни единого, слава богу.

— А как же некто Легкобытов? Павел, если мне память не изменяет, Матфеевич?

— Да ну, — махнул рукой Василий Христофорович, — нашли о ком спрашивать. Матвеевич-то как раз человек совершенно безобидный.

— Мы вот тоже так раньше считали. А кстати, если вас не затруднит, что вы о нем думаете?

— Ничего я о нем не думаю. Мне некогда о нем думать. Я вам про серьезные вещи толкую, а вы мне слова не даете сказать, все с пустяками какими-то лезете.

— Василий Христофорович, голубчик, я с удовольствием поговорю с вами обо всех ваших важных вещах, но в следующий раз. И не надо больше пить.

— Это вас не касается, — отрезал Комиссаров. — А хотите знать мое мнение о Легкобытове — пожалуйста. Средний руки литератор. Плохо воспитанный купеческий сынок, который однажды в жизни опоздал, и с тех пор ему все время кажется, что он куда-то не поспевает. Чудовищный эгоист. Честолюбив до тщеславия, хоть и пытается свое тщеславие скрыть. Раздражителен, вспыльчив, инфантилен. По-своему умен, зорок, наблюдателен, жаден до впечатлений, трудолюбив, но очень и очень осторожен. Не хамелеон, но умеет хорошо таиться и ждать. Ни в коем случае не трус. Обожает тайно смотреться в зеркальце и любоваться с одинаковым энтузиазмом и собственными достоинствами, и изъянами. Так всю жизнь и пролюбуется, лесной нарциссик. Что еще? Порядочный фантазер, по-моему, но, когда надо, так прочно стоит на земле, что никакая сила его с места не сдвинет. Будь я гадалкой, сказал бы, что он родился под счастливой звездой и проживет долго и хорошо, если только его не погубит мнительность. Да вы меня не слушаете совсем.

7

— Отчего же, слушаю. — Дядя Том поднял глаза, и Василий Христофорович поразился тому, как они изменились. Он не мог понять, что именно с Дядей Томом произошло, но перед ним сидел другой человек, с другими глазами, с иными чертами лица, и этому человеку никак нельзя было дать меньше сорока лет и заподозрить в нем потомка античных иудеев. Но и на поляка он мало походил. Он был вне национальности, вне возраста, вне времени и пространства.

— Вы сказали, он сделался мнительным? Как давно и что вы имеете в виду?

Вопрос прозвучал так требовательно, что Комиссаров хотел не отвечать, но сам не понял, как начал даже не говорить, а давать показания:

— Этой весной его напугал какой-то старец Фома.

— Каким образом?

— Напророчил ему, что он-де скоро умрет.

— И он поверил?

— Полагаю, что да.

— С чего вы взяли?

— На охоте стал чаще мазать.

— И это все?

— Нет, не все. Он сделался в последние дни очень беспокойный, в глаза избегает смотреть. Как будто что-то затаил.

— Угу, — произнес Дядя Том удовлетворенно. — А что за Фома такой?

— Духовный гастролер. Шулер. Хулиган.

— Вы его видали, что так судите?

— Нет, только слыхал от Легкобытова.

— И что он вам про него говорил?

— Да ничего не говорил. Анекдот рассказал.

— Простите?

— Так Павел Матвеевич это назвал. Ну, притчу, в общем. Очень короткую, смешную. Умирает папа римский. Попадает к апостолу Петру. Через час выходит от Петра заплаканный, бьет себя кулаком в грудь: «Господи, как я мог! Как я мог!» Умирает обер-прокурор Победоносцев, попадает к апостолу Петру. Через два часа выходит заплаканный, рвет на себе волосы, стенает: «Господи, как я мог! Господи, как я мог!» Умирает Фома. Попадает к апостолу Петру. Проходит час, два, три. Выходит заплаканный апостол Петр, бьет себя в грудь: «Господи, как я мог? Как я мог?»

— По-моему, ничего смешного в этом анекдоте нет, — нахмурился Дядя Том. — Но мне представляется, что страхи вашего друга вовсе не так беспочвенны, как вы думаете.

— Не понимаю, чем вам Легкобытов может быть любопытен, — произнес Комиссаров, вставая, — но знаю одно: в революцию Павел Матвеевич никогда не вернется и при любых обстоятельствах уцелеет.

— Даже в той катастрофе, которой вы нам грозите?

— Даже в ней.

— Он ведь охотник, если не ошибаюсь?

— И что с того?

— Вы не находите, Василий Христофорович, странным, что люди, которые любят жить и собираются делать это, как вы предполагаете, долго, но при этом так мнительны, что из-за какого-то шулера и гастролера теряют покой, не боятся ходить на охоту?

— Почему он должен бояться? — Путаный разговор этот Комиссарову окончательно надоел, однако Дядя Том его не отпускал.

— Ружье может даст осечку. Или разорваться в руках. Или в чей-то капкан можно случайно попасть, да и не выбраться из него, так что одни косточки потом найдут. На лодке перевернуться или на камни налететь, а никто и не увидит. Мало ли какие бывают случайности.

— Они не про него.

— А то, бывает, идут, например, на охоту двое и один по ошибке убивает другого. А?

— Как это?

— Померещилось что-то, он и выстрелил. И попал случайно в голову. Или в сердце.

— Не понимаю, куда вы клоните.

— Отчего же? Все вы прекрасно понимаете. — Маленький господин улыбнулся еще интимней. — Даже очень хорошо понимаете. Не вы ли столько лет просили комитет проверить вас в настоящем деле?

— Что вы имеете в виду? — нахмурился Комиссаров.

— То, о чем вы сейчас подумали, — отвечал Дядя Том любезно.

Василий Христофорович замолчал. Дядя Том молчал тоже. И было непонятно, что делают двое этих господ — один большой, полнотелый, сырой, а другой маленький, сухой, тонкий, как мальчик или старик. Василий Христофорович ожидал, что к нему придет хоть какая-нибудь мысль, пусть самая нелепая, злобная, из тех, что подталкивали его схватить за ухо полицейского или дать пинка почтенной даме, пусть бы только эта мысль пришла, и он не стал бы ее гасить, но испробовал на провокаторе, на двуличном агенте, который непонятно кому служит и чего от него хочет, однако, как назло, все мысли попрятались и в голове сделалось пусто-пусто. Только мухи жужжали в тишине, и жужжание это было столь мучительно, что Комиссаров не выдержал.

— Вы что же... вы хотите поручить мне... убить Павла Легкобытова? — выдавил он наконец.

— Ну зачем же убивать? Убивать не надо. Да и вы разве похожи, Василий Христофорович, на убийцу? Не убить, а... скажем так, невзначай помочь Павлу Матфеевичу стать участником несчастного случая, тем более что он к этому, как вы утверждаете, психологически готов.

— Шутите? — произнес Комиссаров с тоскою.

— Какие уж тут шутки? Стал бы я ради шуток в этой дыре сидеть и ваши историософские бредни выслушивать. Мне этого добра на Таврической хватает. Я с вами о серьезных вещах толкую. Легкобытов, как вы изволили заметить, человек осторожный, недоверчивый, а вы у него пока не вызываете подозрений, потому как он вас за недотепу держит. Вот и хорошо. Значит, вам, Василий

Христофорович, будет это сделать проще, чем кому-нибудь из наших товарищей, чьими жизнями мы не хотели бы рисковать. Хотя, учитывая дружеский характер ваших с ним отношений, это с нашей стороны ни в коем случае не приказ. Так... предложение. Пожелание... просьба... Но, если вы за это дело не возьметесь, нам придется подыскивать кого-то другого...

Механик Комиссаров почувствовал, что комплекция и в самом деле дает о себе знать. Алкоголь вдруг резко забродил по грузному телу, кровь еще сильней прилила к вискам, так что забились фиолетовые жилки, и стала нечеткой картина мира перед глазами: исчезли железнодорожные пути, их накрыло, заволокло дрожащей дымкой, зато вдруг резко, как из преисподней, запахло углем. И в этой угольной завесе соткалось светлое, какое-то юное, подростковое лицо Павла Матвеевича — но далеко, на том расстоянии, на каком однажды весной попалась на мушку самому Комиссарову голова лося. Он не выстрелил тогда; испугался ли, пожалел, растерялся или заплясало в руках ружье — механик сам не мог точно сказать и в ответ на гневливость Легкобытова лишь глупо улыбался, а теперь его лесной наставник вдруг сам стал жертвенным животным, которого собрались загнать хищные люди, и Василию Христофоровичу вкладывали в руки харчистое ружьецо.

— Да и ему, я думаю, приятней будет от вашей, так сказать, милосердной, сочувственной руки пасть, чем от какого-нибудь равнодушного подосланного убийцы или партийного фанатика. Ну а если потом потребуется хороший адвокат, мы поможем, — заключил Дядя Том, склонив аккуратную голову. — А вообще-то не бойтесь, преднамеренность убийства доказать будет практически невозможно. Все свидетели будут в вашу пользу. Да и ежели все хорошенько обдумать, можно будет устроить так, что тело в здешних болотах не найдут, но, признаться, нам-то бы надо наоборот, чтоб эта история получила огласку, в газеты попала, и не только в русские. А иначе зачем все затевать? Видите, я от вас ничего не скрываю, хотя и мог бы. Но ведь русскому человеку за правду пострадать...

«Управляют настоящим из будущего, — всплыло у него в мозгу легкобытовское предостережение. — А что если наоборот — настоящим из прошлого? Придумали и заслали. Белые начинают, черные выигрывают... Кто-то прогрызает стенки между временами и бегает, как мышь, туда-сюда. Чем не роль для такого вот Дяди Тома?»

— Вы меня проверяете? — проговорил механик хрипло, чувствуя, что язык не слушается в пересохшем рту. — Или это натаска собаки на дичь?

— Политическая необходимость. Вам, никак, нравственность не велит?

— Разум. Не понимаю, зачем. Зачем убивать абсолютно невиновного, никому не помешавшего человека?

— Василий Христофорович, неужели вы допускаете мысль, что мы обратились бы к вам с подобной просьбой, не имея на то причин? И неужели думаете, что мне доставляет удовольствие вас об этом просить? Павел Матфеевич, к нашему большому сожалению, немножко далеко и не туда зашел и совершил несколько очень неприятных для нас поступков. — Посланник скорбно замолчал.

«Поезд, что ли, проехал бы», — подумал Комиссаров тоскливо, но в послеобеденный час было жарко, тихо, пустынно. Комиссаров сделал знак рукой, подошел худощавый пожилой официант с темными кругами под глазами навыкате и поставил на стол новый лафитничек.

— Значит, вы приехали сюда для того, чтобы подговорить меня убить своего товарища? — произнес он минуту спустя. — Отомстить ему за то, что пятнадцать лет назад он вышел из вашей политической секты, потому что, когда вступал в нее, был молод и глубоко несчастен. А потом понял, что ошибся и это не его дело. Но всем, кто захочет повторить его поступок, был бы хороший урок? Да неужели же для вас не существует срока давности за совершенные преступления? И потом, разве это преступление — выйти из общины? Вы же только что сказали, что ваша партия индивидуальным террором не занимается. Или, — его вдруг охватила догадка, и чуть прояснилась мутная картина, — вам необходимо меня посадить на цепь? Чтоб было чем потом шантажировать? Чтобы уж никуда не убег? Неужели революция ничуть не лучше дворца? А что будет, если вы и в самом деле придете к власти? — Он вскочил из-за стола и прошелся вдоль окна, растирая виски. — Послушайте, вы не боитесь, что я позову сейчас не человека с водкой, а полицейского из участка?

— Вот жара-то что делает, — проговорил Дядя Том озабоченно. — Да еще вино, будь оно неладно. Ах беда-то, беда... И пить-то ведь не умеете. Послушайте, Комиссаров, если бы мы убивали всех наших штрейкбрехеров, нам бы пол-России пришлось перестрелять.

— И перестреляете! — взревел Василий Христофорович в какой-то еще более прозорливой запальчивости, вываливаясь из душного дня в мрачную зябкую вечность.

— А если по-другому никак? — догнал его Дядя Том и ухватил за рукав. — Да сядьте вы, сядьте, бога ради, и не распаляйтесь, как бычок перед случкой. Вы же все равно никуда не пойдете и никого не позовете. Ну не хотите сейчас убивать, и не надо.

— Что значит «сейчас»? Да я вам морду набью!

— Лях проклятый.

— Что?

— Вы должны были добавить «морду набью, лях проклятый». И чтоб люлька никому не досталась.

— Вы бредите? Вы бредите, все это бред, все! — выкрикнул Комиссаров сдавленно. — Эта станция, дым, эти мыслишки.

— Мыслишки неслучайно вас посещают. Мыслишки абы к кому не прицепятся, знают, кого выбирать, — хихикнул Дядя Том. — Мыслишки-то не получается чистить? А? Лезет всякая похабщинка и чертовщинка? Вот и покончите с ней разом. От множества мелких грешков лишь один большой грех спасает. Тише, тише, мы и так привлекаем к себе слишком много внимания. Считайте, что все это было недоразумением. Вы случайно прочли письмо, адресованное не вам.

— А кому?!

— Неважно. До востребования. У меня к вам будет другая просьба. Совсем пустяшная. Нам в скором времени потребуется ненадолго ваша петербургская квартира и кое-что из гардероба Веры Константиновны.

— Что? Зачем? — спросил механик, ошарашенный более всего тем, что Дяде Тому известно имя его жены.

— Помочь надо одному человечку. Тоже вроде вас, с мыслишками. Но все издержки мы по части одежды возместим. Против этого вы не будете, надеюсь, возражать?

— Мат в два хода, — буркнул Комиссаров. — Если бы вы попросили об этом сразу, я бы мог раздумывать или требовать объяснений, а теперь вы вынуждаете меня согласиться и снова используете втемную. Но неужели ради такого пустяка, как моя квартира, вы сочинили весь этот вздор про Легкобытова?

— Вы даете согласие или нет?

— У моей жены гардероб скудный.

— Вот и будет повод его обновить. Василий Христофорович, — сказал Дядя Том, вставая и протягивая механику руку, — вы очень честный, порядочный человек. Я всегда относился к вам с большим уважением, а сегодня стал уважать еще больше.

Механик посмотрел на его цепкую лапку и, презирая себя за слабость и сырость, хотел было ее пожать, но вместо этого сам не понял, как схватил со стола стакан с недопитой водкой и плеснул в лицо Дяде Тому, а потом со всего маху заехал ему другой рукой по смуглой физиономии.

Все произошло очень быстро, но не укрылось от взглядов людей, находившихся в буфете. Все они оставили свои дела и уставились на революционеров.

— Все-таки не удержались, — проговорил Дядя Том со скукой, поднимаясь с пола и вытирая салфеткой лицо, на котором кровь смешалась с водкой. — Я так и знал, что все это чем-то подобным кончится. Но неужели для вас похоть мыслей и бесовская шалость важнее жизни того, кого вы считаете своим другом?

Комиссаров, пристыженный, опозоренный, не знал, что делать. Из него как будто выкачали воздух, он подавленно молчал.

— Давайте-ка выйдем отсюда, а то и в самом деле все кончится полицией, — произнес Дядя Том озабоченно. — И будем считать, что случившееся к делу не относится. Вы ведь обыкновенно человек рассудительный, неглупый, — продолжал он, покуда они шли по привокзальной площади, — и мне не надо вас предупреждать о том, что произойдет, если о нашем с вами разговоре кто-то узнает. Включая самого Легкобытова, разумеется. В этом случае я не дам за его жизнь и полушки, хотя не понимаю, что вы в этом говоруне нашли. А сейчас езжайте домой и проспитесь. Вы в Бога веруете?

— Да, то есть нет. Не верую. Не знаю, впрочем. Я в дьявола верую, — сказал Василий Христофорович мучительно. — То есть не то чтобы верую, а знаю, чувствую, что он есть. А про Бога ничего не знаю. Не чувствую. А вы? — спросил он с жадностью. — Вы веруете? Чувствуете?

— У нас с ним сложные отношения, — ответил Дядя Том уклончиво.

— А не надо сложных. Надо просто поверить. Поверить и помолиться.

— Вот вы и помолитесь. Если все, что мы задумали, пройдет удачно, даю слово, что никто вашего зверолова не тронет. Пусть слоняется по своим лесам и пишет про птиц и собак, но только про них, и скажите ему, чтоб больше не совал свой нос куда не просят. Поближе к лесам и подальше от редакций. И пусть не трогает старца Фому. Вы хорошо запомнили?

— Ну, — буркнул Василий Христофорович, чувствуя, как хмель стремительно выветривается из его головы.

— Наклонитесь сюда, я вам еще кое-что скажу... Но ежели вдруг, по каким-то причинам, — зашептал Дядя Том, обдавая Комиссарова смесью сладкого запаха пудры, крови и алкоголя, — по каким-то предчувствиям, которые вас не обманывают, вам все-таки захочется его

200

убить, задушить, и вы так же не сможете остановиться... и не надо, не надо. Вы просто припомните тогда наш разговор и не смущайтесь.

8

— Послушайте, это невежливо, в конце концов, — идти с дамой и молчать. Куда вы так несетесь? Мы что, куда-то опаздываем? И какого черта вы взяли с собой ружье? Убить меня собрались?

Павел Матвеевич вздрогнул. Он не умел ходить медленно и уже забыл о том, что идет с чужой женой по берегу Шеломи. Настроение у него было отвратительное. Накануне он возвращался из соседней деревни и на полпути, в том месте, где дорогу пересекал глубокий овраг и она раздваивалась — более длинная вела верхом в объезд, а короткая пересекала овраг по деревянным мосточкам, — безотчетно ринулся вниз. Отказали ли у велосипеда тормоза или велосипедист сам не рассчитал скорости, но только очнулся он оттого, что лежал посреди оврага, а в нескольких сантиметрах от его головы возвышался притащенный ледником миллионы лет назад валун. Легкобытов потрогал рукой его шершавую сырую стенку и содрогнулся при мысли, что могло бы произойти, разгонись он чуть посильнее. Но ему и так досталось: одежда была изорвана, а заграничное изделие, подаренное Комиссаровым, восстановлению, очевидно, не подлежало.

Идти домой в подобном виде было невозможно, пришлось ждать темноты и размышлять о том, как превратить ущерб себе во благо, что давно стало одним из главных жизненных приемов Павла Матвеевича. Всякое поражение должно обернуться победой, ибо поражение есть измерение жизни в глубину, а победа в ширину — Легкобытов стремился покрыть собою весь мир и по вертикали, и по горизонтали.

Вот что бы, например, было, размышлял он, если бы я двинулся более длинным путем? Или вообразить себе такую, например, ситуацию: есть мальчик и девочка, они идут вместе по дороге, потом дорога раздваивается, девочка выбирает более долгий и проверенный путь, мальчик — короткий и опасный, попадает в беду, но каким-то образом из трудного положения выходит, а потом дети встречаются, мирятся, и все заканчивается мудрым авторским поучением. Однако когда, обдумывая мораль, Легкобытов заявился в изорванных штанах домой, то вместо сочувствия был встречен хохотом подрастающих сыновей и ехидной улыбкой жены. Молчал только пасынок, но видно было, что в душе он злорадствует больше всех. Он вообще с некоторых пор переменился, стал более угрюмым и замкнутым, чем обыкновенно, и Павел Матвеевич поймал себя на мысли, что, случись ему снова тонуть, Алеша и не подумал бы его спасать.

«Наоборот, веслом по башке шарахнул бы. С ним и на охоту теперь не пойдешь. Подстрелит, как куропатку, а потом скажет, что несчастный случай. И никто ничего не докажет». Легкобытов так явственно представил себе картину этого случайного выстрела и себя, лежащего на белом мху, что ему даже дурно сделалось. Взбесившуюся собаку он пристрелил бы не задумываясь. А что с непослушным парнем делать? Может, и в самом деле надо было не жадничать, а отдать его сумасбродной комиссаровской девчонке, и пусть бы дрессировала как умеет.

После несостоявшегося побега то ли вместо Ули, то ли вместе с Улей Павел Матвеевич вообще несколько пал духом и заволновался. Он ощутил, что семья, в которой он никогда не сомневался, перестала быть ему тылом. Она сыпалась так же, как сыпалось все вокруг. Даже Пелагея, чья любовь казалась ему неразменной и вечной, эта божественная дурочка, деревенская неграмотная ангелица, святая мужичка, превратилась в какую-то оскорбленную спесивую барыню с женских курсов. Смотрела на него с надменностью, а когда он попытался по обыкновению грубовато приласкать ее, и вовсе взбунтовалась, осатанела и ушла одна спать на сеновал. Выходило так, что не он ее оставил, но она его. Прежде, как бы ни ссорились они, до взаимных оскорблений, до рукоприкладства и вспышек ярости днем, ночь все примиряла, но теперь ночи больше не было. Павел Матвеевич тяжело переживал супружескую разлуку, раздражался, злился, страдал от неудовлетворенного вожделения и отчасти по этим причинам и пошел гулять с Верой Константиновной, даже не скрыв от жены сего обстоятельства, — то была месть домашним с его стороны. Плюс ко всему он был страшно сердит на механика за то, что тот не умел укротить своих баб, да и сам обабился. Пелагея ответила мужу тем, что оставила его без ужина и не обмотала ног портянками, и охотник, схватив, как прожорливая лисица, хлеб со стола, выскочил из дома голодный, злой и нетерпеливый, в сапогах на босу ногу.

Навстречу им попался крестный ход. Отец Эрос, тучный, нестарый, но весь седой, багроволицый, полный жира, воды и мяса, облаченный в тяжелые голубые одежды, надсадно дыша, ступал по пыли впереди всех, за ним тянулись мужчины, женщины, дети, которые несли крест, иконы и хоругви. Однако народу было немного. Большинство так и остались в деревне пить чай, но и в тех, кто пришел, никакого напряжения охотник не почувствовал.

— Даждь дождь земле жаждущей, — возглашал отец Эрос монотонно, и народ нестройно бубнил за ним:

— Даждь дождь, даждь дождь.

«Ишь ты, какая аллитерация, — подумал Павел Матвеевич с неудовольствием, — прям язычество славянское. Ну батюшка и дал! А вот за что давать дождь этим бездельникам и маловерам? Они потрудились? Они что-то для этого дождя сделали? Да и поп тоже хорош — сам не верит, чему говорит, а хочет, чтоб ливануло. Ему бы книжки ученые читать, философствовать, просвещать, а его шаманить заставляют».

Он вспомнил исступленные глаза паломников на Светлояре, вспомнил их многотысячное пение на всю летнюю ночь и в который раз убежденно подумал, что сектантство на Руси сильней вялого православия, оно стоит у него за спиной, как могучий двойник, и рано или поздно поглотит его и уведет спокойные застоявшиеся воды официального Бога в темное русское будущее.

Солнце меж тем уже опустилось за лес, но тревожное красное небо было подсвечено его лучами и вовсю горело. Жара понемногу спадала, хотя по-прежнему было душно, ветрено, дымно и тревожно, и красивая барыня в синей шали, шедшая рядом с охотником, думала о том, что ей трудно выговорить «вдоль реки», получалось «вдольлеки», и это почему-то ужасно ее злило. Хотя и реки-то уже не было — одно название, пересыхающий ручеек, по берегам которого лежали тела дохлых рыб и лягушек.

Вере Константиновне хотелось курить, но делать это при Павле Матвеевиче она не решалась.

— Вы говорите, что не помните, как она выглядела, но вы хоть помните, как ее звали?

— Кого?

— Вашу невесту. Ну, ту, с которой вы... которая вас... в Берлине, надгробие, музей, девочка, играющая в кости, вокзал, Польцы... стоит ей сейчас вас поманить...

— Зачем вам это?

Легкобытов смотрел на Веру Константиновну то ли насмешливо, то ли сердито. Он злился от того, что теряет время с капризной, взбалмошной женщиной, которая позвала его якобы затем, чтобы поговорить об Ульяне и ее таинственных ночных прогулках и превращениях, но вместо этого принялась раскапывать его собственное прошлое.

— Затем, что я не понимаю, с какой целью вы это рассказали и при этом попытались всех обмануть.

— Простите?

— Не лгите хоть сейчас, — сказала Вера Константиновна с отвращением. — Вы можете сколько хотите обманывать моего простодушного муженька и его придурочную дочурку, но только не меня. Вы намеренно не явились в Польцы в тот день, когда через станцию проходил поезд с вашей возлюбленной. Испугались с ней встретиться или испугались в ней разочароваться, струсили из-за Пелагеи, не захотели заменять вашу дурацкую мечту живой жизнью — этого я не знаю и знать не желаю, но знаю, что вы думали в тот момент только о себе. Вы всегда думали только о себе и никогда о ней. В Берлине вы растревожили ее как женщину и трусливо, боясь неприятностей со стороны ее отца, бросили. Обокрали и голую бросили.

— Как-как?

— Не прикидывайтесь святошей! — обозлилась Вера Константиновна. — Она была нужна вам для вдохновения, для остроты впечатлений. Вы же сами талдычили, что она-де разбудила в вас писателя. Экая важность! Подумаешь, писателя! Да плевать я хотела на ваше писательство. Оно яйца выеденного не стоит. Никакое не стоит, а тем более ваше!

— Вы читали что-нибудь мое? — осведомился Легкобытов через плечо.

— Вы мне неинтересны.

— Что-то непохоже, чтобы я был вам неинтересен, — засмеялся охотник и потрогал бороду. — Только сразу хочу предупредить, ничего у вас не получится.

— Чего не получится? — покраснела Вера Константиновна.

— Не получится вывести меня из себя.

— Я ваши волосенки все обрежу. Выдеру по одному, — рассвирепела она.

— За что вы меня так ненавидите? — изумился он. — Вам-то я что плохого сделал?

— Вы нашли себе для утехи неграмотную крестьяночку, которая не могла ни одной вашей строчки прочесть, а той посылали книги и ждали слов одобрения. Неужели вы не понимаете, писателишка злосчастный, девственничек сладкоголосый, что она искала слова любви и этих слов не находила!

— Плохо искала потому что, — буркнул он.

— Плохо искала? — еще пуще разъярилась Вера Константиновна и сделалась прекрасна как никогда. — А вы ни разу не задумывались над тем, чего ей стоило ту телеграмму вам послать? Вот вы все толкуете про какую-то там неоскорбляемую якобы часть своей души, а представили ли вы хоть на минуту, что испытала она в тот миг, когда поезд остановился на глухой станции, а вас там не оказалось?! Можно ли было оскорбить ее как женщину сильнее? Ночь, пустой перрон, мужики... И куда ей было деваться? Вы вообще понимаете, что такое женщина? Да нет, откуда, — махнула она рукой с брезгливостью, — у вас же, кроме мамки-няньки, конкубины деревенской, так никого больше и не было. И вы еще после этого писателем себя мните? Вы хоть понимаете, что такое писатель?

— Откуда? — как эхо отозвался Легкобытов.

— Бросьте ерничать. Писатель, — произнесла Вера Константиновна вдохновенно, — настоящий писатель, я имею в виду, — это дерзкий, отчаянный, наглый человек. У него нет друзей, зато много женщин и много врагов, он стреляется на дуэли, он разбивает сердца, он оставляет свое семя повсюду, и каждая женщина мечтает родить от него сына, а потом, когда тот вырастет, шепнуть, кто его настоящий отец, чтобы сын знал и гордился. Писатель делает несчастными своих ближних, чтобы были счастливы дальние. Писатель — это буря, вулкан, землетрясение. От него током должно бить. А вы — ну какой от вас ток? Что в вашей жизни есть, кроме постыдного воспоминания о том, как вы себя повели точно евнух с прекрасной женщиной? Бросьте, не морочьте мне голову... И никому не морочьте!

Павел Матвеевич задумчиво посмотрел на Веру Константиновну и после некоторого молчания произнес:

— Вы так говорите, точно все то произошло с вами.

— А вдруг и со мной?

Легкобытов вздрогнул и еще более внимательно взглянул ей в глаза:

— А вы действительно не очень-то счастливы с мужем.

Вера Константиновна качнулась, а потом неловко размахнулась и ударила писателя по лицу. Удар пришелся вскользь, и было непонятно, что это — пощечина или просто неловкое касание, неумелая ласка. От этой неловкости оба замолчали и некоторое время шли в тишине.

Первым заговорил он:

— Послушайте, зачем вы со мной идете? Покусать хотите?

— Я хочу знать, что с ней сталось дальше.

— Вернулась в Россию и обвенчалась с висельником. Вас удовлетворяет?

— Мне нужны подробности.

— Ну хорошо, давайте подробности, — вздохнул он и достал из кармана охотничьей куртки кусок ситника. — Будете? А я буду.

9

— Я уже рассказывал вам, — говорил Павел Матвеевич, с удовольствием жуя влажноватый хлеб, усыпанный табачными крошками и порохом, — что в молодости был революционером. И первое, что мы сделали, — разгромили публичный дом на окраине Вильны.

— Это еще зачем?

— Чтобы покончить с унижением женщин, надо полагать, — пожал он плечами. — Но ничего путного из этого не вышло. Полуголые дамы вопили и шипели, хозяйка лежала без чувств, как институтка, а посетители борделя предпочли тихо убраться, чтобы их не привлекли в качестве свидетелей полиция. Однако, к нашему ужасу, среди этих господ оказался наш товарищ. Мало того, он ходил туда на партийные деньги. Мы пробовали его стыдить — все было напрасно. «Вы дураки! — говорил он нам. — Вы хотите переделать природу человека, а это невозможно. Вильна была основана железной волчицей, которая отдавалась всякому, кто ее желал. И блудницы, мытари и убийцы будут водиться в ней всегда. И они ближе всего к Богу. А вся эта ваша революция задумана для того, чтобы узаконить разврат и разрешить разводы».

Вера Константиновна почувствовала, что снова краснеет, но, к счастью, в наступивших сумерках это было не очень заметно.

— Странные иногда попадались люди среди революционеров, — произнес Павел Матвеевич задумчиво. — И чистые и грязные, и смелые и трусливые, и жадные и бескорыстные, но все понимали, что такое партийная дисциплина. Этот — нет. Говорили, будто бы он поступил к нам из боевой организации, а туда попал после того, как дезертировал из армии. Не знаю, правда это или нет, но в смысле никчемности и необучаемости поразительный был тип. Ничего не умел, не знал, не хотел. Пробовал быть моряком — ссадили с корабля, добывал золото — едва унес с прииска ноги, охотился — все звери от него разбегались и птицы разлетались. Такой погиб бы, и жалеть было б не о ком. Его стали готовить к теракту и отправили на карантин. Это знаете, что такое?

«Краснуха, скарлатина, жар. Успенским постом пойду на богомолье в Печоры. Вот прямо отсюда с бабами и пойду».

— Э, да ничего вы не знаете, и никуда вы не пойдете, — быстро раскидал ее мысли Легкобытов. — Карантин — это время, когда террорист должен прикинуться обывателем, устроиться куда-нибудь на необременительную службу, завести роман с хорошенькой мещанкой и усыпить подозрения полиции. Ну, примерно как ваш муж.

— Что?! — вскрикнула Вера Константиновна.

— А это вы сами разбирайтесь, — с наслаждением произнес Павел Матвеевич и замер. — Вам не кажется, что за нами кто-то следит?

— Кто следит? Для чего?

— Не знаю. Вы с собой никого не звали?

Он стал пристально вглядываться в сумрак. Темно было уже везде, только угадывалась смутная полоска света над обезвоженной рекой. Ветер усилился, и нескошенная сухая трава стала заметно клониться под его давлением, так что Вера Константиновна вдруг почувствовала себя в том сне, где ночной ветер обвевал ее ноги. Ей стало трудно ступать и нечем дышать. Вдруг она наступила на что-то склизкое, пискнувшее под ее ногами, и взвизгнула:

— Что это?!

— А? Да поганюк какой-нибудь, — ответил Павел Матвеевич рассеянно.

— Какой еще поганюк?

— Ужик, лягушка, а может, гадюка. В лесу сушь, вот они и ползут по привычке к реке. Вся тварь нынче страдает.

— Я хочу домой, — сказала Вера Константиновна малодушно.

— Тоже ведь на свой манер крестным ходом идет и молится, — продолжил Павел Матвеевич, не обращая внимания на дамские капризы, — и еще неизвестно, чья молитва доходчивей будет. А Карая-то надо было взять... Зря не взял. Тут и не увидишь, пока луна не поднимется, кто по лесам опять шастает... Так вот, обыкновенно террористы карантин очень тяжело переживают: им хочется скорее сгореть, взорваться, рассыпаться. А Савелию

так понравилась мирная жизнь, да к тому же еще на партийные денежки, что, когда к нему прибыл маленький
человек из центра с радостной вестью на устах и с бомбой
в портфеле, он заявил, что передумал. «Вы с ума сошли!
Вы же нас забрасывали своими прошениями! Сколько
человек хотели бы оказаться на вашем месте! Мы взяли
вас без испытательного срока, мы доверяли вам, как вы
могли?» Но Савелия ничего не трогало. Он говорил
всем, что побывал на границе жизни и смерти и пере-
селяться по ту сторону раньше срока не желает. Я прежде думал, что таких людей выгоняют либо делают
с ними чего похуже — «Бесов» помните? Но его не тро-
нули, простили, даже оставили в партии и поручили заниматься пропагандой. Потом господин Андреев — они
с Савелием были как-то знакомы, через Куприна кажется, пили все вместе в Гатчине до безобразия и ездили
с Алешкой с Толстым к актрискам, — так вот, Андреев
сочинил еще, если помните, ужасный такой, фальши-
вый рассказ про революционера в публичном доме. Не
иначе как Савелий ему напел, а он у него сюжетец увел.

— Да-да, — кивнула Вера Константиновна торопливо. — «Бездна». Пойдемте поскорей.

— Нет, «Тьма». «Бездна» — та еще хуже. Там героиню
насилуют в сумеречном лесу хулиганы, после чего к ним
присоединяется ее собственный кавалер. Но поразительно, однако, как интересуют порядочных женщин
проститутки и изнасилования. Это, наверное, нечто
психосоматическое. Страх и подсознательное влечение
к насилию. Он умел этим пользоваться.

— Кто?

— Тот, о ком мы говорим. Пропагандировал среди
моряков Черноморского флота, а после ходил по борде-
лям и кабакам, вязался к женщинам благородного зва-

ния, дружил с простолюдинками, и ни один сыщик не мог заподозрить в нем эсера с хорошо подвешенным языком. Это удивительная штука — моряк был никакой, но рассказывал про море так, что настоящие моряки заслушивались. А потом он влюбился. До той поры все женщины интересовали его только как предмет обстановки, как, простите меня за грубость, дверная щель, в которую можно время от времени поплевывать, он их презирал и смеялся над моими чувствами, над моей невысказанной любовью, он надо мною хохотал — мне казалось тогда, что мы друг друга убьем. Из-за угла зарежем. И наверное, зарезали бы, но однажды его схватила на набережной полиция.

— Это сделали вы! — задыхаясь, крикнула Вера Константиновна.

— Что?

— Выдали охранке. Убить духу не хватило, а сдать — сдали. Позавидовали. Потому что вот он-то и есть настоящий!

— Не говорите глупостей! При чем тут я? Его сдала та женщина. Точнее, сдали из-за той женщины.

— Какой еще женщины?

— У него их было много, — сказал Легкобытов мрачно. — Но именно ту звали Алей. Аля Распутина. Эсеровская пропагандистка. Красивая, дикая и взбалмошная. О ней еще в газетах писали. Особенно когда у нее однофамилец объявился. Или родственничек.

— Я газет не читаю, — сглотнула Вера Константиновна: курить хотелось все сильнее.

— Оно и видно. — Павел Матвеевич поправил сбившийся сапог. — Вы вообще на редкость необразованны для современной женщины. По ночам матросы садились в лодки и приплывали в условленное место на берегу, где их ждали Аля с Савелием и лунными ночами под плеск черноморской волны поднимали им революционный дух. Но однажды Аля настояла на том, чтобы Савелий средь бела дня отправился агитировать на Графскую пристань. Он не хотел никуда идти, но она подняла его на смех, обвинила в трусости, и он не стерпел, пошел. Там его, тепленького, в общественной уборной и взяли с расстегнутыми штанами. Как беглого солдата, да к тому же занимавшегося антиправительственной пропагандой среди флотских, должны были вздернуть на рее или, на худой конец, укатать на всю жизнь на каторгу. Аля чувствовала свою вину и решила устроить ему побег. Подогнала к берегу турецкую яхту с красными парусами...

— Почему с красными? — тревожно спросила Вера Константиновна, и в мозгу у нее вспыхнул Бальмонт.

— Контрабанда. Под видом парусов турки ввозили красный шелк.

— Для чего?

— Мало ли какие бывают у людей фантазии, — пожал плечами Легкобытов. — Одних интересует красное белье, других красные флаги, третьих — красная обивка для гробов. Но побег сорвался: Савелий не смог перелезть через забор. Тогда Аля нашла хорошего адвоката, который тянул время, добывал свидетельства невменяемости своего подзащитного и так дотянул до пятого года. Савелия освободили по октябрьской амнистии, запретили жить в столицах, но он все равно поехал в Петербург и первое, что сделал, — отправился на конспиративную квартиру к Распутиной. Там впервые она ему уступила.

— Откуда вы все знаете? — спросила Вера Константиновна брезгливо. — Про расстегнутые штаны, про Алю? Тоже из газет? Или у Андреева вычитали?

— А тут и знать ничего не надо. Представьте себе человека, который два года сидит в тюрьме и видит во сне и наяву одну картину — как он приходит к этой женщине, и ему неважно, что думает об этом она сама. Аля его не любила, нет, но она наивно полагала, что, если это однажды произойдет, он потеряет к ней интерес, как терял интерес ко всем предыдущим своим женщинам. У революционеров вообще с любовью все гораздо проще и быстрее. Когда тебя в любой момент могут вздернуть или упечь на каторгу... К тому же она чувствовала свою перед ним вину. Но с Крудом ошиблась. Два года тюрьмы переменили его полностью. Он предложил ей убежать с подложными паспортами и партийной кассой на остров Пасхи. Аля отказалась. Тогда он достал пистолет, направил на нее и сказал: или ты уходишь со мной, или я тебя убиваю. А потом сразу же себя. Он страшен был в буйстве. Вообразите себе эту сцену. Чудовище, леченый сифилитик, псих, и Аля, ангел небесный, к которой даже чужая кровь не прилипала, так она была чиста. Он выстрелил ей в сердце. Но и тут промазал. Пуля прошла сквозь грудную клетку, однако сердца не задела. Было много крови, вызвали врача, повезли в частную клинику к Бенедиктову и что-то наплели про случайный выстрел. Но все равно это чудо, как их полиция не схватила. Тогда и было решено Савелия укоротить. Аля — ценнейший кадр, у нее отец был один из первых народовольцев, она сама в ссылке под Читой родилась и революцией с детства бредила. А у верхушки эсеров с полицией был договор: ежемесячно сдавать энное количество заговорщиков, чтобы одним было чем отчитываться, а другим — себя взбадривать. Не удивлюсь, если узнаю, что и меня так посадили.

— Что вы опять все о себе да о себе? — рассердилась Вера Константиновна. — Я даже не подозревала, что вы можете быть таким болтливым и самовлюбленным. И вообще, какого черта вы так медленно теперь идете? То неслись как лось, то тащитесь как гусеница. Заночевать в лесу решили?

— Я ногу натер, — сказал Павел Матвеевич высокомерно.

— Ну так давайте присядем. — Курить хотелось нестерпимо.

— Сейчас дойдем до бухарки, где Поля стожок поставила.

— Докуда дойдем? — вздрогнула Вера Константиновна.

— До полянки в лесу, на которой сено косят, — пояснил Павел Матвеевич. — Только с папиросочками там поаккуратней, неровен час, стожок подожжете. Сушь-то какая. За сто шагов все слышно. — Он снова замер. — Определенно кто-то следит. Неужели не чувствуете?

— Нет.

— Савелию пообещали опять устроить побег, но сказали, что побег надо готовить, потребуется время, а чтоб как-то утихомирить, прислали тюремную невесту.

— Кого прислали?

— Это, видите ли, барышни, которые то ли от тяги к жертвенности, то ли от половой либо какой еще неудовлетворенности называют себя невестами политических, и им разрешают с ними свидания. Разрешают даже в ссылку ехать, если обвенчаются. Вот она и пошла. После того как ее саму в террористки не взяли, сколько она ни просилась. А уж она бы точно не струсила, — добавил он задумчиво.

— Ваша?..

— И первое, что сделал этот негодяй, как ее увидел, — впился ей в губы самым ужасным, самым плотским, языческим, бесстыдным поцелуем, не обращая внимания на надзирателя. Этого оказалось достаточно — она пропала.

— Пропала, — откликнулась Вера Константиновна и вспомнила гимназию, где училась, а потом несколько лет работала классной дамой до тех пор, покуда не сошлась со своим инспектором и не была уволена с волчьим билетом. Гимназистки ее не слушались, а она их стыдила и старалась одеваться построже и повзрослее, но все было напрасно. А теперь ее жизнь так резко переменилась, и кто мог представить, что она, ужасная трусиха, идет в чащу леса, чтобы изменить любимому мужу, своему избавителю и благодетелю, увезшему ее в Петербург и не задавшему ни одного бестактного вопроса, дивному, чуткому человеку, который был так великодушен, так нежен, так предупредителен и заботлив с ней все эти годы. Еще час тому назад ей казалось, что ее муж — ничтожество, тряпка, серый и скучный обыватель, далекий от высокого и прекрасного, которого ничего, кроме его дурацких станков и никчемных разговоров о царстве справедливости, не интересует, что с ним она похерила духовные запросы и вопросы, погубила свою будущность актрисы, писательницы и художницы, осталась как сухой стог сена, который так и не вспыхнул, потому что некому было поднести спичку, покуда не нашелся, не появился, не ворвался в ее тусклую жизнь пропахший дымом бородатый смельчак, мужчина, охотник, лейтенант, которого она ждала, призывала, и пусть они сгорят в костре своего запретного счастья. Но в самый последний момент женщину охватила ярость.

— Где эта чертова бухара? И почему к нему пришла именно ваша пассия, а не кто-то другой? Разве не вы ее подтолкнули? Не вы ей рассказывали про тюрьму, про тюремных невест, про самопожертвование? Не вы ли ее зажгли, а потом перепугались и сбежали? Что ж теперь жалуетесь и плачете всю дорогу да мне надоедаете?

— Потому что она этого всегда хотела! — заорал Павел Матвеевич голосом еще более тонким и высоким, чем обыкновенно. — Потому что есть такие идиоты, которые хотят бросаться в чан кипящий и верят, что смерть их воскресит! Потому что есть женщины, которые жаждут, чтобы их насиловали. Потому что ей хотелось упиваться своими страданиями, своей жертвенностью, несчастьем, и она наплевала на отца, переступила через него, обвенчалась в тюремной церкви и отправилась за этим чудовищем в ссылку на Тошный остров, терпела все его выходки, пьянство, обман, измены, все это гасконство, пока не...

— Молчите, — сказала Вера Константиновна придушенно. — Женщина, которую намеренно заставили страдать, имеет право на все, даже пойти на панель, если ей от этого станет легче.

— Это вы сами придумали? Или у Гамсуна вычитали? — осведомился Павел Матвеевич миролюбиво.

— Вы чудовище, вы убийца, палач! — выкрикнула Вера Константиновна. — Я ненавижу охотников, ненавижу тех, кто ради своей забавы убивает беззащитных птиц, зайцев, косуль и даже волков. Убивать животных — это все равно что убивать женщин. Вы привели меня к стогу, который поставила ваша жена, а между тем сами недостойны ноги ей целовать. Лучше три Савелия, чем один такой, как вы. И кто вам дал право так об этом человеке говорить? У меня травинка за ворот провалилась. Не троньте, я сама достану. Или хорошо, достаньте вы, а теперь отойдите. А того, что вы задумали, не будет. Никогда не будет. И не надейтесь. Я слишком уважаю своего мужа для этого. Он честнее и великодушнее вас стократ. Дайте мне огня! Не трогайте меня! Постойте! Куда вы? Не смейте оставлять меня одну! Я благородная женщина, я не мужичка вам какая-нибудь, чтобы вот так меня... Вот так... так...

Из-за леса выплыло нагое сладострастное тело луны и осветило поляну. Чьи-то тени замелькали, заметались в лунном свете, Вера Константиновна чувствовала, как ее обнимают, а потом раздевают слабые руки, но не была уверена, что они принадлежат тому человеку, кого она увела за собой вдольлеки. Силы ее оставили, странная сонливость снова на нее накатилась и сковала члены. «Пусть, — подумала она. — Пусть все произойдет как тогда во сне, и я не буду виновата. Во сне все можно. Во сне не грех. Во сне...»

Что-то звонко хрустнуло и как будто упало в лесу. Тот, кто целовал ее, поднял голову, прислушался и вдруг сорвался и стремительно скрылся в темноте среди деревьев. Женщина могла поклясться, что он не просто пропал, но превратился то ли в зверя, то ли в птицу. Она даже видела момент этого превращения, видела, как Легкобытов опустился на четвереньки и, припадая на стертую ногу, поскакал с ружьем на спине, и ей стало жутко. Злобный черный лес, полный страшных звуков, окружал поляну с невообразимо высоким стогом и жмущуюся к нему Веру Константиновну. Что-то омерзительно мягкое пробежало по ее телу. Мышь! Еще одна! Вера Константиновна хотела закричать, но мышей оказалось невероятное множество — маленьких, теплых, пищащих, они бежали по ней, по животу, груди, запутывались в ее прекрасных волнистых волосах, лезли в уши, в рот...

— Па... Павел Ма... Пав... — бессильно пропищала она.

Звуков стало еще больше — в лесу что-то трещало, вращалось, хрустело, шумело, а луна, уже поднявшаяся до высшей точки небесного пути, оказалась окружена сияющим нимбом. Нимб расширялся, охватив всю местность, и Веру Константиновну пронзил стыд. Она как будто увидела себя сверху — окруженную мышами, полуголую, с распущенными волосами, униженную, брошенную любовником, сидящую в несчастном развороченном, остро пахнущем сухом стожке посреди какой-то бухары, о чем завтра узнает и догадается, вычислит вся округа и напишут газеты и иллюстрированные журналы. Ей захотелось спрятаться, но лунный свет был таким сильным, таким пронизывающим, что укрыться от него было негде.

Он высветил ее всю, выставив на позор перед землей и небом, а потом луна начала стремительно падать и за несколько минут на глазах у Веры Константиновны скрылась за горизонтом, но очень близко, точно упала за лесом, и где-то там, недалеко от Высоких Горбунков, образовался страшный провал. Тут же сделалось темно, как не было от сотворения мира. Вера Константиновна подумала, что теперь уж точно надо срочно проснуться, но сделать это никак не удавалось.

Так жутко ей не бывало никогда. Ночная птица бесшумно пролетела над головой, задев крылом ее волосы. Большие бабочки и летучие мыши кружили около лица и лезли в глаза и нос. Поднялся ветер, с каждой минутой он становился все сильнее, точно собирался гонять по чистому черному небу стаю звезд, и в ужасных, гулких завываниях небесного ветра Вере Константиновне почудилось нечто похожее на волчий вой. Ветер нырял и взметался, закручивался в воронки, куда попадали сухие ветки, трава, лягушки, мыши, ужи, ежи, жуки, и все они вращались в страшном танце, ветер затягивал и ее саму, хватал за волосы, за плечи, нимало не церемонясь, он пробирался внутрь ее тела, и она вцепилась ногтями в землю, в корни трав, чтобы не унестись в гибельную высь, в развернутое небо, где вдруг показалось что-то похожее на громадное сито. Но когда ей самой захотелось оторваться от земли, поймать ветер, как ловит его парус баркаса на Ильмень-озере, и понестись и она выпустила землю из рук, то уже опоздала. Все стихло.

Воспользовавшись тишиною, Вера Константиновна судорожно закурила, и тотчас стог возгорел, подожженный не ее огнем, но звездным светом, и она едва успела вскочить и бросилась в сторону леса, и там, в этом страшном огненном зареве, отражавшемся на деревьях и кустах на опушке леса, Вера Константиновна увидала два неподвижных прекрасных глаза. Они смотрели на нее равнодушно, в них не было никакой угрозы, они медленно приближались к ней, и больше всего ей хотелось стоять на месте и дождаться того, кому эти глаза принадлежат, как вдруг они исчезли, она метнулась за ними и налетела на охотника, державшего ружье наперевес.

— Вы его видели?

— Кого?

— Зверя. Огромного зверя, — заговорила она лихорадочно, сбивчиво, возбужденно.

— Я никого не видел, — отвечал охотник заторможенным голосом.

— Ну как же не видели? Где вы все это время были? Здесь был зверь. Вы что, хотели его убить? Вы стреляли в него? — спросила она с ненавистью и почувствовала, как ее пальцы просят разрешить впиться в это отвратительное заросшее лицо и сжать спрятанное за бородой горло.

— Уля, — сказал Легкобытов неопределенно.

— Что Уля?

— Там Уля.

— Шпионка, что ей надо?! — завизжала Вера Константиновна, и лицо ее покрылось пятнами. — Она следила за нами! Она все время за мной следит. Я знала, я говорила вам, я просила, не надо нам было никуда сегодня ходить. Ну почему вы меня не послушались?

Легкобытов молчал: куст пляшущего огня отражался в его глазах, и Вере Константиновне казалось, что она смотрит в далекие деревенские окна и видит что-то страшное.

— Ну что вы стоите, как столб самому себе?

— Зачем вы подожгли стог? — произнес Павел Матвеевич обреченно.

— Я заплачу вам за него! — крикнула она. — Где эта мерзавка?

— Посмотрите назад.

Она обернулась, и крик застрял у нее в горле.

От горящего стога потекли во все стороны огненные ручьи, они поджигали сухую траву, огонь бежал дальше к лесу, и на ее глазах стали зажигаться, как свечи, сухостойные деревья. Огонь поднимался к небу, все выше, страшнее, так что казалось — скоро и небо вместе с решетом вспыхнет, загорится от этого жара и упадет на землю, как прохудившаяся кровля.

— Что вы стоите? Бежим!

— Я не могу отсюда уйти, — сказал Павел Матвеевич печальным и низким голосом. — Произошел несчастный случай.

— Какой еще случай?

— Я по ошибке выстрелил в вашу падчерицу.

— Юля мертва? — не сразу разлепились непослушные тонкие губы Веры Константиновны, и она сама поразилась тому, как спокойно и отстраненно прозвучал слетевший с них вопрос.

— Ранена.

«Жаль, если так, — подумала женщина, — очень жаль, и ничем ты не лучше этого Савелия. Такой же дурак и мазила».

А вслух произнесла:

— Где она?

— В лесу, — ответил Легкобытов. И тихо добавил: — С ней ее отец. Я должен вывести их отсюда, но шансов при таком огне почти нет.

Вера Константиновна вцепилась в его руку. Мрак над их головами сделался нестерпимым, как и духота. Не было ничего — ни земли, ни неба, ни права, ни лева, огонь мерно поглощал лес с такой скоростью, что никакое живое существо не могло бы из него выбраться. Вера Константиновна вдруг подумала о том, куда подевался зверь с прекрасными глазами, неужели тоже погиб, и ей стало безумно, безутешно жаль его, гораздо жальче, чем себя, а Легкобытов двинулся в сторону пожара, и вскоре его не стало видно.

Она осталась в мире одна — все близкие или чемто раздражавшие ее люди исчезли, и Вера Константи-

новна ощутила такое сиротство, какое знала только
в раннем детстве, когда просыпалась ночью и звала
мать, но та к ней не приходила. Она подумала пойти
вслед за Легкобытовым и слиться с огненными до-
рожками, превратившимися в стелющееся поле, но
вместо этого подняла голову к небу, поднялась на цы-
почки, чтобы стать чуть ближе, и виновато, как девочка, попросила:

— Даждь дождь жаждущей земле.

Небо молчало.

— Даждь дождь жаждущей земле, — попросила Вера
Константиновна чуть громче. А потом не выдержала
и закричала, запрыгала, бессильно грозя слабыми ку-
лачками:

— Даждь дождь! Даждь дождь! Даждь дождь!

Небосвод расшила молния, затем другая, третья,
взревел, перекрывая треск грома, ветер, и из пространства, которое находилось даже не в сгустившихся облаках, а где-то еще выше, над ними, в небесном
решете, хлынул ледяной поток. Он сбил женщину
с ног и повлек за собой к обрыву над рекой, так что ей
пришлось цепляться руками за ломкие стебли кустар-
ника, чтобы не упасть в Шеломь. В одно мгновение
река закипела, вздулась как на дрожжах и стала стремительно прибывать. Огонь и вода вступили в схват-
ку, от дыма, пара, горячего ветра нечем было дышать.
Сухая земля била огнем изнутри, но небо продолжало
швырять на землю массы воды, которые сменились
крупным градом, горящее остожье зашипело, почер-
нело и покрылось кусочками льда размером с голуби-
ное яйцо, и вслед за льдинками с неба посыпались
обомлевшие, одуревшие от полета поганюки. Они лежали сначала без чувств, а потом переворачивались,

ползли, скакали по мокрой траве, обнюхивали и целовали друг дружку, счастливые оттого, что остались живы, вымолили и дождались дождя.

— В августе с бабами на богомолье, — прошептала Вера Константиновна и мысленно, как в обморок упав, перекрестилась.

Часть III
СВЕНЦЯНСКИЙ ПРОРЫВ

1

Никто не знает, когда и где зародился мысленный волк, из каких пропастей и бездн небытия возник зверь, способный принимать любые обличья и пробираться внутрь человеческого существа. Иные из святых отцов полагали, что мысленный волк и есть сатана, другие считали его порождением диавола и блудницы, третьи распознавали в нем одного из самых темных, злобных и льстивых духов, но каждый благочестивый сын Церкви читал в последовании ко Святому причащению молитву, составленную святителем Иоанном Златоустом: *да не на мнозе удаляйся общения Твоего, от мысленного волка звероуловлен буду.* Однако не каждому древняя молитва помогала, не все умели быть чистыми в своих помыслах, ее творя.

Недаром так опасался механик Комиссаров мысли — этой мрачной, никем не контролируемой и никому не подвластной, уничтожению не подлежащей и все определяющей силы, которая вторгается в сознание человека извне и его разрушает. В мыслях люди могут быть и благороднее, и подлее самих себя, мысль передается от человека к человеку по каким-то неведомым путям, заражает как чума, разносится по воздуху, живет в почве и воде, мысль материальнее всего на свете, и вот ты чувствуешь, что зависишь от мыслей, да только свои ли они или чужие, кем-то тебе внушенные, — как узнать? Мысли гонят тебя, истязают и еще сильнее будут мучить там, где ты останешься без телесной оболочки. Мысль и есть энергия, которой люди не овладели и, до тех пор покуда будут оставаться людьми, не овладеют, мысль — это огонь, ветер, кровь, семя, дым. Она могучей человека, потому что за свои мысли он ни перед кем не отвечает. За поступки — да, за слова — да, но как ответишь за мысли, если они могут прийти извне и захватить тебя всего? А вот если научишься ими управлять, а еще лучше — научишься не думать вообще, не пускать их в голову, тогда станешь властелином своей жизни. Тогда не будет страшных искушений, к тебе приходящих, не будет соблазнов, власти женского взгляда над тобой, не придется, скрежеща зубами, подавлять глупую похотливую плоть, потому что с нею сладить еще как-то можно, а вот как сладить с собственной головой, как спасти ее от мысленного волка и не позволять ему рыскать по твоим мозгам и рисовать в воображении картины соблазнительные и страшные, имеющие несчастие сбываться? Стоит человеку послать неконтролируемый сигнал, слабый импульс от своего мозга, как мысленный волк этот сигнал улавливает, и нельзя от волка убежать, нет такого дерева, на которое можно забраться, нет такого убежища, в которое можно спрятаться, ни в доме, ни в храме, ни на площади, ни в глухом лесу или посреди моря, везде он тебя настигнет, а как только завладеет хотя бы частью человечьей души, то алчет и требует еще пищи, и человеку приходится скармливать ему самого себя до тех пор, покуда не останется от несчастной жертвы одной оболочки.

Сколько таких оболочек по земле ходит, и никто не подозревает, что они съедены до основания. А между тем тронь чуть сильнее такого человека, самое малое испытание, неудобство ему пошли, вся пустота его обнаружится, и диву будут даваться те, кто еще вчера считал его независимым, почтенным господином. И вот еще о чем думал Комиссаров: когда в Средние века церковники и инквизиторы держали народ в темноте, они не к тому стремились, чтобы этим народом было легче управлять, не власть потерять боялись, в чем их потом обвиняли не слишком умные люди, но спасали, оберегали стада своих овечек от мысленного волка, и тому ничего другого не оставалось, как ходить и облизываться, издалека глядя на упитанных тельцов, охраняемых злыми сторожевыми ангелами. Мысленный волк и тогда пытался стадо расщепить, отбить хотя бы одну овечку, обратить на себя ее взор, нашептать на ушко соблазнительные слова, но, если в стаде заводилась паршивая овца, пастухи изгоняли ее, а самых непослушных, вступавших с мысленным волком в противоестественную связь, сжигали на кострах. В ту далекую пору мысленный волк был хилым и вялым, он пугливо жался по окраинам человеческих поселений и голодными глазами смотрел на чахлые огни жилищ, стены городов и высокие шпили храмов, а добычу находил разве что в богатых замках и королевских чертогах. Дикий вой его оглашал пустынную, малонаселенную землю, и от этого воя жутко делалось людям, они выдумывали страшные сказания и еще усерднее молились Творцу, тем спасаясь и оставляя волка в одиночестве и тоске.

Все изменилось в те времена, которые пышно нарекли Возрождением. Появились умники, титаны, гении, воссияли блистательные рыцари, трепачи, мыслители, философы, гуманисты и насытили мысленного волка, так что из тощей, хилой, слабосильной, подслеповатой животины, жалобно скулившей в поисках потасканной ведьмочки, престарелой знахарки, еретика-милленариста иль манихея, он превратился в сытую, респектабельную особь с гладкой шерстью, упругим хвостом, сильными лапами, крепкими зубами, способными порвать и разгрызть любую душу. Зверь научился быть ласковым и учтивым, он говорил на том языке, на каком умели говорить самые высокообразованные и ученые мужи, он блистал остроумием, был весел и непринужден, всюду вхож, принят и мил, и мало-помалу ему стали принадлежать миллионы душ с их бесполезными мирскими владениями. Ему покорились пышные города, богато украшенные дворцы, бюргерские дома, университеты, академии, банки, империи, в чьих владениях не заходило солнце, материки, острова и архипелаги, винные долины, курорты, биржи, курии, монашеские ордена, и оставалась только одна страна на земле, куда мысленному волку не было ходу. В той стране, словно печным дымом окутанной молитвами, зверю было нечем поживиться, там поднимались к небу после смерти тел нетронутые души, и сама мысль о том, что на огромном пространстве великого континента, в степях, лесах, тундре — там, где обитали сотни тысяч обычных волков и никто из них не страдал от бескормицы, — волку мысленному не достается ничего, возбуждала в духовном чудовище изощренную, страстную зависть и злобу. Как только ни пытался он этой страной завладеть, соблазнить, обмануть, все было тщетно, она не поддавалась ему, не впускала в себя, однако он не переставал о ней думать, к ней присматриваться, вожделеть и следить за тем, как меняются ее князья и цари, как уходят в тайгу, бунтуют против господской власти вольнолюбивые мужики и бегут на восток, доходя до самого океана и дальше; как пытаются рвать эту страну на части иноземцы, но вязнут в необоримых, неодолимых, великих землях под небом такой высоты и силы, точно прямо над этой землей находится престол Божий, и ничего, кроме позорного бессилия, мысленный волк не ощущал.

Шло время, и что-то стало меняться, мутиться в бесконечных пределах России, какая-то, поначалу едва заметная, трещина образовалась в этом целомудренном существе. Она случалась и прежде, но время тогда двигалось медленно, и трещинка успевала зарасти до того, как мысленный волк мог, сжавшись до размеров ящерки, через нее проникнуть. Однако по мере того, как ускорялось течение лет, становились короче минуты и часы, быстрее катилось по небу солнце и торопливей сменяли друг друга зимы и весны, трещина увеличивалась, не успевала затягиваться, волк грыз ее, расширял, заполнял собой, и среди людей, Россию населявших, все чаще появлялись умы нетерпеливые, не знающие жалости, свою родину презирающие и считающие отсталой, темной и несчастной, страстно мечтающие ее преобразовать и берущие себе в учителя тех, кто с юности сделал свое тело и душу вместилищем мысленного волка, был им поглощен и ему уподоблен. Такими были французские насмешники-философы, а затем вздумавший подчинить себе весь белый свет их император, ученые немцы, образованные англичане, надменные австрийцы, всеевропейские утописты, экономисты, мистики, сектанты — все они пытались проникнуть в Россию, но всех их она отторгала, выблевывала, болела ими, сотрясалась в лихорадке заговоров и бунтов, но — выздоравливала. И так продолжалось до тех пор, пока в самые последние времена в Россию не проникли сочинения одного тевтонца, который сумел изогнуться и всего себя, всю душу и все сознание свое превратить в обитель мысленного волка, как это не удавалось еще ни одному человеку.

Прав или не прав был писатель-натуралист Павел Матвеевич Легкобытов, который полагал, что имитировавший в течение одиннадцати лет безумие, пивший собственную мочу Нитщ не умер в 1900 году, а был тайно вывезен в Россию, в деревню Высокие Горбунки, и там за полгода до мировой войны умерщвлен местными землепашцами, но именно он стал для России главной опасностью, питавшей опасности неглавные, которые от главной лишь отвлекали. Боролись с террористами, смутьянами, революционерами, отправляли на виселицу и на каторгу тех, кто не был так уж опасен, а настоящего врага пропустили. Слова «Это все Нитщ!», которые горестно обронил гимназический учитель Павла Матвеевича Легкобытова — философ пола Р-в — в захолустном русском городке в тот день, когда пост пополам хряпнул и мартовские коты полезли на крышу, должно быть, потому и пронзили изгнанного ученика на всю жизнь, что он расслышал в них самую важную правду своего времени и впоследствии сумел механику Комиссарову их передать и то ли намеренно, то ли ненароком заронить в его простодушный технический ум одну чрезвычайно важную идею. Это он, П.М. Легкобытов, еще в самом начале их союза дал Василию Христофоровичу слепые листочки философических сочинений Нитща, дал на одну ночь и велел никому не показывать, говоря, что за такие письмена можно и на каторгу угодить.

Комиссаров, как всякий русский человек, невольно любя запретное, а кроме того, уважая заграницу за технические изделия, прочел подпольный труд одним махом, и все заколыхалось, перевернулось в нем, сотряслось и от ужаса возмутилось. Но не страх быть наказанным его одолел, а чувство прямо противоположное — потянуло самому броситься в сыскное отделение, в цензуру, к обер-прокурору Победоносцеву, на себя донести и крикнуть: запретите, сожгите, не пускайте это сюда! Нельзя русскому человеку такое читать, не сдюжит он. Любую ересь одолеет, от любой крамолы отмахнется, все заговоры раскроет и расколы залечит, кроме этого, потому что Нитщ проклятый на самое сокровенное покусился, открыл ту дверку, за которой у всякого русского стыд хранился. А без стыда русскому никак нельзя, ибо потеряет он и образ Божий, и образ человечий. Нитщ же осквернил этот стыд, выгнал его вон из русской души, надсмеялся над ним, но сделал это так изящно, так тонко, умело, завораживающе и вдохновенно, что читавшие сами не понимали, что с ними происходит, куда их зовут и зачем, и по своей невольной воле отдали сокровенное. И чем больше у человека стыда было, тем ниже он, прочтя Нитща, падал.

Но не пошел Василий Христофорович доносить: застеснялся, застыдился ложно, не захотел доносчиком быть, побоялся, что заставят рассказать его, откуда такое у простого механика взялось, а он ни солгать, ни предать друга не смог бы. А ведь зря не пошел. Может, тогда подольше удалось бы России без Нитща пожить, успеть подготовиться и выработать противоядие, чтобы снова обволоклась, затянулась молитвами русская земля, остановилось, замедлилось время, подморозилась бы Россия, подсохла и заросли бы все трещины в ее теле. Не успели: Нитщ помешал. Победил всех. И, когда поломавшаяся для приличия цензура заохала и сдалась, словно нервическая дамочка; когда листочки с нитщевыми словесами напечатали бесстыжие русские типографии; когда нитщевская зараза прошлась по Руси, одурманила ее, притупила чувствительность и осторожность, а потом обварила кипятком, кислотой соляной и медью расплавленной; когда прочел их всякий гимназист, ничего другого и не читавший; когда заснула с Нитщем под подушкой невинная девица, своей невинности устыдившись и решившись завтра же с нею покончить; когда либеральные профессора стали на лекциях студентам про Нитща толковать; когда не мог ни один интеллигент сказать, что он Нитща не читал или же, наоборот, читал, да не понравилось, зато всякий убийца, насильник, вор, прелюбодей или фальшивомонетчик дерзко заявлял на суде, что он вовсе не преступник никакой, а нитщеанец, и все газеты империи его слова разносили; когда гуманные адвокаты принялись любые пороки и подлости, любые гадости Нитщем объяснять и оправдывать, а присяжные заявляли суду «невиновен»; когда стали появляться и сделались страшно модными романы и романчики, под Нитща написанные; когда пошли гулять по России пьески, стишки, статейки и диссертации, приват-доцентами сочиненные, а прогрессивная общественность стала по подписке деньги на памятник Нитщу собирать, поздно стало с заразой бороться.

Но почему один Комиссаров должен был о том печалиться? Куда другие смотрели? Кого запрещали? Толстого? Розанова? Соловьева? Мережковского? Леонида

Андреева? Нитща надо было от Церкви отлучать! А что Нитщ не православный и посему — как его отлучить? А так и отлучить. Наперед отлучить. От России и навсегда. Анафеме предать. А каждого, кто Нитща прочел, в тюрьму посадить. В одиночную камеру. Пусть там шагами расстояние от стенки до стенки меряет и слонов считает. А годик-другой подержав, из России выслать и более сюда никогда не впускать. И вообще никого из-за границы не впускать. Отгородиться от нее, как от прокаженной, чумной, потому что она таковая и есть. Не сделали. Как же можно что-то написанное словами запрещать, а тем более такое — талантливое, умное, тонкое, безумное и бесстрашное? Нитщ ведь страшную, но правду о человеке сказал. Нельзя от той правды глаза отводить. Да и с кем мы будем дискутировать? О чем говорить? Кого прославлять? Нитщ — наше все, наш бог, наш Пушкин. С Нитщем сам Чехов хотел поговорить. Чехов! Нашли себе иконку... Но ладно эти, а что ж господа охранители, ревнители благочестия, защитники нравственности и невинности — они-то куда смотрели и о чем думали?

Почему Церковь слабой такой оказалась? Где был ее голос, ее сила? Отчего Синод не собрался? Что с нею произошло и почему в Средние века, якобы темные и непросвещенные, могла она еретиков изгонять, а теперь беспомощной стала? Где сегодня Никон? Где Гермоген? Аввакум? Отчего промолчал Победоносцев? Почему не поднял голос никто из священства? Иоанн из Кронштадта, сестры дивеевские, старцы оптинские, чернецы соловецкие? А миряне благочестивые? Новоселов, Тихомиров, Меньшиков, Нилус, Самарин? А честные отцы и братья из обителей дальних? Все эти старцы, странники, калики перехожие почему не пошли крестным ходом против Нитща проклятого? Да и мужик красноречивый из сибирского села, во дворец пробравшийся к досаде многих, он-то почему царю ничего про Нитща не сказал?

Ах, если бы запретил государь своим повелением Нитща! Не было б тогда смуты пятого года, не надо было бы Думу бездельную учреждать, свободу никому не нужную давать — всё ведь, всё это от тевтонца пошло, а сколько всего еще будет. Теперешнее — это только начало. Безумцы, безумцы, самоубийцы, тати в своем дому, разорители семей, растлители дочерей и детоубийцы — вот вы кто. Никакому злодею, вору и душегубу, никакому ненавистнику России не удалось так глубоко пролиться ядом в русское сознание, увлечь своим безумством и подготовить плацдарм, на который высадился из мертвой головы Федерико Нитща, вылез из черепа безумного тевтонца через пустые глазницы, уши, ноздри и рот зверь, умевший одновременно быть особью и стаей, сжиматься до размера микроба и возрастать до бегемота, самый страшный завоеватель, который когда-либо приходил на русскую землю, — вылез и замер от восхищения.

Она лежала перед ним — фантастическая, огромная, богатая, прекрасная и беззащитная страна. Он видел ее всю, все ее города, храмы, изгороди, плетни, фонари, ее бедные избы и пышные дворцы, ее огромные реки, озера и поля, ее ключи, тайники, гнезда, болота и ягодные места, и на какое-то мгновение ему даже сделалось жалко ее. Но это была та жалость, что лишь усиливала в звере похоть, и с алчностью, какую он не испытывал прежде нигде и никогда, со всем скопившимся в его существе сладострастием, какое человеку не снилось, мысленный волк вцепился в Россию и стал рвать ее на куски.

2

Не только негодяи, завистники, льстецы и гордецы попадали на зуб хищному зверю. Не только в их мозги он проникал и выжирал самые лакомые кусочки человеческого состава. Служили ему и те, кто его боялся, презирал, ненавидел, избегал, однако умная бестия и к таким людям находила подход. Волк вел себя по отношению к человеку примерно так же, как умный охотник к зверю. Изучал его повадки, приручил мелких бесов, которые, подобно охотничьим собакам и ловчим птицам, человека выслеживают, ставил хитроумные ловушки, силки, капканы, флажки, маскировался, и редко кому удавалось от него убежать. Как существо расчетливое и умное мысленный волк не гонялся за кем попало. Если верно, что нет большей радости в раю, когда раскаивается грешник, то нет и в аду большего удовольствия, как затащить к себе человека праведного, осквернить святыню, надругаться над невинностью, оскорбить юность и попрать добродетель. Это знал похотливый мошенник Исидор, который отправлял своих молоденьких рабынь в храм ко Святому причастию, а сразу после того заставлял их себе угождать. Вот и из всех людей, которые населяли деревню Высокие Горбунки, мысленному волку досаднее всех была девчонка, безнаказанно скачущая ветреными звездными ночами по полям и остожьям, но не потому, что она ведьмачила — это бы он понял и одобрил, — а оттого, что была легка, сиротлива и хранила ее та сила, которая мысленного волка лишь однажды к ней подпустила и позволила напугать, а девочке в утешение и в награду за тот страх и скорби младенчества ниспослала дар чудесного бега.

Однако и волк не так прост был, чтобы отступиться и отроковицу не трогать, ибо были у зверя свои на девочку права, о чем не знал никто, кроме той женщины, которая дала Уле жизнь. Это она, первая жена механика Комиссарова, отчаявшаяся, терзаемая виной, измученная тревогой и страхом за свою увечную дочь, однажды в безумном припадке не вытерпела и решила обратиться к силам тьмы, коль скоро не помогли силы света. То было всего лишь одно мгновение, одно слово и один призыв, но эта страшная, черная минута случилась, и мысленный волк о ней знал. Знал и то, что падение свое женщина никогда простить не могла, покаялась, отреклась от всего земного, дала странный обет и приняла таинственное наказание, запретив себе видеть дочь, покуда та не повзрослеет, однако сделанного было не воротить.

Оттого хранить-то хранила Улю небесная сила, но и возможности той силы были небезграничны. На земле ведь ничто окончательно не решено и никто не знает, в какую покатится сторону волшебный колобок, за которым следовал с записными книжками прозорливый Павел Матвеевич Легкобытов. Вот и с Улиной судьбой: никто не знал, как она сложится и от чего зависит, хватит ли запаса горячей материнской покаянной молитвы и отцовской скрытной любви или всё одолеют силы зла, да и сама девочка неизвестно было, как себя поведет, когда станет жизнь ее испытывать. И у мысленного волка, наперед знавшего, что этих испытаний на Улином веку случится немало, свои были виды и хитроумные планы, как слопать козочку, от звонкого стука ножек которой выпадала у него шерсть и тускнели глаза, возвращая прожорливого зверя к тем временам, когда была закрыта для него огромная страна. И теперь, ступив на ее территорию, прячась по лесам и болотам, преодолевая одним прыжком огромные куски пространства, он зорко искал, как уловить чистую душу, за что зацепиться и какую придумать каверзу. Можно предположить, что именно мысленный волк, затеявший лунное представление для Веры Константиновны Комиссаровой душной июльской ночью, был вдохновителем всех событий, едва не приведших к гибели любопытной девчонки, и от добычи своей отказываться не собирался, а лишь сильнее вожделел и изощрялся. Именно он устроил страшный лесной пожар, в котором должна была погибнуть горстка запутавшихся людей, и так раздразнил небеса, что они ответили небывалым градом, побившим почти все посевы в округе и оставившим половину домов без окон, с прохудившимися крышами, по поводу чего горбунковские мужики развели руками: «Перестарался батюшка!», а отец Эрос выпятил нижнюю губу и свысока посмотрел на присмиревших землепашцев, убедившихся в силе Божьей и его личной способности с этой силой договариваться. Но до этого волку дела не было, он отца Эроса не замечал как человека для своих замыслов бесполезного, а вот личное покаяние Улиной мачехи в планы зверя не входило, и посему ни на какое богомолье и ни с какими деревенскими бабами Вера Константиновна не пошла. Да и вряд ли бы они ее с собой взяли.

История вообще покатилась после провальной ночи гораздо быстрее, чем шла до той поры, ибо частные события человеческой жизни угодили в общий человечий поток и понеслись вперед, мешаясь друг с другом, как мешается вешняя вода с потоками грязи, падающими деревьями, сорванными лодками и плотами, причалами, глыбами льда, обильной пеной, мусором и несется к ревущему падуну, не к тому перекату, на котором некогда застряла ладья беглеца Легкобытова, а к настоящему страшному порогу, водопаду, провалу, и в этом гибельном потоке отдельные судьбы становятся менее различимы и значимы, а в действие вступают совсем другие законы.

...Весть о том, что механикова жена была до полусмерти избита мужем, а его дочь едва не застрелена насмерть арендатором охотничьих угодий, которого наутро таскала за бороду на глазах у всей деревни разъяренная Пелагея, бранила последними словами за сгоревший стог и угрожала отрезать прелюбодею на корню мужской отросток, чтоб неповадно было вожжаться с городскими шлюхами, — известие это, равно как и замечательное уличное представление, сопровождавшееся одобрительными возгласами мальчишек и счастливым лаем деревенских собак, обраставшее слухами самыми фантастическими и нелепыми, не оставило большого следа в народной памяти по той причине, что несколько дней спустя после поразившего жителей Высоких Горбунков и прилежащих деревень небесного знамения и связанных с ним происшествий масштаба относительно небольшого случилось то великое и страшное, что сие знамение вкупе со всеми природными бедами последних месяцев предвещало: вышел царский манифест и началась война с германцами.

Она позволила Павлу Матвеевичу, дав необходимые показания, исчезнуть на время из деревни и сказать напоследок священнику, что война с немцами — это конец всему и надо не молебен служить, а панихиды заказывать и расчищать землю под новые могилы. Отец Эрос лишь покачал головой и молвил про Божью волю, но писатель его досадливо оборвал:

— Ах, батюшко, неужто не видите вы, что давно не Господь, а его супостат правит бал в России? В народе на Светлояре-озере говорили, будто бы за грехи наши Создатель отдал Россию на сто лет в полон диаволу, а сам от нее удалился.

— Ересь то.

— Ересь? А слыхали ли вы, что за зверь в наших лесах объявился?

— Ну слыхал, — отвечал иерей сдержанно.

— И что скажете?

— А то скажу, что по лесам вместо храма Божьего шляться меньше надо, тогда и мыслей дурных не будет.

— То поближе к лесам держитесь, то подальше от лесов, — рассердился Павел Матвеевич. — Выбрали бы уж что-нибудь одно.

— Я-то давно выбрал, а вы, если уж ходите, взяли бы да и убили зверя.

— Этого?

— А что в нем особенного? Зверюга — она и есть зверюга. Выследить, обложить, застрелить, а шкуру всем чертям в назидание на заборе повесить, чтоб не смели сюда ступать и добрых людей смущать.

— Так что же вы, меня на это дело благословите? — спросил Павел Матвеевич и сам не разобрался, ерничает он или говорит серьезно.

— Благословлю. А вы, может быть, потому и отсрочку получили, — молвил отец Эрос, — что есть у вас такое поручение.

Легкобытов вздрогнул и вперил колючий взгляд в простофилю-попа:

— Вы о какой отсрочке, батюшка, толкуете?

— А то сами не знаете, — ответил священник ворчливо, — от смерти своей отсрочке. А ежели потребуется, то и в помощники к вам напрошусь. Собакой при вас служить стану.

— Благодарствуйте, я уж как-нибудь сам справлюсь, — сухо поклонился охотник иерею, от которого меньше всего ожидал мистических озарений и покорности, и, не удержавшись, съязвил: — Да и комплекция у вас не та, чтобы в собаки ко мне идти и по лесам бегать.

Однако с той поры мысль убить врага рода человеческого Павлу Матвеевичу в голову запала и постепенно стала оформляться в жизненную цель, пока еще очень неясную, далекую, но, возможно, самую важную, ради которой он и появился и был терпим на свете. Именно так, как сказал отец Эрос, — убить и растянуть шкуру, чтобы ад содрогнулся.

Только прежде, чем дальние высокие задачи решать, Павлу Матвеевичу требовалось объясниться со своим обиженным ближним и перед ним покаяться. А это было дело трудное, потому как прежде охотнику ни перед кем из человеков извиняться не приходилось, ибо сама необходимость просить прощения вызывала у него в памяти весенний класс в полузабытой Елице и глумливое лицо учителя географии. Но тогда Легкобытов кругом был прав. А теперь так получалось, что кругом виноват, и это мучило его не привыкшую к беспокойству совесть. Как ни оттягивал писатель неприятную процедуру, ему пришлось впервые в жизни поднять перо не для того, чтоб описать след лисицы в осеннем лесу, но признать в нескольких вымученных строках свою оплошность. А вместе с этим высказать готовность ответить за нее тем способом, каким традиционно решали на Руси подобные противуречия, и заодно проверить, сохранится ли его отсрочка и в этом случае.

Проведя тяжелую душную ночь, никакого ответа от Комиссарова он не получил, но назавтра столкнулись двое, оба с ружьями, то ли намеренно, то ли случайно, на высоком берегу Шеломи, над кручей, по которой не могло взобраться ни одно существо, однако и тут никакого разговора либо действия промеж ними не вышло. Постояли, посмотрели друг на друга, один растерянно, другой окаменело, а поскольку единственная душа, которая могла бы при этой встрече случиться, находилась в те часы в иных измерениях, подробностей их нечаянного свидания никто не узнал.

Но долго еще Легкобытову казалось, будто кто-то то ли охраняет его, то ли держит на прицеле, и тоскливые мысли не оставляли охотника, ибо он смутно догадывался, что в его жизни случилось непоправимое, после чего она, жизнь, уже никогда не станет такой, как прежде. Связано ли это было с общим ходом вещей или с равнодушием Пелагеи, которая, излив на него гнев, умолкла и вела себя столь надменно и неприступно, точно и в самом деле была не мужичкой, а оскорбленной столбовой дворянкой, одно знал Легкобытов: несостоявшаяся измена словно привязала его к жене, стреножила, и он стал зависеть от Пелагеи так же, как когда-то зависела от него она. Свершилась рокировка, перемена ролей, и самое досадное, что она не укрылась и от мирского взгляда.

Горбунковские бабы сочувствовали Василию Христофоровичу и осуждали Веру Константиновну, наиболее сведущие уверяли, что ее ночное свидание с охотником было не первым, и ссылались на пастуха Трофима, заставшего женщину однажды на рассвете на улице, но только теперь Трофим сообразил, что вовсе не до ветру выходила петербургская дамочка и покраснела она неспроста, не оттого же, в самом деле, что пастух ей самый невинный задал вопрос, а оттого, что поджидал ее в то утро Легкобытов. Многое становилось теперь очевидным — например, почему механик оставил деревню неготовой к жатве, зачем убегала из дома на следующее утро после праздника Петра и Павла механикова дочь, напрасно думавшая, что побег ее останется незамеченным, отчего посмурнел и не засматривался больше ни на одну молодуху красивый мальчик Алеша.

К Пелагее то и дело заходили за солью и давали осторожные советы, как отвадить соперницу, однако израсходовавшая весь свой гнев жена писателя затаилась, угрожающе молчала, ни на какие вопросы не отвечала, а соль в долг благоразумно не давала, и мало-помалу от нее отстали, а потом и забыли, как забыли вообще про мирную жизнь, — так быстро и неожиданно все переменилось и в Высоких Горбунках, и в Низких, и в Бухаре, и в Наволоке, и даже в тех болотных краях, где росли у мужиков и у баб на голове колтуны.

По дворам провожали на войну рекрутов, над деревней стоял колокольный звон, несколько раз над рекой пролетали аэропланы, страшно пылили дороги, дождей после внезапного ночного водопада и градобоя по-прежнему не было, только время от времени случались сухие грозы, а через Польцы шли военные эшелоны. Навстречу им возвращались в город дальние и ближние дачники, ехали домой кружным путем застрявшие в Европе русские путешественники, и в газетах писали о тех несчастных, кого война застигла в Германии, где немцы запирали в купе русских женщин и детей и не выпускали сутками, а потом выгоняли из вагонов в чистом поле, и солдаты кайзеровской армии смотрели, как бесправные люди справляют нужду. Писали о выброшенных из лечебниц полураздетых, беспомощных больных людях с русскими паспортами, об изнасилованных женщинах, о пытках, унижениях и издевательствах над ранеными, с которых немецкие солдаты срывали повязки. Интеллигентные люди спорили о том, как могла вести себя подобным образом культурная нация, давшая миру Шиллера и Гете. Одни полагали, что на немцев нашло затмение, другие уверяли, что таковой всегда была их истинная сущность — варварская, дикая, бессмысленная, что немцы озверели давно и всегда были скотами со своими пасхальными открытками, на которых рисовали упитанных женщин, сидящих в нужнике, со своим пивом и колбасой, со своим Лютером и Кальвином, с Бисмарком и Вильгельмом, с бессердечием и жестокостью, каких не знала ни одна нация в мире. И хотя Вера Константиновна еще недавно утверждала, что газет не читает, теперь она читала все подряд, ужасалась и суеверно думала: а что было бы, если б муж ее послушался и они поехали бы летом на воды в Германию, как она мечтала? Наверно, судьба уберегла ее здесь, в Горбунках, от худшего?

Что происходило в душе Василия Христофоровича и что для себя этот человек решил, она не знала и даже не пыталась вообразить. Этого не знал никто, но со стороны механик не выглядел ни разъяренным, ни оскорбленным. Он был тих и разве что очень задумчив, и от его задумчивости Вере Константиновне становилось еще жутче, чем от чтения петербургских газет. Если бы она ведала о мечте своего супруга уподобиться механизмам, то наверняка решила бы, что это намерение он наконец осуществил, правда, получившийся в итоге аппарат был неясно для каких целей сконструирован и еще менее понятно, как можно было им пользоваться. Почти неверная жена, она была уверена, что драма на прогулке вдоль проклятой реки окончится кровью, и не сомневалась, что муж убьет и ее, и того, с кем она ему едва не изменила. За несколько лет совместной жизни с Комиссаровым Вера Константиновна ничего в нем не поняла, кроме одного: оскорбления, а тем более подобного оскорбления, этот человек не потерпит и ни за что ее не простит. Но муж стерпел (первые удары она в расчет не брала, справедливо положив, что это ей за падчерицу, а не за любовника), и она почувствовала нечто вроде разочарования, которое скоро сменилось новым страхом. Нет, лучше бы не стерпел, лучше колотил бы каждый день, устроил бы допрос с пристрастием, и она рассказала бы ему обо всем, что было, и о том, чего не было, на худой конец, лучше б напился, загулял, выгнал ее вон из дома, отправил к родителям в Воткинск, но только не молчал так страшно, как он молчал...

Он молчал все время, пока из-за Ули они оставались в деревне и сидели в запертом доме, как в осаде, молчал, когда с большими осторожностями они возвращались на переполненном поезде в Петербург и механик не отходил от дочери, а жене не позволял к ней приближаться, хотя в уходе за раненой девочкой были вещи, которые сподручнее было бы делать ей. Он не сказал ни слова, когда, измученные, они наконец добрались до своей квартиры и обнаружили, что за время отсутствия у них кто-то побывал, залез в женский гардероб и переворошил его, но не взял ничего, кроме желтого холстинкового платья. Вере Константиновне это ограбление показалось настолько смешным и нелепым, что она лишь отстраненно пожалела воришку, который, должно быть, сильно разочаровался, обнаружив ее убогие наряды, и от отчаяния унес несчастное платье.

Однако муж и здесь повел себя так, как она меньше всего ожидала. Он не стал вызывать полицию, не спрашивал ничего ни у соседей, ни у дворника, но исполнил ее мечту, выдав ей столько денег, сколько она никогда в руках не держала, и велел купить платьев, белья и шляпок по своему усмотрению. Когда же Вера Константиновна возразила, что ей сейчас не до нарядов, да и время не то, чтобы делать покупки, а про себя подумала: куда с синяками пойдет? — Василий Христофорович зыркнул на нее так, что она на полусогнутых побежала в опустевшие по случаю войны модные лавки на Невском и поспешно, как преступница, без примерки набрала первых попавшихся вещей, точно заглотнула за пять минут изысканный обед. Потом неумело расплатилась и, провожаемая насмешливыми взглядами вышколенных служащих и манекенов, нагруженная коробками, поехала на угрюмом извозчике домой.

По улицам ходили толпы пьяных, возбужденных мастеровых, студентов, полиция им не препятствовала, и Вере Константиновне казалось, что все эти люди на нее смотрят, осуждают и знают про ее позор, шепчутся у нее за спиной, как в деревне, принимают за женщину легкого поведения, за чью-то содержанку и в любую минуту патриотическая толпа может напасть на нее, ограбить, разорить, изнасиловать или убить. Ей хотелось как можно скорее оказаться дома, но пьяный сброд перегородил проспект и устремился к Исаакию. Поток развернул пролетку и повлек за собой, от ужаса Вера Константиновна закричала, но какое-то молодое, полное вдохновения и огня румяное лицо с пшеничными усами прильнуло к стеклам, и задорный звонкий голос крикнул: «Не робей, барыня!»

Вера Константиновна обхватила свои покупки, а ее уже понесло вперед, на площадь, где толпа устремилась к громадному, непетербургскому зданию германского посольства, недавно выстроенному в самом центре столицы. Люди, извозчики, автомобили заполонили пространство около посольства. Напротив, возле неподвижного храма, горело несколько костров, и пожарные не спешили их тушить.

— Что это? Бомба? — испуганно спросила Вера Константиновна у оказавшегося рядом студента.

— Немцев жгут.

— Кого? — похолодела она.

— Портреты Вильгельма.

Громадное здание посольства было полностью освещено. Было видно, как от окна к окну перебегают люди и выбрасывают в окна кипы бумаг, столы, стулья, комоды, кресла... Все это с грохотом падало на тротуары и разбивалось вдребезги. Кругом галдели мастеровые, мещане, рабочие, купцы, интеллигенты — казалось, вся Россия пришла и объединилась в порыве уничтожить немецкое. Людей в захваченном здании становилось все больше, они высовывались из окон, махали руками, оставшиеся на площади махали в ответ, и Вера Константиновна вздрогнула: ей почудилось на миг совершенно невозможное, а именно что юная девица, взобравшаяся на верхний этаж чуть ли не по отвесной стене и оседлавшая одного из коней на крыше здания, — ее падчерица. Толпа еще радостнее засвистела, заулюлюкала, несколько человек полезли вслед за девушкой и принялись раскачивать конные статуи. Кони не поддавались, и их стали ломать. Голые эллины, которые держали лошадей, полетели вниз на тротуар. Оттуда врассыпную кинулось несколько человек, кто-то схватился за голову, из которой потекла кровь. Вера Константиновна была уверена, что следующие обломки свалятся прямо на нее. Она ударила по спине извозчика, но он даже не повернулся.

— Городовой, почему нет городовых? — закричала Вера Константиновна, но ее крик смешался с гулом толпы.

Вдруг все расступились, и из окна второго этажа выбросили человека — видимо, не успевшего убежать и спрятавшегося от ужаса немца, живого или уже растерзанного, было непонятно. Толпа ахнула, взметнулась, оступилась, чтобы собраться с силами и нахлынуть, но в следующее мгновение пожарные развернули водометы и ударили ледяной водой. Лошадь вскинулась и понеслась, но столкнулась с другим экипажем, пролетка опрокинулась, Вера Константиновна закричала утробным голосом и еще крепче вцепилась в свои коробки.

...Той же ночью Комиссаров пришел в ее спальню и приходил отныне всякую ночь, но никакой радости закоченевшее тело женщины не испытало, как ни старалась она эту радость изобразить.

3

Народное ликование, напугавшее мадам Комиссарову, не утихало, а, наоборот, день ото дня разгоралось. Хотя на следующий день после погрома германского посольства большинство газет сконфуженно написало об эксцессах народного возмущения и излишках патриотического энтузиазма, а полиция взяла под охрану посольство Австрии, Петербург переживал пасхальную радость, которая не прекращалась несколько недель.

В отличие от деревни, где выли по дворам бабы и еще угрюмее сделались лица мужиков, в столице империи по улицам и проспектам ходили счастливые люди, в храмах служились молебны о даровании победы русскому оружию и православному воинству, говорили о славянском единстве, о возвращении Константинополя, проливов и Святой земли, архиереи обсуждали, кем заселить Палестину, и предлагали направить в обетованные края русских мужиков из южных губерний. Предполагалось, что эта война будет последней в истории человечества, что она продлится не дольше двух месяцев и завершится полным разгромом врага, торжеством России и установлением вечного мира. Студенты шли записываться в вольноопределяющиеся, купцы жертвовали сотни тысяч рублей на нужды армии, город был воодушевлен всеми своими переменами и не знал, как с этим воодушевлением справиться. Церкви и синема ломились от народа, улицы и проспекты были полны нарядными, возбужденными людьми. Манифестации сменялись демонстрациями, и казалось, над Петербургом висит постоянный возмущенно-ликующий гул. Да и Петербурга однажды ночью не стало — Петроград, град святого Петра, русский город, центр славянского мира и единства. И сразу все прежнее смылось, показалось смешным и необязательным. Война обнаружила подлинный масштаб вещей, личное скукожилось, съежилось и попряталось по тайникам души и тела, а все общественное стало большим и важным. Слова «Отечество», «Россия», «государь», «Царь-град», над которыми потешались еще неделю назад интеллигенты, вдруг зазвучали во всю мощь, никто более не стыдился их произносить — напротив, стыдным стало думать о чем-то другом, как не о победе в святой войне, и все прежние невзгоды и личные разочарования оказались ничтожными, ибо не быть патриотом в военное время сделалось так же стыдно, как быть патриотом в мирное. Летом четырнадцатого года в России началась новая жизнь, и в ней, в этой жизни, появилась цель. Если бы войны не было, ее надо было бы выдумать, чтобы спасти страну от того бессмыслия и безволия, в которые она была все предшествующие годы погружена.

Так говорил какой-то хрупкий, нежный, голосистый человек на площади перед дворцом, куда пришла Ульяна Комиссарова. Она была еще слаба. Пуля из легкобытовского «зауэра» поймала ее на излете и застряла в груди, чуть-чуть не дойдя до сердца. Девочка потеряла много крови, но тупорылый кусочек свинца удалось вытащить старому подслеповатому фельдшеру Яблокову, и осмотревший пациентку несколько дней спустя молодой, но уже знаменитый столичный хирург Серафимов весьма одобрительно отозвался о работе своего сельского коллеги и похвалил аккуратно выполненный на девичьей груди шов.

У Ули же этот шрам и осматривающий ее каждый день, прикасающийся к ней сильными ловкими пальцами высокий мужчина вызывали чувство стыда и приливы крови. Да и болеть, когда за окном происходило такое, она не могла и, нарушая запрет, убегала из дома. Она жадно смотрела и слушала по сторонам, сливаясь с ликующим потоком, устремленным к центру города, и однажды в стотысячной прекрасной народной толпе увидала государя. В тот же миг ее охватила иная слабость и такая любовь к царю, что вместе со всеми она упала на колени и поклялась, что, если будет необходимо, отдаст за него всю кровь. Император был не один — рядом с ним стоял в матросской одежде мальчик лет десяти — будущий русский царь, и, хотя Уля не могла его видеть, царевич представлялся ей сильным, красивым подростком. Народ кричал, в глазах у женщин стояли слезы, а мужчины были в ярости. Говорили, что в городе полно немецких шпионов, и люди порывались идти громить немецкие лавки. Уля шла вместе с ними, испытывая счастье, восторг, ненависть, и жалела лишь о том, что девочек не берут на войну.

Так думала не одна она, а все ее подруги в гимназии, никогда новый учебный год не начинался столь возвышенно, никогда не обнимались так пылко после летних каникул и не следили восторженными, влюбленными глазами за своей начальницей гимназистки всех классов, никогда не чувствовали себя такими близкими, не занимались рукоделием с таким энтузиазмом, и, хотя ученицам возбранялось читать газеты и иллюстрированные журналы, удержаться от соблазна Уля не могла.

Она раньше мачехи успевала пролистывать «Ниву», перед ней мелькали портреты враз примирившихся думских деятелей, английских, сербских, черногорских и бельгийских королей, генералов, министров и посланников, она задерживала взгляд на раненом сербском королевиче, но более всех был дорог ей еще со времен авиационной недели на Коломяжском ипподроме храбрый французский авиатор Ролан Гарро, который когда-то установил мировой рекорд высоты и перелетел через Средиземное море, а теперь погиб, атаковав немецкий дирижабль «Цеппелин», и, узнав о его смерти, Уля впервые в жизни заплакала не сладкими девичьими, но безутешными женскими слезами. Но прошло несколько времени, и оказалось, что летчик спасся, уцелел, это лишь жадные газеты поторопились сообщить о его гибели, и Уля поняла, что само небо на его стороне, а значит, и на земле у России и ее верных вечных союзников все получится.

В магазине на улице Гоголя она купила карту военных действий, мстительно рисовала на ней жирные разноцветные линии и переставляла флажки. Каждого нового дня она с нетерпением ждала, и единственное, отчего хмурилась, — слишком медленно, по ее разумению, менялось на карте расположение войск. Ей хотелось двигать эти флажки быстрее, рисовать больше причудливых изогнутых линий и заучивать, как стихи, новые названия бельгийских и польских городков и деревень, о которых прежде она не слыхала. Другие новости ее не волновали нимало, все было в ней поглощено войной, но однажды в череде занимательных военных картинок дочь механика наткнулась на странную фотографию. На снимке был изображен преступник, бежавший из арестантских рот и переодевшийся в женскую одежду, чтобы перейти границу.

«Фу, какой неприятный тип!» — подумала Уля, разглядывая бритую голову арестанта и его наглые глаза, но самое удивительное, что платье на нем было точь-в-точь такое же, какое пропало из гардероба ее мачехи. Если бы не это платье, она пропустила бы небольшую заметку под фотографией.

«Следы этого преступления ведут на самый верх, и можно только предполагать, насколько высоко. Наивно думать, чтобы человек мог в военное время беспрепятственно проехать через полстраны и перейти границу, — писал неизвестный человек, укрывшийся под инициалами С.Ф. — Очевидно, что вся антиисидоровская кампания, начатая малоизвестным писателем (а в действительности масоном высокой степени посвящения) П.М. Легкобытовым, была призвана скрыть подлинные намерения тех, кто руководит расстригой. Сегодня становится очевидным, что именно те самые высокопоставленные лица, которые отправили его в арестантские роты, и инсценировали этот побег, преследуя свои цели. Разумеется, когда идет война, бегство Щетинкина покажется обывателю событием малозначащим. Однако не будем забывать, что революция пятого года началась во время войны и ее застрельщиком оказался поп Гапон. Есть все основания опасаться, что следующая начнется с иеромонаха Исидора».

Уля пожала плечами, потом задумалась, посмотрела на адрес редакции, потом снова пожала плечами и выбросила все подозрения из головы. Она понятия не имела о том, кто такой Оккам и что за бритву британский инок учинил, но бессознательно следовала его принципу: мало ли на свете похожих платьев? Однако страницу с фотографией беглеца на всякий случай вырвала, сама не понимая, зачем это делает.

...Никогда она не жила такой полной жизнью, никогда не ощущала такую причастность к общему делу, никогда не переживала за далеких, неведомых ей русских людей, никогда так не предвкушала будущего и того ликования, с каким будут встречать победителей на улицах Петрограда. Единственно, что Улю не просто огорчало, но приводило в смутное и сумрачное состояние духа: у всех ее подруг ушли на войну отцы или старшие братья, а ее отец оставался в городе, и это выводило ее из круга девочек, объединенных общей гордостью и тревогой. Разумеется, она могла сказать всякому, что ее отец работает на оружейном заводе, но это было другое. А механик не только воевать ни с кем не собирался, но смотрел на дочь с недоумением и сожалением, а на жену не смотрел вовсе. Но еще более ужасным оказалось то, что голые стены в квартире на Литейном проспекте, которые пыталась некогда украсить Вера Константиновна пейзажами гостинодворских художников, стали заполняться портретами людей, Уле неведомых, но как будто специально для дочери механик снабжал их аккуратными подписями: Гете — великий немецкий поэт и философ, Шиллер — выдающийся немецкий поэт, Гегель — гениальный германский философ, Кант — видный немецкий философ, Маркс — маститый немецкий экономист.

Эти люди, все, за исключением насмешника Гете, очень серьезно смотрели на Улю, а особенно Кант, и, не решаясь сорвать немцев со стен, она шипела и плевалась, когда проходила мимо. А если бы к ним вдруг зашел кто-то из ее подруг? Уля чувствовала себя укрывательницей чужого преступления, и то, что преступником оказался ее родитель, делало ее несчастье еще горше.

Так, безрадостно, в окружении враждебных лиц, они встретили Рождество, в феврале случилась катастрофа в Августовских лесах, весной немцы начали наступать, Ролан Гарро был на этот раз точно сбит и угодил в германский плен, и тогда впервые Уля усомнилась в скорой победе. Война, которую обещали закончить еще несколько месяцев назад, и не думала завершаться. Она расширялась, набухала, росла, победа стала отодвигаться, и что-то переменилось в петербургском воздухе, никто не понимал, что происходит, отчего немцы больше не отступают, а, напротив, теснят русских. Не такими восторженными были девочки в гимназии, иные уже успели похоронить ушедших на войну отцов и старших братьев, к другим вернулись увечные, а третьи поджидали попавших в плен. Уля гнала дурные мысли прочь, она более не притрагивалась к картам с военными сводками, не читала газет, а немцы в коридоре глядели на нее все наглее, хотелось выколоть им глаза, замазать краской надменные лица. И, если б не страх перед отцом, она бы так и поступила, однако именно в эту пору, когда готовились встречать первую военную Пасху, очень раннюю в тот год, мартовскую, холодную, механик неожиданно и как-то вскользь, не поднимая глаз, объявил о том, что уходит на войну.

Обе — дочь и жена — уставились на него в недоумении.

— У тебя сняли бронь? — спросила Вера Константиновна с испугом.

— Нет. — Комиссаров был печален, высок и строг. — Я ухожу сам.

Жена как-то странно на него посмотрела, а Уля заплакала, сама не понимая, что это — слезы горя или радости, или же два этих чувства в ее душе так соединились, что отделить одно от другого невозможно.

— Я знаю, я виноват перед тобой, но я не могу здесь больше оставаться, — сказал он ей на прощание, и она истолковала эти горькие слова в духе Дворцовой площади, восхищалась, бредила и гордилась своим родителем, который пусть и не сразу, но прозрел, однако нимало его не понимала. Его не понимал и не одобрял никто. Ни жена, ни заводское начальство, которое он с трудом убедил в том, что желание пойти на фронт — это не блажь, не нервный срыв и тем более не патриотическое опьянение, но необходимость проверить в деле то, чем он занимался предыдущие годы. Василий Христофорович печально и обреченно стоял на своем, говоря, что

256

независимо ни от чего отправится в действующую армию, а по каким соображениям, это никого не касается, и в конце концов его оставили в покое как мелкобуржуазного ущербного интеллигента с комплексом князя Андрея Болконского.

Ничего этого Уля не знала, но не разговаривала с потерянной, враз переменившейся мачехой, ее одну считая причиной семейных бед и не замечая того, что в действительности Вера Константиновна думала о самой себе еще хуже и беспощадней. Известие о том, что ее супруг, этот рыхлый, страдающий одышкой и нервными расстройствами, плохо приспособленный к жизни штатский мужчина уходит по собственной воле на какую-то непонятную, никому не нужную войну, уязвило женщину, как не уязвляло в жизни ничто. Это было покушением на то единственное, что было ей в нем понятно и целиком принадлежало, к ней недавно вернулось, — на его тело.

«Его убьют, и скорей всего убьют в первом же бою, а виновата в этом буду одна я и останусь навсегда без него», — думала она, и мысль, которая еще совсем недавно могла бы показаться ей обнадеживающей и сулящей освобождение, теперь ужаснула. Ужасно было все, начиная с того, как они простились на сборном пункте — нелепо, холодно, бессвязно, так и не помирившись душою и не сказав друг другу ни одного простого слова. Было очень рано, темно, ржали кони, Вера Константиновна не понимала, что происходит, ей хотелось криком кричать, но приходилось сдерживаться. Уля с ее неуместным возбуждением ее раздражала, еще больше смущали посторонние люди, которые на нее в упор смотрели и искали в ее глазах какой-то свой смысл. Суетливый пожилой человек невысокого роста, неприлично,

257

вызывающе мирный среди одетых в военную форму могучих людей, подскочил к Василию Христофоровичу, долго тряс его руку, а потом сунул какую-то брошюрку, которую муж взял недоверчиво, брезгливо, и она почувствовала, как ненавидит этого до женоподобности уютного, домашнего человечка, отравлявшего своей прекраснодушностью последние минуты прощания с мужем. А человечек не успокоился, подошел и к ней, назвался газетчиком и, обдав ее запахом изо рта, сказал, что хочет взять интервью у жены боевого русского офицера. Она ответила ему неприязненно, резко, с трудом сдерживая брезгливость и превознемогая желание то ли ударить, то ли плюнуть в эту глумливую похотливую физиономию:

— Как вы можете? Как вы не понимаете? Так было нужно! Мне было стыдно за вас! Что вам сделал плохого этот дедушка? — набросилась на нее Уля, а ей хотелось, чтобы скорее все кончилось, она легла бы в свою одинокую постель и забылась дрожащим муторным сном, но, когда она вернулась в опустевшую квартиру, когда осознала вдруг, что произошло, ей стало физически дурно. Вера Константиновна приготовилась забыться и забиться в рыданиях, однако слезы, всегда ее спасавшие, в этот раз не пришли. Они скопились в глубине ее существа и закупорили в организме все ходы и выходы, отчего Вера Константиновна почувствовала себя отравленной. Больше всего ее душевное состояние походило на то, как если бы она вдруг узнала, что Василию Христофоровичу поставили смертельный диагноз, а она не утешила в последние недели жизни, и поправить это, изменить ничего уже никак нельзя. Все как-то странно перевернулось в ее душе: если прежде она считала, что ее жизнь не сложилась из-за того, что муж недостаточно ее любит, неласков с ней, равнодушен к ее желаниям, то теперь она винила во всем одну себя.

— Это я его мало любила, — говорила она себе, просыпаясь по ночам и лихорадочно глядя по сторонам. — Я его не понимала, не ценила и была мало ему верна. Именно так, мало верна. Я Верка-маловерка, вот я кто. Но если с ним что-то случится, — добавляла она с угрозой, неизвестно к кому обращенной, — я этого не переживу. Я покончу с собой, так и знайте.

В квартире было гулко, чутко, все предметы обстановки серьезно на нее смотрели — огромный шкаф с зеркалом, комод, сервант, и ей казалось, что они ее понимают и ей сочувствуют. «Так, Вера, так», — стучали настенные часы. Герань тянулась к высокому потолку, еле заметно качалась люстра — только теперь Вера Константиновна поняла, как любит это пространство за то, что оно помнит ее мужа, хранит его шаги, его голос, скучает по нему, сердится и хочет, чтобы он вернулся. Она заметила, что с уходом мужа стали хуже открываться дверцы, недовольно скрипят половицы и дымит печка, она хотела написать обо всем этом в письме, сказать, как много людей его ждут, потому что эти вещи тоже были люди, были народом, который он защищал, не огромную Родину, непонятную, существующую только на карте или в звонких исторических отголосках, но вот этот чудный, теплый дом, чтобы никто не пришел сюда и его не разгромил. Она, кажется, стала понимать сокровенный смысл войны, однако стоило ей взять перо, как ничего у нее не получалось. То, что она чувствовала в сердце, выходило недостоверным на бумаге, и ей казалось, что муж поймет ее не так, рассердится, заругает и не поверит в то, что с ней произошло. Последняя надежда и упование Веры Константиновны были на то, что ее общение с Василием Христофоровичем в последние месяцы кончится беременностью, но задержавшиеся было крови пришли вместо слез и мучили ее больше недели, так что она не могла встать с кровати. Ей хотелось позвать Юлю, пожаловаться на свое одиночество, но падчерица была еще более надменна и холодна, чем обычно.

Со смешанными чувствами смотрела Вера Константиновна теперь на колючую, черствую девчонку, которая не ведала взрослой тревоги и страха. Они были так друг другу чужды, что обедали и ужинали в разное время и по очереди читали письма с войны, сухие, сдержанные, по которым нельзя было понять, как чувствует себя оставивший их дом мужчина. Однако Уля и в этих строках усматривала мачехину вину: если б любил, писал бы иначе. Даже то обстоятельство, что в апреле Вера Константиновна пошла на курсы сестер милосердия, не примирило двух женщин, но еще больше друг от друга отдалило, превратив в соперниц. Точнее, соперничала, тягалась с мачехой почувствовавшая себя оскорбленной Уля, а Вера Константиновна кротко сносила все ее дерзости и готовилась выполнять тяжелую грязную работу. Но отроковица и тут ничему не верила, поступок отцовой жены казался ей очередным театральным жестом, лицемерием, и она была уверена, что очень скоро избалованной барыне все надоест и она вернется к своим пасьянсам и иллюстрированным журналам, но пока что Вера Константиновна училась ухаживать за ранеными, а Уле оставалось только бессильно мечтать и вспоминать, как когда-то она скакала по далеким лесам, болотам и озерам, за которыми воевал ее отец.

Однако это были совсем другие мысли, ничего радостного в них не осталось. У Ули сделались тяжелыми руки и ноги, она не то что бежать не могла, а еле ходила и стала замкнутой, мстительной и нелюдимой. Хуже училась, и даже классная дама в гимназии, никогда раньше не делавшая ей замечаний, теперь стыдила: «Как можно, мадемуазель, в такое время не выучить аористос? Мне придется поговорить с мадам Комиссаровой».

Прежде снисходительно относившаяся к занудству старой девы Уля злилась и огрызалась в ответ не хуже, чем во время оно хамил учителю древнеегипетского языка в елицкой гимназии ученик Легкобытов:

— Только попробуйте — пожалеете! — И было в ее голосе и глазах нечто такое, отчего классная дама тушевалась и с печалью думала, что случилось и что еще ждет это поколение непослушных, грубых, рано повзрослевших девочек?

То была очень религиозная и чуткая женщина, которая с некоторых пор жила с ощущением последних времен и торопила их пришествие, радуясь грозным признакам апокалипсиса, потому что за ними, за всеми страданиями и ужасами, прозревала второе пришествие и новый Иерусалим. Она знала, что не одинока в своем ощущении и где-то в мире есть сто сорок четыре тысячи верных, чающих, как и она, воскресения мертвых и жизни будущаго века, и в глубине души была счастлива оттого, что ей выпала благая участь оказаться среди последних христиан, единственных, кого не поглотит восставший из глубины моря Зверь. Из заветного числа избранных она не знала никого, кроме одной убогой старушки, которая и привела классную даму к вере и открыла ей тайну грядущего конца света, указав на все его приметы. Старушка та жила подаяниями, подолгу исчезала из Петербурга, странничала, забираясь далеко в Сибирь, на Кавказ, на Святую землю и в Соловки, но, когда возвращалась, останавливалась у классной дамы, скупо рассказывала ей о своих паломничествах и охотно слушала ее рассказы о гимназии.

Она рассматривала фотографии, задавала вопросы про учителей, учениц, их родителей, про отношения между девочками, их влюбленности, и этот интерес обыкновенно нелюбопытной к мирской жизни женщины классную даму удивлял, но обнаружить свое смущение она не решалась. Однако еще более ее поразило то, что странница была на самом деле не так стара, как ей представлялось. Однажды, вернувшись домой раньше времени, классная дама увидела вериги на еще крепком теле. Рассказывать о них нищенка запретила, а когда классная дама восторженно сказала, что хочет носить такие же, поглядела на нее холодно и надменно, точь-в-точь как глядела на нее иногда директриса, и классная дама оробела. Но по-настоящему страшно сделалось ей тогда, когда нищенка поманила ее пальцем и, показав на фотографию одной из учениц, шепотом сказала то, от чего классная дама вздрогнула, недоверчиво на свою гостью поглядела, не удержалась и прошептала: «Как, неужели и она тоже?», а потом умолкла и быстро-быстро закивала головой.

4

На курсах, куда поступила Вера Константиновна, училось немало женщин благородного звания, но к изумлению всех, а более всего к своему собственному удивлению белоручка Вера, которую ее мать с детства считала неряхой и неумехой, которую ни во что не ставил муж (а если бы ставил, если бы с самого начала увидел в ней большее, чем просто самку, может быть, все по-другому и сложилось бы), которую презирала и находила холодной эгоисткой взбалмошная падчерица, мадам Комиссарова оказалось самой способной ученицей. Она меньше других твердила о патриотическом долге и христианском милосердии, за что ее осуждали иные дамы и девицы, держалась независимо и отстраненно, ничего не рассказывала про свою семью, хотя все курсистки быстро сблизились и подружились. Однако недовольные голоса умолкли, когда началась настоящая работа. Никто из восторженных патриоток не умел перевязывать раны или делать дренаж так умело, как она, никто не сохранял столько самообладания при виде крови, гноя и мертвых тел. Никто с одинаковым спокойствием не выносил из операционной отрезанные конечности, а за лежачим больным из палаты судно с нечистотами. Никого так не хвалили и никто не переносил хвалу столь стойко, нимало не заносясь и делано не смущаясь, а принимая все как должное. Недаром Вера Константиновна училась в детстве распутывать клубки тонких ниток. Она прекрасно ассистировала, с полуслова понимала хирургов, у нее оказались сильные, ловкие и очень нежные, чуткие руки, как если бы ее единственный талант любовницы нашел себе применение. Все экзамены она сдала на отлично, и, когда выпускницам пришла пора получать распределение, начальник курсов отрекомендовал ее, единственную, в госпиталь в Царском Селе, где работали императрица и великие княжны. Первым желанием демократичной Веры Константиновны было отказаться и попроситься в место попроще, но добрый ее наставник замахал руками:

— И не вздумайте, сударыня. Что это за капризы такие? От кого от кого, но от вас я такого не ожидал. Извольте идти туда, куда вас направляют.

И она подчинилась, что ей оставалось? Впрочем, работа везде была работа, и царица с ее дочками Веру Константиновну особенно не заинтересовала. Государыня сказала ей несколько раз приятные слова, родовитые дамы не выказывали никакого презрения, отнеслись ласково и простосердечно, но жена механика поймала себя на мысли, что все эти обстоятельства, прежде показавшиеся бы ей такими мучительными и привлекательными одновременно, теперь не волнуют ее нисколько. Она смотрела только на раненых и только о них заботилась. Вера Константиновна была уверена, что рано или поздно среди них окажется ее муж. Она представляла себе, что все так и произойдет: его привезут тяжело, но не смертельно раненного, она будет за ним ухаживать, сначала он не будет ее узнавать, но потом узнает, и она сумеет выходить его.

— И тогда я буду ему лучшей женой на свете. Тогда-то я уже никуда его не отпущу. Ни на какую войну. Что мне эта война? Что мне это отечество, о котором они толкуют, если мое отечество — это мой муж.

Так говорила она себе, когда вываливалась из тяжелого сна в слепой петербургский день, так шептала, проваливаясь обратно в сон, в котором не видела никаких снов, и с этими мыслями жила, не зная устали, работала, растрачивая себя на раненых, словно в каждом из них был заключен образ человека, о котором она беспрестанно думала и своей заботой ему помогала. Все эти покалеченные люди, такие разные, беспомощные, бессильные, отчаявшиеся и не терявшие надежды, кроткие, наглые, добрые, злые, были связаны между собой, и, ухаживая за одним, Вера Константиновна помогала другим, терпеливо относясь к тем шуткам, какие они отпускали в ее адрес. Для нее мужской интерес к ее наружности, то грубые, то ласковые прикосновения к ее телу — все, что еще совсем недавно привело бы ее в дрожь, смущение или возмущение, — были признаком выздоровления ее пациентов и больше ничем. И сама она совсем не смущалась, какие бы раны ей ни приходилось обрабатывать, научившись относиться к телу как к страдающей плоти, которая в силу своего страдания освобождалась от необходимости быть стыдливой и делалась невинной, как у маленьких детей. Эта работа стала для нее выходом к неосуществившемуся материнству, и Вера Константиновна почувствовала, что даже в ее собственном организме происходят перемены: она научилась почти не спать, могла подолгу не есть, не знала усталости, а при необходимости запасалась впрок пищей или сном и словно выплачивала долг, который накопился в ней за годы вынужденного безделья.

— Вы себя совсем не бережете, — сухо заметила однажды женщина-хирург, которой она в последнее время ассистировала.

То было очень странное существо женского пола, которое говорило о себе исключительно в мужском роде: «Я пошел», «Я сделал». «Я сказал». У существа был княжеский титул и имя такое же, как у Веры, но она просила называть себя Сергеем, ходила в мужской одежде и все время курила, так что Вера Константиновна, которая могла теперь предаваться своему малому пороку без боязни, едва не бросила курить сама. Княжну считали величайшим медицинским светилом, шепотом передавали слухи, будто она способна пришить оторвавшуюся ногу, что у нее пальцы какой-то нечеловеческой силы и глаза способны видеть сквозь кожу внутренние органы, однако норова аристократка была тяжелого. Однажды во время операции, где ассистировала императрица, княжна Вера на августейшую особу прикрикнула, и государыня, никому не позволявшая вольностей, стерпела.

Но самое страшное началось несколько времени спустя, когда Вера Константиновна заметила, что ужасная мужеподобная женщина как-то странно, с пытливой нежностью на нее смотрит и старается коснуться своими гениальными руками. Однажды она велела Вере Константиновне снять платок, и глаза у княжны помутнели при виде рассыпавшихся по плечам тяжелых золотых волос сестры милосердия. Несмотря на тридцать с лишним прожитых лет и попытки постичь самую современную словесность, мадам Комиссарова о лесбийской любви знала лишь понаслышке, и этот взгляд смутил ее и привел в недоумение.

Ухаживания становились с каждым разом все более настойчивыми, подчиненное положение медсестры делало их весомее, и Вера Константиновна, готовая вынести любые тяготы новой работы, к подобному испытанию оказалась не готова. Она примерно представляла, как отвечать домогавшимся ее мужчинам, но женщинам? И как было противостоять той, что с ней заговаривала, не сводя тяжелого, тусклого взгляда, и нараспев, точно читала стихи, повторяла:

— Вы очень несчастны. Вы несчастны в семейной жизни. Вам нужна защита. Вы много страдали от мужчин, которые принесли вам зло. Вы не должны быть больше игрушкой в их грубых руках и испытывать из-за них постоянное чувство вины.

Веру Константиновну эти правдивые речи сначала злили, потом пугали, потом стали обезоруживать. Она не чувствовала в себе сил сопротивляться хирургической ласке, но зато чувствовала, сколь несчастна и одинока та, что эти слова произносила, и, наученная за последние месяцы утешать страждущих и выполнять их прихоти, Вера Константиновна ощущала, как становится податливой и мягкой, словно подушка, которой ее душили.

«Боже, ну почему мне это? — думала она, возвращаясь к своему холодному дому, где ее ждала, чтобы молча закрыть перед носом дверь в свою комнату или же наговорить очередных дерзостей, злая падчерица. — Что я сделала ужасного, за что меня все время преследуют какие-то непонятные люди? Я никому не желала зла, нет, один раз пожелала. Но один раз и была за это наказана. А они все равно все время от меня чего-то хотят. Какие-то маленькие злобные бесы, мухи, саранча египетская. И почему я должна вечно зависеть от чужих желаний, капризов, сумасбродств? Я не хочу, я не буду, я не могу...»

Но стоило ей прийти в лазарет и увидеть княжну, как решимость не хотеть, не быть и не мочь исчезала, Вера Константиновна обмякала, сдувалась и размышляла о том, что надо либо уступить, покориться, либо собраться с силами и уйти, что бы ни говорил ее бывший наставник на курсах, и, вероятно, чем-то одним из двух все и закончилось бы, когда бы несчастную сестру милосердия не приметила приветливая полная женщина, ходившая на костылях, государынева не то фрейлина, не то фаворитка, которую звали Аннушкой. Эту Аннушку многие не любили, говорили про нее бог весть что, называли интриганкой и лицемеркой, дурой и сумасбродкой, гимназисткой, влюбленной в государя, любовницей грязного мужика, фанатичкой, но Веры Константиновны беду она прозрела.

— Вы, голубушка, волосы-то свои остригите покороче да держитесь от литовки подальше. Она, представьте себе, и меня скосить хотела.

— Вас? — переспросила Вера Константиновна и посмотрела на искалеченную Аннушку как на родную.

— Меня, меня, — охотно закивала та. — Княжна она, как же! У этих чухонцев каждый свинопас себя князем считает. Коновалкой ей быть, а не людей лечить. Государыня, чтоб мне досадить, ей благоволит, а мне до конца дней на костылях по ее милости ходить.

Эту историю Вера Константиновна слыхала. Зимой с Аннушкой случилось несчастье: поезд, в котором она ехала из Петербурга в Царское, сошел с рельсов и несколько вагонов оказались искорежены. Подозревали, что это был акт, ибо народу пострадало немало. Аннушка должна была погибнуть от болевого шока, однако чудесным образом выжила. «Бог спас», — рассказывала она всем доверчиво, но операция, которую проводила княжна, прошла неудачно, и Аннушка усмотрела в том злую волю своей врачевательницы. Она была очень богомольна и прежде и теперь ездила паломничать в дальние монастыри, бывала в Сибири, привечала странников, отличалась замечательной словоохотливостью, радушием и простодушием, но близко допускала к себе немногих и однажды удостоила Веру Константиновну рассказом о своем замужестве, горько отозвавшимся в сердце жены механика и приблизившим ее к тому миру, который она еще совсем недавно презирала.

— Замуж меня выдала государыня, — неторопливо повествовала Аннушка, угощая Веру Константиновну английским чаем в своем маленьком домике в Царском Селе недалеко от лазарета. — Ей это было нелегко сделать. Я была несколько лет фрейлиной ее величества, она ко мне очень привязалась и не хотела со мной расставаться. Мы были почти подругами, и государь тоже был очень добр ко мне. Но, когда мне исполнилось двадцать три года, их величества переговорили с моими родителями и подыскали мне жениха. Как только первый раз я его увидала, как же мне стало нехорошо! Он был весь холодный, чужой, далекий, и мне показалось, что я ему тоже совсем не понравилась. Я была слишком проста и глупа для него. А он морской офицер, герой Японской войны, да к тому же троюродный брат дворцового коменданта. Накануне свадьбы я умоляла ее величество, чтобы она навсегда оставила меня при себе фрейлиной. «Ты должна иметь свой дом. Все будет хорошо, дитя мое, — отвечала она. — Господь не покинет тебя. А мы останемся друзьями, и ты будешь приходить ко мне со своим мужем. Когда у тебя пойдут дети, я стану им крестной матерью». Сыграли мою свадьбу, а дальше все пошло совсем не так, как предполагала государыня. Вы, наверное, и представить себе такое не можете, но с самой первой ночи муж ни разу не пришел в мою спальню, он избегал меня, молчал и ничего не объяснял, а я не смела ни спросить, ни сказать. Иногда его охватывали вспышки ярости, он кричал на меня и говорил бранные слова. Однажды ему почудилось, что я кокетливо вела себя на балу с одним из великих князей, и, когда мы вернулись домой, он ударил меня. Я была ошеломлена...

— Как вы сказали? — вздрогнула Вера Константиновна.

— Мне казалось прежде, что подобное возможно только в глухой деревне. Но тут офицер, дворянин, таскал меня за волосы, бил по лицу, как обыкновенную бабу, так что я потом месяц на людях не появлялась, — могли бы вы себе, милая, такое вообразить?

— Могла бы, — прошептала Вера Константиновна и вспомнила реку, вдоль которой она шла, но увлеченная своим рассказом Аннушка не слышала ее.

— Я старалась не показывать виду и быть такой же веселой, как до замужества, но государыня мое огорчение заметила. «Боже мой, как ты страдаешь, дитя мое, но я тебе помогу». Чем она могла мне помочь, скажите? Позволить развестись с мужем и искать счастья с кем-то еще? Я понимала, каким ударом это стало бы для их величеств. Во дворце и так обо мне говорили невесть что. Нет, я понимала, что пропала, и ни на что более не надеялась. И хотя со временем все устроилось: муж уехал в Швейцарию и там женился...

— Но как же?

— Не знаю, — ответила Аннушка раздраженно, — не знаю как и знать не желаю. И не надо меня, пожалуйста, перебивать и задавать бестактные вопросы. Я вернулась во дворец и с тех пор ничего о нем не слышала. Я была более не фрейлиной, но близким другом их величеств, и с тех пор моя жизнь связана с ними навеки. Вы думаете, это мне награда?

Вера Константиновна хотела сказать, что она ничего такого не думает, но не успела.

— Ах, как вы жестоко ошибаетесь! Это мой крест. Жизнь во дворце очень трудная. Вы счастливы, мой друг, что этого не знаете. Люди там злые, завистливые, лицемерные. Любая крестьянка счастливее царской фрейлины, а тем более близкой подруги. И с государыней, — понизила голос Аннушка, — очень непросто. Она чудесная женщина, великодушная, правдолюбивая, чистая, горячая, я к ней сердечно привязана, мы обе любим музыку и иногда поем дуэтом — у меня контральто, а у нее сопрано, — но если бы вы знали, как часто она бывает раздражена, нетерпима, несправедлива... Я устала от этой жизни и много раз думала о том, чтобы уйти в монастырь. Но как я могу оставить ее одну? У нее же, кроме мужа, детей и меня, никого нет.

«Не так уж это и мало», — подумала Вера Константиновна.

— Почему вы совсем ничего не едите? Боитесь поправиться? А я уже ничего не боюсь.

У нее было удивительно приятное лицо — полное, немного сонное, с необыкновенно красивой кожей и очень добрыми васильковыми глазами. Аннушка с аппетитом кушала пирожные, помешивала ложечкой теплый чай — горячего она не любила, — и Вера Константиновна чувствовала, что от нее исходят уют, забота, тепло, приветливость, как от сказочной мамушки. Ей опять захотелось поделиться своими бедами, но хозяйка ее опередила:

— Я бы никогда не пережила всех этих испытаний, но Господь послал мне одного человека, странника из Сибири. Вы слышали о нем, конечно, но, наверное, слышали только дурное. Ах, не верьте ничему, мой друг! Это все неправда. Только его молитвами я еще и живу. Когда в январе случилась эта страшная катастрофа, я несколько часов пролежала без сознания рядом с мертвыми. Потом меня нашли, вытащили из груды тел, привезли в Царское, и все думали, что я тоже вскоре умру. Совершили глухую исповедь, причастили, а потом появился он. Мои родители не хотели его пускать, коновалка гнала его прочь, но он все равно прошел, долго молился, потом взял меня за руку, пристально поглядел в глаза и сказал: «Жива будет, но останется калекой». Вышел в соседнюю комнату и рухнул без чувств.

Вера Константиновна хотела спросить у Аннушки, как она может обо всем этом знать, если была без сознания, но побоялась снова показаться излишне любопытной.

— Он удивительный, ни на кого не похожий человек. Таким был только батюшка Иоанн из Кронштадта, который спас меня в детстве, когда я тяжко болела, но батюшка был тверже и строже. А этот очень странный — пьет вино, танцует, водится с темными людьми, принимает у себя легкомысленных женщин. Все это очень беспокоит ее величество, но она не решается ему ничего прямо сказать, чтобы его случайно не обидеть. А я знаю, что ничего дурного с ним быть не может. Он человек совершенно бесстрастный, он на той высоте, на которую никто из нас не может подняться, и то, что было бы невозможно любому другому, возможно ему. За это его и ненавидят. Ах, как его ненавидят! А вместе с ним и меня. Вы, конечно же, захотите с ним поговорить. Его очень многие хотят увидеть, и меня об этом просят, но я всем отказываю. Его же надо пожалеть, в конце концов, каждый день он принимает по нескольку десятков человек. Они идут бесконечным потоком, они все чего-то от него хотят.

— Я...

— А вы, я вижу, очень милы, вы мне нравитесь, и я позабочусь о вас. Но дело не только в этом, — понизила голос Аннушка. — Прежде, когда я была здорова, я могла чаще за ним следить.

— Зачем следить? — встревожилась Вера Константиновна.

— Я же говорила вам, — произнесла Аннушка еще более раздраженным тоном, — что он ведет очень странный образ жизни, который вызывает тревогу у ее величества. Его надо сдерживать. Но мне это теперь не под силу, вы сами видите: я даже подняться к нему в квартиру не могу. А вы для этой роли, думаю, сгодитесь.

— Почему вы так решили? — быстро спросила Вера Константиновна.

— Я хорошо разбираюсь в людях, — возразила Аннушка, — и вижу, что у вас достаточно такта и ума, чтобы удерживать его от необдуманных поступков, от ненужных знакомств и встреч, но главное, вы будете рассказывать обо всем мне, станете моими ушами и глазами. Там, к сожалению, все очень непросто, очень много толчется лишних людей.

— А если я откажусь? — спросила Вера Константиновна, помолчав.

— А вот это я вам делать не советую, — молвила Аннушка сладким певучим голосом, от которого жену механика бросило в жар.

Так Вера Константиновна Комиссарова против собственной воли познакомилась с тем, кто некогда занимал воображение ее мужа и о ком время от времени точно по команде начинали писать газеты: был там-то, буйствовал с такими-то, учинял скандалы и беспорядки, плясал, дрался, пил, был выслан, — а потом замолкали, точно его и не было, но казалось, за его появлением и исчезновением стояла невидимая рука.

Но Веру Константиновну это нисколько не волновало. Она еще реже бывала теперь дома, презрительное выражение больше не возвращалось на ее хорошенькое личико, да и само лицо изменилось — не постарело, а углубилось. Она стала набожной, но незаметно, неподчеркнуто, и, хотя в доме появились иконы, свечи, лампадки, они были сокрыты от стороннего взгляда, и лишь иногда Уля слышала, как мачеха встает ночами и молится, но даже это не могло ее разжалобить либо вызвать уважение. Только Вера Константиновна ни в жалости, ни в уважении теперь не нуждалась. То, что с ней происходило, едва ли можно было назвать религиозным переворотом. Она и в церковь-то не ходила — зачем ей была эта церковь, которой маленькую Веру пичкали все ее детство и девство. Толку-то... Церковь ни уберечь, ни помочь не могла. А здесь было нечто совсем другое, инстинктивное, сродни страху ребенка перед ночным кошмаром, похожее на движение слабых рук, защищающих голову от удара. Ей нужно было зарастить ту бездну, которая открылась перед ее глазами в ночь перед войной, отложилась в ее памяти и не отпускала поныне, забыть прекрасные и страшные глаза, возникшие в ночной мгле, остудиться после лесного огня и согреться после ледяного ливня, обрушившегося на нее с разгневанных небес, и это можно было сделать только здесь, в этом доме. Чем бы все случившееся с ней летом ни было: ее бредом, сном, Божьей карой, — это было так ужасно, так нестерпимо, точно она тоже попала в железнодорожную катастрофу, ее изломавшую, истершую и превратившую в калеку. Она больше не боялась страшной княжны в операционной, и та что-то почувствовала, отстала. Даже Аннушка с ее скользкой болтовней и маленьким домиком не была Вере Константиновне нужна и больше не пугала ее своими распевами. Ее вообще ничто не могло теперь испугать. Она жила с ощущением, что за прошедшие несколько месяцев стал иным состав вещества, наполнявшего ее душу и тело, и хотя иногда пыталась воз-

звать к рассудку прежней Веры — что за мелочь, всего-
то навсего она попробовала изменить мужу, и даже это
у нее не получилось, а он повел себя словно хам, про-
столюдин, не имеющий понятия о том, каким образом
надо обращаться с благородной, изящной женщиной, — как тотчас же в памяти всплывало пережитое
под неверным светом падающей луны унижение, горя-
щий лес, окровавленное тело падчерицы, которое нес
на руках муж, побелевшие губы охотника, жадное любопытство деревенских баб, ненавидящие глаза Пелагеи. Этих воспоминаний она бежала, понимая, что,
если бы не война, если б не подвернувшаяся в лазарете
среди крови, гноя и человеческих отправлений работа,
она начала бы пить, принимать морфий или менять
мужчин, — работа ее спасала.

Но еще больше она была благодарна человеку, которому себя вверила и который ее успокоил. Он ни о чем
ее не спрашивал, ни за что не корил. Когда под непри-
язненными взглядами стоявших в длинной очереди
людей она поднялась по грязной лестнице большого
доходного дома на Гороховой улице в его квартиру и ее
провели в просто убранную комнату с иконами и лампадами, Вера Константиновна впервые за много месяцев сумела разрыдаться, заплакав еще обильней, чем
некогда ревела ее маленькая падчерица на берегу Шеломи. Но не от умиления сердца — от страха. Он поначалу ей совсем не понравился, этот неопрятный дикий
деревенский мужик, похожий на пастуха Трофима:
вот-вот какую-нибудь глупость скажет или задаст не-
уклюжий вопрос, однако он ничего не говорил. Он все
видел, все знал, понимал и просто молчал, не останав-
ливая ее, не мешая. Потом взял за руку, посмотрел в глаза, сказал несколько простых слов, и под его тяжелым

взглядом, под звуками глухого голоса Вера Константиновна смирилась. То неистовое, что роилось в ее душе, улеглось и затихло, страшные мысли оставили ее, растворились в выплаканных слезах, на смену им пришла покорность, сладкая, прежде неведомая ей потребность повиноваться этому человеку, его голосу, его рукам. Она знала, что у этого повиновения не может быть и не будет границ, она понимала, что сделает все, что он захочет и когда захочет, она помнила все, что знала о нем, что читала в газетах и чему ужасалась прежде, но все равно пошла за ним доверчиво и безоглядно, стала одной из тех, кто его окружал, кто служил ему, слушал его, доверял и был предан. Но никогда бы она не предала его, не стала бы за ним следить, доносить, причинять зло. И, когда сказала об этом в маленьком доме, Аннушка не удивилась, лишь печально покачала головой:

— Неужели и вы тоже?

Вера Константиновна поняла, что она не первая, кто проходил через это предложение и это испытание, и она выдержала его, а значит, выдержит и все остальное. Ей было хорошо среди своих новых сестер, с ними можно было не сомневаться, не отчаиваться, не унывать, а просто и без рассуждения верить. Она больше не просыпалась от страха по ночам, не смотрела с непонятной тоской на порошки из аптеки, спокойно проходила по высоким мостам над вязкой невской водой, и мчащийся поезд не вызывал у нее притяжения и страха. Только теперь она поняла, сколь ужасной была ее прежняя жизнь, и за это душевное освобождение была готова все принять. И, когда придет ее черед, когда настанет день и он потребует с нее ту плату, которую берут с женщин мужчины, когда скажет ей, что так надо и именно в этом заключено ее послушание, разве усомнится она хоть на одно мгновение и посчитает такую любовь грехом? Разве не отдаст ему всю свою нежность, как уже отдала боль? Но он ничего не просил — он просто был. И она счастливо ждала своего часа, взволнованная, трепетная, чистая.

5

В конце весны Уля наткнулась в «Ниве» на очерк Легкобытова. Ставший военным корреспондентом шеломский охотник по обыкновению добросовестно и цепко описывал то, что видел в зимних Августовских лесах во время отступления русской армии из Польши, во Львове, в Галиции и на Карпатах, упоминал про шпионов и про дезертиров, сравнивал войну с родами и говорил о том, что война искажает природу, меняет поведение животных и птиц и природа за это уничтожение людям ответит. Легкобытов никого не пугал, он писал осторожно, почти акварельно, однако его негромкие слова так сильно на Улю подействовали, что странным образом она сама ощутила себя частью униженной, оскорбленной природы, за которую заступался Павел Матвеевич. Прежнее девичье любопытство ушло, и в Улиной душе сплелись два чувства: страх и острая зависимость, как если бы стрелявший в нее мужчина привязал или, точнее, приручил ее к себе, как шкодливую собаку, которой попал в бок солью. Так и у Ули болела, не заживала страшная рана.

Она, как и мачеха, хорошо помнила ту июльскую ночь: свое внезапное пробуждение, стволы деревьев, стога, лунный блеск над остожьем, счастливый легкий бег и две фигуры, идущие вдоль реки. Помнила женский вскрик и расширившиеся от ужаса глаза охотника, когда он нажал на спусковой крючок «зауэра». Она видела легкое, быстро рассеявшееся облачко дыма, видела горячую, мягкую пулю и совсем чуть-чуть не успела от нее увернуться, приняла в себя, потеряла равновесие, и с ней произошло то, чего она всю жизнь боялась, — она больно упала, да так и не смогла подняться.

Уля ни в чем не винила стрелявшего в нее, она была сама виновата, потеряла осторожность и слишком близко подошла к человеку, да, может быть, и не в нем было дело, а просто кончилось время, когда девочки скачут как козочки и охотник сделал то, что должен был сделать? Или же напрасно она выпрыгнула из лодки в утро своего несостоявшегося побега, и ей надо было плыть по Шеломи не с тем, с кем она хотела, а с тем, кто за ней пришел, и тогда не было бы ни ночного свидания мачехи с Легкобытовым, ни падающей луны, ни выстрела, ни лесного пожара, ни других переворошивших весь мир событий, и самой войны тоже не было бы. Да, несомненно, война произошла из-за какой-то нелепости: из-за убиенного немца, чье тело случайно зацепил их с Алешей перемет, из-за выпущенной по ошибке пули; из-за ее ночного бега по остожью близ Шеломи нарушилось хрупкое равновесие, в котором пребывало мироздание, — Уля почувствовала это таинственным органом, отвечавшим за ее ночные превращения и перемещения. Но мысль о том, что они двое — стрелок и его жертва — привели в движение громадный механизм смертоубийства, не вызывала в душе чувства вины только потому, что никакая душа вместить в себя эту вину не смогла б, и если додумывать эту мысль до конца, то и отец ушел на войну, а мачеха работала в госпитале лишь для того, чтобы ее вину искупить, хотя это было так же невозможно, как насыпать вручную гору.

Иногда она вынимала из шкатулки кусочек свинца, ужаливший ее в грудь, и перебирала его тонкими пальцами. Что было бы с ней, если б ружье оказалось чуть сильнее? Уля смотрела на аккуратный шрам на своей груди и думала: что находится там, за этими миллиметрами? Поджав под себя ноги, склонив голову, она часами недвижимо сидела на полу, касаясь рукою свинца, и, когда однажды ее взгляд встретился с отражением в зеркале, она поразилась тому, что сидящая напротив нее девушка похожа на ту, кого Уля никогда не видела, но всегда знала, чувствовала как свою сестру, — девочку, играющую в кости, из берлинского старого музея на улице под тенистыми липами, о которой очень давно рассказывал не отцу и не мачехе, а ей одной Павел Матвеевич Легкобытов. И чем больше Уля себя этой похищенной, проданной девочкой ощущала, тем сильнее тайна жизни и смерти ее влекла и мучил вопрос, почему нельзя изменить прошлое, почему нельзя вернуться назад во времени и что-то в нем подправить, почему всему хозяйка холодная, жестокая судьба, на посылках у которой ходят люди. Сами думают, что свободны и вольны в своих поступках, а на деле никакой свободы нет, есть только ниточки, за которые их дергают, и она эту нить, которая напряглась и больно дернула ее, ощутила и была за это наказана. Ей нужно было обязательно об этой нити с кем-нибудь поговорить, узнать, как ее ослабить, если уж нельзя освободиться, как договориться с судьбой, но не было рядом ни одной понимающей души. И Уля вспоминала, и воображала, и пыталась вызвать, сконцентрировать в сознании дорогие образы той поры, когда ничто ее не сковывало и не удерживало: террасу, высокий песчаный берег реки с ласточкиными гнездами, долгие зеленые закаты, падающие звезды в августе и заливные луга, над которыми проносились и кричали распуганные выстрелами птицы, Алешу, стога сена, свой летящий ночной бег в сторону озера и вдохновенное лицо того, кто этот бег зачем-то остановил.

Однажды она достала из отцовской библиотеки книги Легкобытова, и странное они произвели на нее впечатление. Покуда читала, было скучно и хотелось бросить, многое было непонятно, не хватало людей, разговоров, лиц, событий, но прошло немного времени, и легкобытовские фразы, картины, интонация, образы стали всплывать в ее памяти, и Уля тайно оказалась причастна тем местам, которые он описывал. Мягкая, точно стеснительная, деликатная и очень простодушная манера письма не просто не вязалась, а отрицала этого резкого, вспыльчивого человека, как если бы именно потому и казался он ей грубым и неприятным в жизни, что все самое нежное отдавал словам, а ему самому ничего не оставалось. Ах, какой это был замечательный писатель! Уля даже не подозревала, что кто-то способен чувствовать ее душу, изображать ее через движение ночного ветра, колебание листьев в свете поздней луны, через капли росы на паутине в утреннем сентябрьском лесу или течение лесного ручья, когда выпадет первый снег и черная вода прокладывает себе путь. Все это было Улино, родное, близкое, много раз пережитое и увиденное во снах, но неосознанное, томительное, и только этот человек смог найти слова, которые удостоверяли действительность жизни. Ей хотелось Павла Матвеевича немедленно увидеть, рассказать ему все о его книгах, произнести все то, что не сказала, не поняла, не увидела далекая женщина, которую охотник себе на беду встретил в Берлине у надгробия девочки, играющей в кости, и почему-то повлекся за этой женщиной, вместо того чтобы остаться с девочкой навсегда, однако Легкобытова в Петербурге не было, он по-прежнему где-то странствовал — то ли на войне, то ли со своей семьей, дрессировал собак и ходил на охоту, отмахивая по нескольку десятков километров, принося домой охотничьи трофеи, которыми спасались его домочадцы. Она попробовала завести разговор о писателе с мачехой, но Вера Константиновна, которая, казалось, была готова говорить с падчерицей о чем угодно, как-то испуганно, виновато, даже тупо замолчала, и они опять поссорились. А точнее, Уля опять на нее наорала так, что самой потом стало стыдно. Но как было не наорать на эту прикидывающуюся юродкой женщину?

Особенно острой тоска стала летом, когда они впервые не поехали в деревню. Уля томилась в душном городе и не знала, куда себя деть. Довоенная жизнь представлялась ей прекрасной, чудесной, вызывавшей острое сожаление, но сердце было так устроено, что стремилось вперед, и казалось, за каждым новым днем, как за изгибом лесной тропинки, откроется, мелькнет наконец река. Однако дни сменялись днями, и ничего не происходило, напротив, все дальше в глухой и сумрачный лес уводила дорога, и оказалось, что война — это не праздник, не ликование на площадях, не разноцветные рисунки на топографических картах, а тягость, скука, бедность и самоограничение; война — это то терпение, которому когда-то напрасно пыталась обучить маленькую девочку ее мачеха. И все чаще до Ули стали доходить разговоры о том, что Россия к затяжной войне не готова, что войскам не хватает оружия, снарядов и солдатских сапог и никакого Константинополя с проливами ее родине не видать.

Весной был расстрелян по обвинению в шпионаже полковник Мясоедов и отстранен от должности военный министр Сухомлинов, а немцы продолжали наступать, забирая на востоке все новые земли и увеличивая количество беженцев; в августе стало известно, что государь решил возглавить действующую армию вместо Улиного крестного — великого князя Николая Николаевича. Говорили, что все это происки каких-то врагов, в сентябре были внезапно удалены новый министр внутренних дел и обер-прокурор Синода. Город облетела громкая фраза про власть с хлыстом, а не под хлыстом, и все чаще называлась фамилия человека, загипнотизировавшего царский двор и навязывающего ему свою злую волю. Это из-за него происходили в стране все беды, он подталкивал царя к безумным решениям, менял министров и управлял церковью, о нем шушукались девочки в гимназии, говорили люди в очередях, и что-то неприличное, пугающее в его имени было, так что Уля заранее этого человека ненавидела, презирала, боялась и не понимала, почему никто не может с ним совладать.

Отец писал по-прежнему нечасто, скупо, не позволяя себе никакой нежности и житейских подробностей, и Уле его холодность, поначалу сильно обижавшая, а потом настораживавшая, вдруг сделалась понятной и близкой. Не девичьим, но женским умом, инстинктом взрослой дочери она понимала, что причиной всех его поступков было желание уйти, избрать войну как способ разрешения житейских проблем вплоть до самого крайнего. Она понимала теперь, почему, отправляясь на фронт, он попросил у нее прощения, и, не смея отца за его выбор осуждать, безотчетно от него отдалялась, примиряясь с тем, что он больше не вернется в их дом и не повторятся те часы, когда он ухаживал за ней после ранения, причиняя боль и вызывая чувство неловкости. Она вспоминала счастливые дни, когда он был таким же, как в пору ее детства, и сам, не доверяя врачам, лечил ее от простуды, с важностью закапывал в нос капли алоэ, ставил горчичники, заставлял ее съедать ложку жженого сахара с молоком, парил ноги в горячей воде с горчицей и таскал на закорках. Он казался ей тогда таким смешным в этой своей заботливости, что Уля представляла себя каким-то механизмом, который сломался и требует починки, но теперь все это было ей так же дорого, как детская память о матери, как лето на Шеломи, как синеглазый Алеша, и она согласилась бы на любую новую рану или болезнь, лишь бы отец вернулся и стал таким, каким был, до того как его похитила злая сила.

И как же скверно было жить в доме, где нет мужчины! Уля прежде об этом не задумывалась, но теперь физически чувствовала, как не хватает ей мужского запаха, голоса, беспорядка и шелеста газет. Как невыносимо проживание в одной квартире двух тоскующих женщин! Если бы они еще были одной крови, было б легче, но так это была не жизнь, а пытка какая-то. И, хотя мачеха бывала в доме мало, Уля все равно старалась подольше задержаться в гимназии, ходила к подругам, слонялась по улицам, а приходя домой, скорее ложилась спать и ждала снов.

Сны были ее единственной отрадой — яркие, плотные, осязаемые, которые она не просто видела, но в них жила, ощущала, носила их следы, запоминала, однако они никогда больше не переходили ни в бег, ни в полет. Однажды она словно наяву увидела преследовавший ее далекий день на Коломяжском ипподроме, толпу людей, аэропланы, летчиков, отца и того тощего человека, который пытался разбежаться и взлететь. Она хотела подбежать к нему, но какие-то люди держали ее за руку и не пускали. «Ты разобьешься, дурочка!» — говорили они, а она билась, кричала, но не могла вырваться, и, когда проснулась, слезы ее душили. Она снова чувствовала себя как в младенчестве и раннем детстве, словно какая-то сила привязала ее к невидимому шесту, и она ходит вокруг него кругами, бессмысленно, тяжко, бесцельно, как лошадь, качающая воду из глубокого колодца.

Уля с трудом вставала с кровати, медленно собиралась и приходила в гимназию с опухшими глазами, сталкиваясь с немым вопросом классной дамы: что с тобой?

— Оставьте меня, наконец, в покое! Что вам-то от меня нужно?! — срывалась она на крик, и классная дама отходила с такой кротостью и беззащитностью, что Уле становилось стыдно, словно она обидела калеку.

Но однажды Вера Константиновна нарушила затянувшееся молчание и вошла в падчерицыну комнату.

— Тебя хочет видеть один человек, — сказала она несмело, но очень твердо и с какой-то, как почудилось Уле, ревностью в голосе.

— Кто? — спросила девочка и, услыхав фамилию, переспросила: — Кто-кто? Да вы с ума сошли! Я не пойду к нему, никогда и ни за что не пойду! Вы меня за кого принимаете? Иль думаете, что если я вам не родная, так со мной теперь все можно?

Если бы она произнесла эти слова год назад, мачеха, скорее всего, наорала бы на нее, возможно, даже попыталась ударить, но теперь ничто не дрогнуло на лице сестры милосердия царскосельского госпиталя.

— Не надо так говорить. Ты ведь его совсем не знаешь. Он очень простой, верующий, близкий нам человек, который молится за Васю.

— Что вы все врете? Как он может молиться за того, кого не знает?

— Они знакомы, — ответила Вера Константиновна еще более уклончиво и убежденно. — И, если б не молитвы этого человека, Васи давно бы не было в живых.

— С чего вы взяли?

— Я знаю. Я никогда ни о чем тебя не просила, но в этот раз прошу очень. Нет у нас другого для твоего отца заступника.

— Нет, — отрезала Уля еще злее.

— Как знаешь, доченька, — кротко сказала мачеха и посмотрела на нее бесслезными глазами.

6

Павел Матвеевич Легкобытов не был в Вильне с той поры, как провел в самой первой молодости восемнадцать месяцев в виленской образцовой тюрьме, и воспоминания о ней были настолько тягостными, что охотник не знал, что с ними делать и как использовать, хотя именно тюрьма слепила его характер, как лепили заключенные шахматные фигурки из молока и хлебного мякиша, затвердевавшего так, что его потом не удавалось разломить. Там, куда двадцатитрехлетний Павлуша то ли по собственной глупости, то ли по злому навету попал, он поначалу не мог опомниться и вертел башкой, прогоняя от себя наваждение каменных стен старого францисканского монастыря и все надеясь, что они, эти стены, окажутся дурным сном, а потом впал в полудрему, подобно вытащенному из пруда карасю, который может жить без воды несколько суток. Павел Матвеевич с молодости отличался сверхъестественной живучестью и обладал свойством в зависимости от обстоятельств либо донельзя сужаться, либо расширяться, занимая собой все пространство. Так и тюремная сонливость его то пропадала, то возвращалась, заключенный вел себя примерно, а потом вдруг начинал страшно буйствовать, и его наказывали карцером по трое суток. Хотели наказать и построже, но тюремный доктор, поговорив с Легкобытовым с глазу на глаз, посоветовал оставить арестанта в покое, тем более цель — навсегда отвратить его от противузаконной деятельности — была достигнута и передостигнута, и сажать такого человека в карцер бессмысленно.

Сколько ни проходило лет, Павел Матвеевич не мог забыть того ощущения, что главное наказание для него заключалось не в телесных лишениях и ограничениях, но в навязчивой, сверлящей мозг мысли, что, покуда он находится в заточении, в мире происходит благорастворение воздухов, а он при сем не присутствует, не видит, не слышит, не осязает, и его охватывало такое отчаяние, что, выйдя на свободу, он поклялся отныне не проживать ни одного дня попусту. За полтора года тюрьмы, революционер по случаю, он сделался похожим на прижимистого хозяина, у которого всякая мелочь на счету и ни одна копейка даром не пропадает. Он научился жадно считать сначала каждый час, а потом и каждую минуту жизни, спрашивая себя, правильно или нет она прожита, и всякий миг казался ему драгоценным, точно жить осталось немного, и хотелось этими днями сполна воспользоваться. Легкобытов для того и альбом свой вел, чтобы жизнь утяжелить, уплотнить, запечатлеть, впитать ход времени, и теперь, идя по грязным улицам Вильны, с внутренней дрожью подбираясь к обокравшему его тюремному замку, охотник думал о том, что, если бы его снова по каким-то причинам сюда посадили, он не выдержал бы и дня и разбил бы голову, бросившись на каменные стены.

По случаю войны и близости линии фронта тюрьма была переоборудована: заключенных отправили во глубину империи, а в бывшем монастыре располагался временный госпиталь. Подъезжали телеги, привозили раненых, провиант, оборудование, и некогда веселый, мирный, пестрый, разноплеменный город на холмах сделался похож на муравейник, в который воткнули палку или наступили сапогом. Где-то раздавался хохот, где-то провозили гробы, все это существовало бок о бок и друг другу не мешало. Павлу Матвеевичу вспомнился его отец, застывшее в черном кожаном кресле тело, вспомнился ужас матери и ее голос: «Мы теперь бедные, мы разорены». Страх смерти, было оставивший его после разговора с отцом Эросом в первые дни войны, снова проник в душу, а в голове зазвучали ныряющие вниз и взлетающие наверх слова погребального канона: «Надгробное рыдание творяще песнь». Он не помнил, где и когда слышал их последний раз, должно быть, это было на могиле у матери. Могила была неухоженная, ему было неудобно перед священником, который хорошо знал его семью, он чувствовал себя виноватым в том, что редко здесь бывает и о матери почти не вспоминает, хотя никто на свете не любил его так бескорыстно, как она. Священник что-то говорил нравоучительное, утешительное, успокаивающее, примиряющее с этим зеленым холмиком, обещающее какую-то встречу и вечную жизнь. И в череде гладких, ровно скользивших мимо его сознания, обволакивающих и притупляющих боль и страх звуков, покуда он бездумно глядел на этот уютный холмик, на выросшую подле креста рябину, его странным образом поразили слова о том, что смерть — это приобретение. Он вопросительно поднял голову, но сельский батюшка уже пел свою утешительную песню дальше, и никто не мог ответить Павлу Легкобытову: что могла приобрести ушедшая от него женщина? Какое чувство, какое особое знание? Что можно было предложить ей взамен земного воздуха, воды, света, родных детей? Неужели было что-то лучшее, более достойное? Но он вдруг понял одну важную вещь: люди, уходящие туда, знают тайну смерти, они знают, когда к ним придут те, по кому они тоскуют, и его мать, лежащая под этой толщей земли, знает день и час, когда умрет ее сын, так и не убив мысленного волка.

Но какой мысленный волк, откуда, зачем? Нет никакого волка, все это выдумка, фикция, мираж, плод больного воспаленного воображения. Есть только волки обычные, нападающие в лесах на тяжело раненных войною людей, и им, этим волкам, неважно, кто перед ними — русские или немцы. Природа равнодушна, как равнодушна смерть, и никакого приобретения в ней нету. А есть только зло. Смерть ходит за ним по пятам, смерть и есть мысленный волк, и это не мы за ней, но она за нами охотится. Он не знал, откуда ждать ее нападения, но чувствовал, что жизнь сделалась похожей на движение по последнему льду бескрайнего озера. Он давно сделался рыхлым, этот лед, подтаял и в иных местах истончился до такой степени, что в любую минуту мог провалиться под его ногами. И тысячи людей, окружавших Павла Матвеевича, — военных, штатских, молодых, старых, смелых, трусливых, — все они, растянувшись цепью, шли по этому рыхлому льду. Кто-то был тяжелее, кто-то легче, но эта тяжесть зависела не от веса, а от чего-то другого, чего человек знать не мог. И Павел Матвеевич, которому казалось, что он все про себя знает, этого тоже не ведал. Может быть, и он был уже взвешен и найден... «Пусть, — возразил Легкобытов своим мыслям, — пусть так, пусть взвешен, главное, чтобы остались, чтоб уцелели мои тетрадки. Придет, появится тот, кто их прочтет и оценит. Бессмысленный, бесчеловечный писатель. Сами вы бессмысленные, сами бесчеловечные, сами вы смерти служите и ее призываете, а я — жизни, для жизни работаю и до последнего вздоха ей верен буду, как буду верен душою тебе, моя любовь. Ах, если бы ты могла меня услышать, если бы могла отозваться, дать мне какой-то знак. Но ты не слышишь — не можешь или не хочешь слышать меня. Но почему? Ты ведь где-то рядом, я знаю».

Он сам не заметил, как оказался на окраине старого города возле публичного дома, который некогда разгромил и полтора года замаливал за то грехи перед святым Франциском. Погром пошел веселому заведению на пользу. Вильна всегда славилась лупанариями, но теперь это были уже не скромный дом терпимости и не улица, а целый квартал, по которому прогуливались женщины разных возрастов. Время от времени к ним подходили мужчины и уводили, а вернее уводились ими, в один из нарядных домов с плотно занавешенными окнами. Павел Матвеевич по-юношески покраснел и ускорил шаг, стремясь быстрее пройти искусительное место, как вдруг одна из женщин — уже немолодая, но еще очень красивая, в аккуратной шляпке с вуалькой и с букетом поздних синих цветов в руках — подошла к писателю и взяла его под локоть.

Она сделала это так естественно и просто, как если бы они были давно знакомы. Он искоса оглядел ее: женщина была одета недорого, но изящно, и он недоумевал, нужда, горе или другая причина выгнали ее на панель. На несчастное, забитое, невежественное женское существо, какое он увидел в отрочестве в Елице и на всю юность испугался, она никак не походила.

На узкой, извилистой улице женщина прижалась к своему случайному спутнику, а потом посмотрела на него, пытаясь придать глазам вызывающее выражение, но он почувствовал, что она стыдится, и оттого ему самому сделалось совестно и горячо, словно он был пятнадцатилетним нетерпеливым мальчиком. Он попробовал освободиться от нее, но женщина заговорила, и он вздрогнул: голос показался ему знакомым. Павлу Матвеевичу почудилось, будто это была его постаревшая берлинская любовь — та самая невероятно стыдливая, гордая дама, его Лаура, с которой он почему-то разминулся, и она прожила отдельно от него часть жизни, но он постоянно о ней думал, мысленно ее призывал, чувствовал ее, и вот наконец они повстречались в обстоятельствах странных и необычайных. Чем дальше они шли вверх по улице, тем вернее он ее узнавал — по манере двигаться, по особому наклону головы, вздрагивающим плечам, по тем неуловимым признакам женской природы, которые открываются лишь любящему, тоскующему сердцу, — и в душе у него нарастало смятение.

Легкобытов хотел прямо обо всем спросить, но женщина прижала палец к губам и покачала головой. «Она или не она, догадывается или нет? — думал он лихорадочно. — И как странно встретить ее здесь. Бред, сон... А впрочем, ничего странного и нет. Наверное, такие чистые, полные собственного достоинства дамы и бросаются в чан. Как она там сказала? Женщина, которую заставили намеренно страдать... А ее и вправду заставили».

Никогда бы он не поверил, что мечта его жизни исполнится здесь, в эту минуту, и исполнится так странно. В памяти всплыли чьи-то обидные слова о том, что у него не было других женщин, кроме Пелагеи, и охотник подумал, что вот ему выпал случай их опровергнуть, догнать и изменить свое прошлое. «Неужели я ради этого должен был сюда приехать? Как невероятно и как мудро все устроено. Милая моя, милая, чистое, безгрешное создание, как виноват я перед тобой. Это из-за меня и только из-за меня с тобой все случилось, но теперь все будет иначе...» — шептал он, пьянея от ее близости.

Навстречу им попалась инвалидная коляска, и Павел Матвеевич узнал знаменитого виленского гадальщика Мойшу Эпштейна. Этого Мойшу возили по городу много лет — старого, сморщенного еврея со слезящимися глазами и бородавкой на шее. Он гаданием зарабатывал себе на хлеб, был, по слухам, необыкновенно богат, и когда-то именно он нагадал молодому студенту Павлу Легкобытову год тюрьмы. Мойша не сильно изменился — изменилась женщина, которая его возила, она одряхлела, высохла, а он по-прежнему сидел в своем креслице, розовощекий, ухоженный старичок, от которого всегда вкусно пахло, глядевший то ли на мир, то ли внутрь себя, и Павел Матвеевич вздрогнул, испугавшись, что Мойша узнает его и снова напророчит ужасное. Он хотел было спрятаться, но калека равнодушно скользнул по нему глазами, а потом задержал взгляд на его спутнице. В следующее мгновение женщина отстранилась от Легкобытова и быстро пошла по тротуару одна, точно получила какой-то знак. Павел Матвеевич хотел броситься следом, но зацепился за коляску, упал, а когда поднялся, то увидел свою Лауру рядом с высоким пехотным офицером, к которому она прижималась так же нежно, как только что прижималась к нему.

Охотника пронзила не ревность, не сожаление, а то мучительное ощущение потери, пустоты и опоздания, которое всю жизнь его преследовало после неудачного выстрела. Он хотел вырвать у пехотного штабс-капитана свою добычу, но она даже не отвернулась, а посмотрела на него такими безучастными глазами, что он отступил, потупился, смутился и не понял, что за умопомрачение на него нашло: ничего похожего на его берлинскую любовь в этой женщине не было — обычная еще не слишком истрепанная проститутка, полностью зависящая от своей мадам или от сутенера.

Меж тем народу на улице — и мужчин в военной форме, и женщин в ярких платьях — становилось все больше, но внешне отношения между ними напоминали не преддверие дома терпимости, а какое-то странное действо, более похожее на маскарад или таинственный ритуал, согласно которому одних приглашали, других нет. Когда бы не абсурдность подобного предположения, можно было бы подумать, что в роли посетителей здесь выступали женщины, но, прислонившись к стене и наблюдая за прогуливающимися по улице людьми, Павел Матвеевич внезапно догадался, в чем дело. Эти мужчины будут скоро убиты, и каждая из дам, которая их выбирает, станет последней либо для этого молоденького прапорщика, либо для того пожилого полковника, либо для двух вольноопределяющихся. А женщины не телом торговали, но были связаны с его прежними мыслями о тайном знании мертвых. Они подносили воинам последнее утешение и напоминали каждому из них ту, кто была им всего дороже, — жену, невесту, любовницу или же просто случайно мелькнувшее в толпе либо привидевшееся во сне и ставшее необыкновенно милым лицо. И та, что взяла его под руку, оттого была похожа на его возлюбленную, что обещала напоследок не сбывшееся в жизни, а потом распознала с помощью Мойши ошибку: Легкобытову предстояло еще жить. Он понял в эту минуту, получил от нее знак, ответ на мучивший его последние месяцы вопрос: сколько ему осталось и не появится ли снова в его жизни старец Фома, не отменит ли отсрочку, угаданную другим жрецом — отцом Эросом, и не назначит ли новый роковой день. Не выскочит, не назначит, не отменит, много тебе осталось, говорили ее сердитые глаза, тебе много, ты легок и будет тебе по фамилии твоей, а вот этим, другим, тяжелым, жить всего ничего, и поэтому они лучше тебя, достойнее, благородней, как всякий, кто скоро умрет, по сравнению с тем, кто остается жить.

Павел Матвеевич был не один обманут: нескольких человек на его глазах женщины оставляли в смятении и слезах, а с другими, ликующими, удалялись, и избранные не понимали своего несчастья, а брошенные — счастья. «Согласился ли бы я пойти с ней, если бы завтра меня не стало? Да, согласился б, — сказал он и посмотрел в тусклые, безразличные очи Мойши, который режиссировал этот спектакль. — Я бы все отдал за то, чтобы ее увидеть и быть с ней». На глаза у него навернулись слезы; воспоминания юности, такие острые, точно все случилось только вчера, обновились в его сердце, и Легкобытов прошептал: «Я не знаю, ты это или не ты, мое воображение или соблазн, но если это не ты, то откуда тебе известно, какой была та единственная, кого я любил и буду любить? Я никому не назову ее имени, я не раскрою ее тайны и не расскажу всей правды, я только прошу, чтобы она мне встретилась, дала знак, где она, что с ней? Я знаю, что ничем не смогу искупить свою вину перед ней и меня будет мучить это воспоминание, но я хочу ее увидеть».

И долго он бродил по неровному городу, потерянно заглядывал в женские лица, но странное дело: сколько ни пытался найти улицу греха, она больше не попадалась ему и никто из прохожих не знал, где такая улица находится и о чем он спрашивает. А когда спросил про гадальщика Мойшу Эпштейна, на него посмотрели подозрительно и ответили, что Мойша умер три года назад и похоронен на старом еврейском кладбище, где всякий укажет его могилу.

7

Легкобытов приехал в Вильну не только для того, чтобы написать военный очерк для «Русского времени», пуститься в тревожные воспоминания о далеких днях мятежной юности или предаться мистическим переживаниям времени настоящего. С началом войны, вернее, с ее продолжением, когда по всей России бабы стали подрабатывать шитьем стеганых солдатских штанов, Пелагея переменилась, как невозможно было и предположить. Ни на какую барыню она больше не походила, и всю ее спесь и гордость смыло животным страхом.

— Его заберут. Его возьмут в армию и убьют, — твердила она.

— Да никуда его не заберут! — сердился охотник. — К тому времени, когда ему в рекруты идти, война закончится.

— Не закончится, — говорила она обреченно.

— А я тебе говорю, закончится, замирятся с немцем, потому что нечего нам с ним делить, и к весне вернутся мужики домой. Пойми ты, баба неразумная, — втолковывал Павел Матвеевич жене, говоря нарочито доступно, хотя с большим успехом он мог бы попытаться убедить в своей правоте лошадь или обломки германского велосипеда, снесенные в чужой сарай. — Какие бы там дураки наверху ни сидели, они того не могут не понимать, что нельзя русскому мужику долго воевать. Наполеона за сколько побили? За полгода. Так и с немцем. Раз не сумели за год победить, все — шабаш, мир давай. Или тут такое начнется, что ни с каким немцем не сравнится.

Но настала весна, в обезлюдевшей деревне вышли пахать бабы, старики и подростки, все больше похоронных известий приходило в крестьянские дома, и однажды ночью Легкобытов проснулся от странного шороха. Пелагея с топором в руках стояла над сыном.

— Ты что делаешь?

— Пальцы, пальцы ему отрублю, — шептала она.

— Брось топор!

— Был бы он твой кровный сын, ты бы так не говорил. У тебя бы сердце болело, бесчувственный, холодный ты человек. У тебя одни книжки на уме да люди дальние, а ближних ты и не видишь и не видел никогда, — сказала Пелагея и заплакала жалобно и бессильно. — Ну прости меня, прости, бабу глупую. Сама не знаю, что говорю, помешалась от горя. Уведи его в лес, Павлуша, спрячь где-нибудь, ты же здесь все ходы и выходы знаешь. Выкопайте землянку за болотами, туда никто не пройдет, а я буду ему еду носить. Сделай так, вспомни, сколько ты от меня добра видел, — ластилась она к нему, и он не знал, что с этой бабой делать и как угомонить ее, но одно понимал — в покое она его не оставит.

— Моих бы детей так любила, — пробурчал он, однако дальше случилось то, чего ни Легкобытов, ни Пелагея не ожидали: однажды Алеша сам исчез из дома. Ушел, не сказав никому ни слова, не оставив никакой записки и не взяв ничего, кроме ружья из взломанного оружейного ящика.

«Зауэра» Легкобытову было жаль безумно, но странным образом сюжет о молодом человеке, который, не желая идти на войну, отправляется в далекие леса, где звери и птицы еще не распуганы выстрелами, и живет лесным робинзоном среди дикой роскошной природы, его захватил, и захотелось отложить никак не выходивший роман и начать писать другую историю, писать стремительно, быстро, так, чтобы рука не успевала за словом, а слово за мыслью, как бывало с ним во дни первой молодости. Он уже видел своего юного героя, скрывающегося от людей и пробирающегося глухими звериными тропами в край, в котором нет людского безумия.

И сотой доли правды не смог сказать Павел Матвеевич о том ужасе, что вызвала у него война, лишь робко, осторожно, исподволь давал он понять самым проницательным своим читателям, что мир людей неизлечимо болен и война есть самое ужасное проявление этой болезни, а все те, кто эту войну призывают и благословляют, суть безумцы и тати. Но не в том была его писательская задача, чтобы обличать зло и скудоумие — это дело нехитрое, это всякий сможет, — Павлу Матвеевичу Легкобытову надобно было не отрицать, но утверждать и показать гармоничную жизнь обрученного с природой человека.

Молодой беглец как никто на эту идеальную роль годился. Охотник теперь совсем по-иному воспринимал Алешу, нежели рассказывал о нем Ульяне Комиссаровой на берегу пересыхающей Шеломи в последнее предвоенное лето. Он больше не презирал своего пасынка, убедившись в том, что уроки природной жизни, выживания в лесу, терпения, бесчувствия тела пойдут ему на пользу и Алеша не пропадет там и тогда, где другой человек пропал бы. А этот найдет себе пропитание, устроит дом, добудет одежду и переможет суровое время, как терпеливый умный зверь переживает зиму, что и станет главным сюжетом наступающего русского времени — как его выдержать, как перетерпеть и не сгинуть, как дождаться весны, света и тепла и не дать принести себя в жертву войне.

Однако и здесь все пошло совсем не так, как мысленно жизнестроил Павел Матвеевич. Покуда Пелагея с утра до ночи разговаривала с иконами, запуская хозяйство, а Легкобытов вожделенно и хищно примеривался к своему замыслу и его подробностям, в Высокие Горбунки въехал автомобиль, каких в селе никто сроду не видал и не подозревал, что подобные самодвижущиеся телеги на свете бывают. Даже одержавшие победу над вражеским велосипедом беспородные псы не залаяли, а лишь онемели от необыкновенного явления и поджали хвосты, провожая преданными глазами серую машину, которая проехала по пыльной улице и остановилась у легкобытовского дома. Распахнулась дверца, и следом за молодым недовольным адъютантом из авто вылез человек в штанах с лампасами, но такого маленького роста и щуплого телосложения, что было непонятно, для чего тратить большое механическое устройство на хилое тельце.

Пелагея с помертвелыми от ужаса глазами наблюдала за гостями, Павел Матвеевич затеребил бороду, готовясь к недоброму разговору, но генерал подошел к хозяйке, ловко ей поклонился и чувствительным голосом поблагодарил за сына-охотника.

— Какова-такова охотника? — только и вымолвила Пелагея, сбитая с толку хорошо знакомым ей словом, и на лице у нее появилась глупая, бессмысленная улыбка.

— Что за чудо наш русский народ, — поворотился за пониманием и поддержкой маленький генерал к Легкобытову и поклонился также и ему, сразу же признав в насторожившемся бородаче известного писателя и этнографа. — Сынок ваш, уважаемая, по своей охоте явился на сборный пункт, дабы выполнить свой патриотический долг, и, невзирая на малый возраст, получил назначение в пехотный полк, — разъяснил военный человек — улыбка не сходила с его гладкого, бесхитростного лица, а круглые карие глаза трогательно увлажнились. — Так что примите, мамаша, от лица командования и от меня лично...

Договорить он не успел, поскольку мамаша сползла к ногам адъютанта.

«Какой, к черту, долг? Просто пострелять мальчишке захотелось, — подумал Павел Матвеевич с досадой, выходя с Караем на берег реки. — Надо было дать ему раньше ружье, остался бы дома. Моя вина».

— Найди его, Матвеич, что хочешь проси. Уходи потом куда хочешь, отпущу тебя, насовсем отпущу, но прежде верни мне его. Найди его, Христа ради, и верни. Нельзя мальчишек на войну посылать. А если он тебе не нужен, так хоть ради ружья своего проклятого его найди.

«Совсем старуха стала, — думал он, с неудовольствием глядя на опухшую от слез женщину. — Небось меня б забрали, так бы не убивалась».

— Хочет воевать парень — пусть воюет, — сказал он жестко. — А я и сам от тебя уйду, когда время придет. И спрашивать не стану.

— Сам уйдешь — пожалеешь, — прошептала она бессильно.

...Это была совсем не та армия, которую Легкобытов видел год назад. Весеннее и летнее отступление дорого ей обошлись. Раненые солдаты на деревенских подводах, грязь, соломенные матрацы в госпиталях, вши, беженцы, горящие нивы и интендантские склады, чтоб ничего не досталось врагу, бестолковщина, воровство, слухи об изменах и предательстве, шпиономания, но главное — изменился дух. Никто уже не верил ни в скорую победу, ни в собственную силу — немцев боялись и толковали о том, что с ними надобно замириться, покуда они не дошли до Петрограда.

«Когда-то они меня спасли, — подумал Легкобытов о врагах своего народа. — Глупого, никчемного недоросля образовали, обучили, нажились на мне, но и дали мне свою пользу, которой я кое-как сумел распорядиться. А теперь идут войной и хотят уничтожить... Меня, мою семью, моего пасынка, мои книги. Для чего? Что они будут делать с этим пространством, с этим диким, темным народом, который невозможно ни обучить, ни воспитать, ни уничтожить? А ведь это тоже все Нитщ. Когда бы не сумасшедший философ, они бы не посмели вторгнуться в нашу землю. Нитщ дал им право, переступил... Глупый, больной, несчастный подросток, испугавшийся человечьей природы и решивший придумать новую. Нитщ, Нитщ, что ж ты наделал и почему столько людей тебя послушалось? Ты тосковал по России, ты стремился в нее, но не доверял ей, боялся, что она отторгнет тебя, и пришел в нее не как смиренный влюбленный, но как трусливый насильник и опозорил и себя, и свою жертву».

До поезда на Ново-Свенцяны, куда направлялся Павел Матвеевич в поисках Алеши, оставалось больше часа. У вагона санитарного поезда беспомощно металась молоденькая медсестра с красными от бессонницы глазами. Раненые солдаты просили у нее пить, а она не могла дать им воду, потому что не было посуды. Сестра побежала к начальнику станции.

— Не могу, барышня, не могу, у меня посуда вся занумерована. Пропадет — кто отвечать будет? Я под полевой суд из-за этого не пойду.

Сутулый священник бросился ему наперерез:

— А под Страшный суд пойти не боишься? — Он полез под рясу и вытащил оттуда кошелек. — Вот, купите посуды, сестрица. И еще распорядитесь — хлеба, мяса, овощей раненым.

Священник обернулся, и Павел Матвеевич узнал отца Мирослава, которого иногда встречал в Петербурге на заседаниях Религиозно-философского клуба.

— Как хорошо, что вы приехали, как хорошо! — заговорил отец Мирослав горячо, и Легкобытов удивился тому, что обыкновенно молчаливый иерей может быть таким говорливым. — О войне надо больше писать. Вот про таких чиновников, про бездушие, воровство, про измену. В Петербурге никто ведь ничего не знает. Сочиняют розовые рассказики о храбрых казаках в «Ниву», про подвиги, про героизм. Сестры милосердия у них все в чистых платьях, офицеры благородны, солдаты преданны, студенты побросали университеты и ушли охотниками на войну. А здесь читают и смеются. Здесь ничему и никому не верят. Да, правду о войне сказать никто не желает. Боятся, не умеют, не знают... Да и то сказать, горькая правда выходит. В прошлом году, когда заняли Галицию, потянулись к нам православные галичане, встречали нас как родных — столько лет под австрийским игом... Мы их обнадежили: кончилось ваше пленение, будете отныне открыто веру исповедовать, а когда в мае Перемышль сдали — что с ними делать было? Если дома останутся — перестреляют их австрияки. Пришлось с собой забирать. А ведь это тысячи людей — женщины, дети, старики, представьте себе этот табор: кто-то умирает, кто-то рожает, а еще пить-есть, кормить скот надо. Местные крестьяне их на свои поля не пускают. Лето, жара, мухи, холера среди них началась, сколько померло... И кто за это ответит? — Он вздохнул и привычным движением скрутил папироску. — Уже который месяц отступаем. Варшаву оставили, Ковно оставили, Ново-Георгиевск, Брест-Литовск, и все это меньше чем за месяц. Вот-вот Вильну сдадим.

— Ну уж этому-то не бывать, — сказал Павел Матвеевич жестко: представить, что его возлюбленная станет ходить с немецкими офицерами, а то и солдатами, было еще мучительней, чем видеть ее со своими.

— Не бывать? — вздохнул священник. — Я ведь знаете зачем сюда приехал? Святыню вывозить — мощи мучеников виленских Антония, Иоанна и Евстафия. А раз так — не удержим город. Без мучеников не будет на то Божьей воли.

«Поп, а хуже интеллигента, — неприязненно подумал Павел Матвеевич. — И при чем тут какие-то мученики?»

— Ведь вот какое дело, — продолжал рассуждать отец Мирослав, — немцев по количеству нигде не больше наших, а они нас бьют. А почему? Потому что у них не в пример все лучше налажено. Я разговаривал с одним из наших штабных. Оказывается, они из немецких газет больше правды узнают, чем из своих донесений. Три дня назад на станции Молодечно двухтысячная толпа наших солдат обезоружила и избила охрану винного склада. Так перепились, что усмирять их пришлось залповым огнем. А по тылам ходят тысячи вооруженных дезертиров, тысячи! Устраивают беспорядки, даже боевые офицеры их боятся. Немцев не боятся, а от этих бегут. Что с такими прикажете делать?

— Под трибунал отдать, — буркнул писатель.

— Жалко ведь своих отдавать. Они же чьи-то отцы. Или, наоборот, дети. Как по живому-то резать? А помните, как все начиналось? Сколько было восторгов, надежд, упований? А помните добровольцев? — произнес отец Мирослав мечтательно. — Эти замечательные русские лица, этот порыв? Освободить Константинополь, Святую Софию — разве это было не прекрасно? Разве не переживали мы тогда радости, гордости за свое Отечество? А сейчас сгоняют силой бородатых угрюмых мужиков, которые воевать не умеют, не хотят, а только мешают. Думают лишь про свои наделы, как бы уцелеть да поскорее вернуться домой. На десять солдат по пять

винтовок. В полках неделями не видят старших начальников, связь с ними в лучшем случае по телефону, а то
и вовсе никакой связи нет. Вот извольте знать: неделю
назад отправили к линии фронта ползунов. Надо было
ночью отправлять, а отправили днем, они все под пулями и погибли, кроме одного хлопчика.

Павел Матвеевич, доселе слушавший донесения отца
Мирослава рассеянно, вздрогнул и уцепился за него
взглядом:

— Какого хлопчика?

— Старательный такой хлопчик, ловкий, умелый,
стреляет отлично. Охотник. С собственным оружием
пришел.

— С «зауэром»? — даже не спросил, а утвердил Павел
Матвеевич и лязгнул изъеденными кариесом зубами.

— Не знаю, я в оружии не шибко разбираюсь, но
как-то все посмеялись над его ружьем. А он так ловко
им немцев срезал и радовался как ребенок. Мне даже
как-то жутковато становилось. Одно дело, когда взрос-
лые мужики немчуру бьют, а другое дело — этот ангело-
чек ликующий. Я еще, помню, спросил его: ты зачем,
малый, из дому убежал? С отцом-матерью не жилось?
Ну, думаю, сейчас начнет про патриотизм, про царя мне
рассказывать. Мне встречались такие молодые люди,
правда, больше из студентов. А этот знаете что мне ответил?

— Что? — подался вперед Легкобытов.

— Война — это мой личный шанс.

— То есть как это?

— Вот и я его о том же самом спросил. А он: я, говорит, подвиг совершу, и меня в офицеры произведут.
Я ему: для чего тебе в офицеры? А он отвечает: не хочу
мужиком быть.

— Как-как? — изумился Павел Матвеевич.

— Да, вот представьте себе. Такие нынче пошли молодые крестьяне. Я еще подумал тогда — что с Россией станется, если все мужики в господа подадутся?

— А потом что с ним сталось? — спросил писатель так осторожно, точно боялся вспугнуть дичь.

— А потом он затосковал, стал плакать по ночам, жаловаться, к матери проситься, с ним и не знали, что делать. Отвернется ото всех и скулит, как собачка, которую хозяин бросил. Вот и говорите потом, что надо всех дезертиров под трибунал отдавать.

— Что еще? — вскрикнул Павел Матвеевич.

— Раз пошли наши разведчики на ту сторону и перехватили этого героя у самых немецких окопов. Перебежать, видать, хотел, да не успел чуть-чуть. Добро бы еще к нам тыл побежал, так нет же — к немцам.

— Так что же он, арестован теперь? — Легкобытов старался говорить так, чтобы голос его не выдал, но получалось у него неважно, однако отец Мирослав ничего не замечал или делал вид, что не замечает.

— Должны были арестовать, да сжалился над ним один прапорщик. Взял к себе на перевоспитание.

— Какой прапорщик?

— А вот это очень странный, скажу вам, человек, — прошептал священник. — Он, по-моему, сюда кем-то подослан...

8

Квартира на Гороховой улице Улю поразила. Необычное началось уже тогда, когда они только подходили к дому. Машины, кареты стояли возле обыкновенного доходного петербургского дома, как перед вокзалом. Люди, бедно и богато одетые, чиновники, офицеры, крестьяне, много женщин, иные в траурных платьях, студенты, курсистки, беженцы, евреи, поляки, монашки, сестры милосердия, священники. Кто-то стоял во дворе, другие толпились на лестнице. Ожидание, смущение, волнение, но больше всего терпение. Уля вспомнила, как в гимназии им рассказывали про засуху в Африке, когда к водопою приходят тигры, слоны, антилопы, шакалы, зебры и никакая тварь другую не трогает. Нечто похожее было и здесь. У окна стояли двое мужчин. Они бесцеремонно осматривали всех поднимавшихся, иных останавливали, других пропускали, ни о чем не спрашивая. На Веру Константиновну посмотрели с презрением, на Улю с жалостью. Уля вспыхнула, но отступать было поздно. Высокая сухая женщина с белыми глазами уже открывала им дверь.

— Вы куда? — спросила неприязненно.

— Нам назначено... От Анны Александровны был телефон... сам пожелал видеть... — донесся до Ули невнятный шелест несмелых мачехиных слов — тут все говорили приниженно и тихо, как если б были заранее в чем-то виноваты.

Женщина недовольно посторонилась и пропустила их вглубь квартиры, в приемную комнату с желтыми обоями и большим тусклым зеркалом. Здесь тоже толпился народ, и ощущение сбора зверей на водопое усилилось, однако оттого, что никакой жажды сама она не испытывала, Уле еще больше захотелось уйти. Если б она могла, то взлетела б в эту минуту, улетучилась бы через форточку, только и форточки все были закрыты: боялись сквозняков.

Ожидали хозяина. Вера Константиновна была напряжена, и это чувство передавалось Уле. Она бросила взгляд в зеркало и не узнала саму себя. Худенькая девушка с воспаленными щеками, темными, с расширенными зрачками глазами и светлыми, вьющимися волосами никак не могла быть гимназисткой Ульяной Комиссаровой. Это была девственная христианская отроковица из древних сказаний, приведенная на позор и унижение. В Улиной голове пронеслись обрывки бессвязных мыслей, вспомнился Легкобытов с его рассказами про сектантского вождя, фамилию которого она забыла, но непонятную ей фразу про половые мерзости запомнила. И все находившиеся в этом помещении люди показались ей в этот миг будущими жертвами этих мерзостей. «Надо было взять с собой что-нибудь, хотя бы кухонный нож. И как я только не догадалась?» — запоздало подумала Уля, и глаза у нее увлажнились от досады.

Она встала так, чтобы поглядеть на пришедших, только не прямо, а через заколдованное стекло. Народу в приемной было человек двадцать, люди тихо переговаривались, в углу слышалась французская речь, и среди этих разных, пестрых просителей Уле бросилась в глаза со вкусом одетая дама с заплаканными глазами, выражение которых никак не вязалось с ее строгим, скорбным лицом. Казалось, такая дама не должна ни плакать вообще, ни приходить в этот неприличный дом, и она это понимала, стыдилась, ни на кого не смотрела, хотя и близоруких глаз не прятала. Она была очень напряжена и выглядела так, словно решилась на что-то ужасное, руки у нее дрожали и судорожно держались за сумочку. «А вот она, кажется, догадалась. Ага, сейчас здесь будет история, — подумала Уля хищно. — Интересно, я где-то ее видела. Хотя она порядочно переменилась».

Ожидание затянулось, из глубины квартиры доносились невнятные звуки, что-то упало и покатилось по полу, потом дверь распахнулась, вышла крупная дама с лицом, покрытым вуалью, и, ни на кого не глядя, быстро прошла к двери, а следом за ней высокий худой человек в шелковых шароварах, заправленных в лаковые сапоги, в длинной русской рубашке и поддевке, легко и неслышно, по-охотничьи ступая на передки ног, возник в гостиной. Его большой лоб закрывали волосы, выступал вперед весь в оспинках нос, большие глаза неопределенного цвета утопали в некрасивом, но по-своему притягательном лице, поперек нижней губы проходила небольшая трещинка, а дальше все терялось в густой, свалявшейся бороде. Всё тотчас пришло в движение и волнение, кто-то бросился к нему за благословением, началась сутолока, поднялась как ветер негромкая брань.

— Ну-ка тихо! — рявкнула белоглазая смотрительница. — Отец наш сам выберет, с кем и когда ему говорить.

Он подходил к каждому, внимательно выслушивал, что-то негромко советовал, утешал, иногда бранился, но не зло, и на крестьянина похож не был.

«Доктор, — вспомнила больницу в Польцах Уля. — Сейчас начнет всех раздевать».

— Ты зачем сюда пришла? Чудес тебе надобно? — спрашивал он у полной, восторженной мещанки лет сорока. — Каких чудес? У тебя детей сколько?

— Пятеро.

— Ну и какие тебе еще нужны чудеса? Иди и воспитывай своих детей. Вот, возьми им от меня, купи им гостинец. А тебе что, батюшка? — повернулся он к провинциальному священнику, смотревшему на него преданными глазами. — Приход получить желаешь? А кто у вас там владыка? Ох, батюшка, ежели ты скажешь Антонию, что от меня пришел, тебе не то что прихода — за штат сошлют или в монастырь отправят на покаяние. Так что не взыщи, отец. Служи где служишь и не ропщи. Ну а тебе что, девица? Али ты не девица уже?

Нарядная молоденькая дама, чуть старше Улиных лет, но одетая по-взрослому, старалась придать своему лицу выражение почтительное, но глаза с прыгающими узкими зрачками ее выдавали.

— Я пришла за благословением к святому человеку и за советом в одном трудном деле, — начала она кротким голосом. — Но обстоятельства мои очень личные, и я бы хотела...

— Замужем?

— Что?

— Ты, спрашиваю, замужем?

— Да.

— Давно?

— Год.

— И мужа своего любишь?

— Лю...

— Погодь, — перебил он ее. — Вот в прошлом году один монах в Тихвине угощал меня чаем. И тоже все святым называл. А у самого под столом бутылка водки была. Я ему: что ж ты меня святым называешь, о помощи просишь, а у самого водка под столом? А? Не понимаешь?! — закричал он вдруг, так что задрожали оконные стекла. — Не понимаешь, что я говорю? Все ты понимаешь, курва, — произнес с брезгливостью. — Ты куда отсюда идти собралась? А? К кому? Хорошо хоть покраснела. Забудь о нем. Домой возвращайся, к мужу своему, и выкинь все дурные мысли из головы.

— За что он с ней так? — шепотом спросила Уля у Веры Константиновны.

— Не знаю, — ответила мачеха, покраснев еще сильнее, чем спешно уходящая молодая дама.

Дошла очередь до женщины с заплаканными глазами. Она стояла бледная, отрешенная от всего и походила не на убийцу, а на жертву. Уля замерла, но все равно не услышала, что говорит женщина, однако кожей почувствовала ее страдание и стыд. Казалось, еще чуть-чуть — и она лишится чувств, это было какое-то странное преображение, преобразование воли в безволие, силы в слабость и хрупкость, она что-то рассказывала не отчаянно, а монотонно, скучно, безо всякой надежды, жаловалась, ничего не прося, и тут хозяин, быстро и как-то по-звериному обернувшись, скользнув по всем, кто был в помещении, и, моментально все лица перебрав, выхватил солидного господина с глазами навыкате:

— У тебя есть деньги? Дай их мне.

Взял не считая, передал заплаканной даме и мягко сказал:

— Возьми и не отчаивайся. И никогда не спрашивай, зачем Господь скорби посылает. Через них только и спасаемся.

Дама посмотрела на него со странным выражением, в котором непонятно чего было больше — благодарности, растерянности или недоумения, она хотела что-то еще спросить, и Уле даже показалось, что она догадывается о чем; об этом догадывались все, находившиеся в комнате, и дама это чувствовала и страдала еще сильнее, но он обнял ее за плечи и повел к входной двери. Прежде чем уйти, она порывисто припала к его руке.

— Ну-ну. Чего еще выдумала? Ступай с Богом. А то, что в сумочке у тебя, выбрось. Меня, что ль, убить поспешила, глупая?

— Себя.

— Еще глупей.

Потом сел за стол, взял перо и, неуклюже обхватив его жесткими пальцами, наклонив голову, медленно, старательно начеркал несколько неровных слов на листке бумаги и протянул солидному господину, все это время не сводившему с него глаз.

— На, читай!

— «Милай дарагой прими ево харошый парень грегорий», — послушно прочитал господин и вопросительно уставился на писавшего.

— Поди с этим к Рухлову. Авось не откажет.

— Злой он, — сказал господин с тоскою.

— Знаю, что злой. А ты все равно пойди.

— А как обложит по матушке?

— А ты гордость свою умерь да поклонись ему. Чай, он министр.

— Все одно прогонит.

— Блаженны изгнанные правды ради. Ты ведь за правдой ко мне пришел? Так?

Господин стушевался и с еще большей грустью посмотрел вослед ушедшей с его деньгами даме.

— Ну вот и пострадай за нее. А ежели за кривдой, так, может, и деньги у тебя неправедные? Счастье, что ты от них легко избавился. Тебе сколько, красавица, лет? — оборотился он к Уле.

— Шестнадцать, — ответила она и зачем-то добавила: — С половиной.

— У-у, большая какая. А зачем пришла?

Покрасневшая до слез Уля растерянно обернулась на мачеху. Ей показалось в этот момент, что все смотрят на нее и думают нехорошее.

— Пойдем-ка со мной, там все и расскажешь. А ты, матушка, нас не жди, — поворотился он к Вере Константиновне. — Езжай в Царское и Аннушке скажи: вечером буду. А больше ничего ей не сказывай.

Он приоткрыл дверь в глубину квартиры, показавшейся Уле огромной и страшной, как подземелье Синей Бороды.

— Ну, что стоишь, коза? Али ножки опять не слушаются?

Вера Константиновна бросила на падчерицу полный ужаса, вины и немого предостережения взгляд, но Уля уже шагнула за дверь.

9

Больше всего Легкобытова поразила случившаяся с его шеломским товарищем перемена. Никогда Василий Христофорович не выглядел так бодро, свежо и молодцевато. Похудевший, загоревший, с необыкновенно ясными, глубокими глазами, он смотрел на Павла Матвеевича безо всякого смущения или обиды, как если бы не было между ними никаких раздоров и недоразумений или же сделались они настолько мелкими по сравнению со всем, что происходило, что не стоили и упоминания. Это был совсем другой, обновившийся, неизвестный писателю человек, и Легкобытов почувствовал нечто вроде смешанной с бескорыстным восхищением зависти.

— За ружьем пришли?

— Нет, на Алешу посмотреть.

— Он спит сейчас, — сказал механик очень просто, протягивая ему руку. — Обрадуется, когда вас увидит.

Они выбрались из землянки на воздух.

— Мы за последние дни много прошли, потом окапывались, намаялся, бедный. — В голосе у Комиссарова послышалась нежность. — Славный у вас парень. Подраскис, правда, немного, но ничего, выправится. Я с ним, когда выпадает свободное время, занимаюсь математикой. Все в деревне собирался, да не собрался — пришлось вот здесь. На лету схватывает. Война кончится — обязательно отправлю учиться. Эта война, вот увидите, будет многим во благо.

На краю леса было тихо, осенний день клонился к вечеру, нежаркое солнце светило им в спину, и двое мужчин — военный и штатский — ступали вслед за своими тенями. Местность отчасти напоминала долину Шеломи, неизвестная река протекала под ногами и терялась в грубых складках земли. Недвижимое, спокойное небо лежало на кронах деревьев и скошенных полях, южнее и восточнее угадывались холмы, на запад тянулись болота, кочки, мхи, ягодники, лесные дороги, гривы, вдали виднелся мирный городок, и Легкобытову на миг показалось, что этого года не было, а они идут обычной полевой дорогой, как ходили много раз.

— Так значит, он сказал вам, что я большевистский шпион и меня послали сюда, чтобы разлагать армию? — Василий Христофорович усмехнулся, но глаза у него остались печальны. — Ну да, все сходится, как только на фронте стало хуже, революционеры бросились агитировать солдат против войны. Тут нескольких уже поймали.

— И что с ними сделали?

— Не знаю, расстреляли, должно быть, — отвечал Василий Христофорович рассеянно. — А что с ними еще прикажете делать? Может быть, год назад и я бы оказался в их числе. Но не сегодня. Я, признаюсь вам, шел на эту войну, ни во что не веря. Бежал на нее, как Мопассан на Эйфелеву башню, чтобы не видеть этого уродства. Петербургские манифестации меня угнетали. Я не мог смотреть, как восторгается ими моя дочь, мне досаждало столичное ликование, всё это — и тогда, ваш нежный, ваш единственный, я поведу вас на Берлин. А как вспомнишь вакханалию первых недель — разобьем врага за два месяца, последняя в истории человечества война... Все так уверовали в скорую победу, что, когда ее не случилось, оравшие громче всех почувствовали себя обманутыми. И это было самое подлое. Но к настоящей войне оно не имеет никакого отношения. Когда я оказался здесь, то увидел и понял совсем иное. Война послана России как урок, послана каждому из нас. Нам простятся все наши глупости, все грехи, все уродства и злодейства, если мы поведем себя в этот час достойно. Все лишнее, все старое, все чеховское исчезнет, отшелушится, сгинет, а останется новое, свежее, бодрое. И мне страшно думать о том, что будет с Россией, если мы не удержимся на той высоте, куда поставила нас история. Простите, что я так восторженно говорю, но я слишком долго молчал, потому что моим солдатам эти слова не нужны: они и так все понимают. — Он на мгновение замолчал, словно ожидая от Легкобытова ответа или возражения, но Павел Матвеевич ничего не говорил, и Комиссаров продолжил еще более убежденно: — А вот таким, как вы, нужны очень. Сербы, вы скажете. При чем тут сербы? Сербы — это только повод.

Дело не в них, дело в нас. У нашего с вами отечества появился шанс переменить судьбу, и мы будем последними преступниками, предателями и вероотступниками, если его не используем и не разгромим ту страну, которая отправила нам своего искусителя и виновна во всех наших бедах. Но мы должны победить не только немцев. Мы должны прежде победить самих себя. Свою расслабленность, аморфность, безволие. Мы должны залечить России те раны, которые безумно и бездумно наносили ей все последние годы. Война — это воспитание, война — это лечение, война — это наше спасение. Я никогда в жизни не был счастлив так, как счастлив здесь. Я горжусь каждым убитым мною врагом. Пусть их пока немного, но они есть. И больше всего ненавижу пацифизм и тех, кто его проповедует. Но вам, по-моему, не очень интересно то, что я говорю? Я буду говорить о том, что вам интересно. О вас. Я, кажется, просил вас не попадаться мне на глаза?

Павел Матвеевич неопределенно пожал плечами, но в животе у него заныло.

— Вы меня не послушали. Что ж... Помните, вы рассказывали мне, что когда преследуешь зверя, то кажется, будто он большой и страшный, а потом, когда его убиваешь, вдруг окажется, что он совсем маленький, и тогда испытываешь разочарование: зачем убил такого маленького? Я хотел вас убить, и убил бы, и пошел бы на каторгу, потому что то, что вы сделали тогда, было так нестерпимо, так невозможно, чудовищно... И если бы не тот человек...

— Какой? — насторожился Павел Матвеевич, и снова тоскливое предчувствие его кольнуло.

— Неважно. И вот потом, поймав вас на прицел, я вдруг увидел все совсем иначе. Я подумал — вот

314

убью вас, а вы будете лежать на земле, как заяц какой-то... А теперь думаю — какая, в сущности, разница? Живы вы или нет... У меня было много времени, чтоб обо всем поразмыслить. Вы писатель, вы должны зажигать, укреплять солдат, а что делаете вы? Я читал ваши очерки в «Русском времени». Да, спору нет, они художественны, вы точны в деталях, вам удается портрет, пейзаж, хоть и видно, что вы так любите природу, что стыдитесь ее описывать. Чуть хуже получаются диалоги — что там еще важно, не знаю. Язык у вас хороший, чистый, этому вы в деревне научились, да и у жены своей позаимствовали. Но, положа руку на сердце, много ли от ваших сочинений проку? Что вынесет из них солдат, офицер или гражданский человек в тылу? Что эта война нам не нужна? Что она бессмысленна? Вот вы пишете про дезертиров, которые отстреливают себе пальцы, — а для чего? Чтобы кто-то последовал их примеру? Я далек от мысли, что вы выполняете злую волю, но будьте же чуть дальновиднее. Вам кажется, вы нашли удачный образ войны — слепая Голгофа! Массовое вынужденное принесение себя в жертву без понимания и без цели. Ну так раскройте эту цель, сделайте так, чтобы люди поняли, за что они умирают! Для чего отправляют на войну своих сыновей, мужей, отцов и оставляют дома женщин и детей. Для вас война — безумие. А для нас, находящихся здесь, — смысл жизни. Для чего вы хотите лишить нас этого смысла? Кто дал вам такое право? Вы думаете, я не вижу страданий, крови, гноя? Не вижу интендантского воровства, бестолковости, низости, предательства? Не вижу, как одни отдают свои жизни, а другие наживаются на горе и на несчастье? Примите это как неизбежное малое зло. Россия сегодня разделена, и самое страшное наступит в том случае, если невоюющая Россия разложит воюющую. Сюда доходят известия, как там живут, как жируют в городах спекулянты, какие наживаются состояния, как грабят казну, и не дай бог прорвется та тонкая пленка, которая отделяет фронт от тыла, и вся эта зараза хлынет к нам, и армия будет разложена. Я много раз мог бы поехать в отпуск, мне предлагали, но я не хочу этого делать и, будь моя воля, вообще запретил бы всем, кто воюет, отправляться в тыл, а сам тыл немедленно преобразовал бы. Закрыл бы все газеты, распустил все партии и Государственную думу, она и так-то никому не нужна, и ничего, кроме вреда, от нее нет, но во время войны опасна втройне. А этот якобы сухой закон? Когда в петербургских ресторанах подают коньяк в чайниках...

— Петроградских...

— Я бы и рестораны все закрыл — сейчас не до веселья. Вся страна должна стать одним военным лагерем, все без исключения ее подданные должны нести на себе тяготы военного времени. Война — это как Великий пост у верующих. Когда все время хоронят и отпевают, когда скорбят и страдают, нельзя венчать. Венчать будем после победы. Пить, есть, веселиться и оплакивать павших.

Они поднялись на небольшой косогор, и им открылась даль, где стояли германские части. Ничто не выдавало признаков войны, не были слышны даже редкие выстрелы, не видны клубы дыма, однако у Павла Матвеевича вновь сжалось сердце при мысли, что этот покой обманчив и в любую минуту его может нарушить грохот, свист, вой и человеческий крик. Он забылся, и глухой, нравоучительный голос механика доносился откуда-то издалека, похожий на стук топора в лесу, как будто кто-то украдкой рубил дерево в барской роще.

— Петербург, Петроград... Неужели это важно? Важно, что в честь Петра, победителя! Почему мы победили сто лет назад в той отечественной войне? Потому что вся страна была заодно. Помните ту барыньку у Толстого, что покинула Москву, когда услыхала про Наполеона, ибо смутно осознавала, что она ему не слуга. Но я не уверен, что, если сегодня немец дойдет до Киева, до Москвы или до Петрограда, их жители так же решительно оставят свои города и подожгут дома, чтобы ничего не досталось врагу. И, если вдруг появится какой-нибудь кудрявый желтоволосый поэтишка и поставит себе в доблесть, что он первый в стране дезертир, я сомневаюсь, что ему не примутся рукоплескать, вместо того чтобы довести до ближайшего фонарного столба и вздернуть на нем, невзирая на все его таланты. Сегодня есть только один талант — верность государю. Я знаю, я сам глубоко виноват перед ним, я приносил вред своему отечеству, был дерзок, непочтителен, самонадеян, я не ценил, не понимал его, как и сотни тысяч, как миллионы людей в России. Но он всех простил! — выкрикнул Василий Христофорович фальцетом, и на глазах у него выступили слезы. — Он возглавил армию, и мы должны быть благодарны ему за его великодушие. Возглавить армию в час ее временного отступления — разве это не поступок мужественного, решительного человека?

— Вся Россия была против этого назначения, — не удержался Легкобытов.

— Вся Россия?! Вся Россия сегодня здесь! Вся Россия — это мои пехотинцы! И они были рады, когда

317

узнали, что государь отныне — наш главнокомандующий. С ним, помазанником Божиим, мы победим врага. Ах, если бы вы знали, какие у нас чудесные солдаты. Как они религиозны, как христолюбивы! Если бы вы видели, с каким воодушевлением они идут в бой. Вот вы, помнится, говорили мне, что православие-де устарело, церковь мертва, бюрократична, народ от нее далек и вся надежда на каких-то необыкновенных народных учителей. Какая глупость, Легкобытов! Где эти ваши учителя? Я не видел здесь ни одного, но зато видел самых обычных сельских батюшек. Не тех, городских, ученых, нахватавшихся всяких глупостей, а самых обыкновенных, трудовых, мужицких попов, над которыми Пушкин еще потешался — так пусть и ему станет стыдно. Я сам впервые в жизни стыжусь и скрываю то, что я неверующий. Я почти готов уверовать, как бы абсурдна вера в Бога ни была, но она нужна, без нее никак. И лучше всего это понимают те, кто находится здесь. Нет, Легкобытов, война — это благо для России. Она призвана очистить, освежить наши души. Сколько лжи писали про русскую армию. Вспомните все эти вещи Толстого, Чехова, «Три сестры», да тот же купринский «Поединок», которым вы зачитывались и мне расхваливали. Но теперь все кажется таким устаревшим, прогорклым, позавчерашним. Кажется, Куприн и сам это понял. А вы? Вы-то поняли? Зачем вы сюда приехали? Неужели вы не чувствуете всей ложности своего положения? Вы примчались, нахватаетесь каких-то сумбурных впечатлений и умчитесь писать в деревню или в Петроград свои очерки, высчитывая, сколько вам заплатят за строчку. Посмотрите на себя! Ну кому вы интересны с вашими сектантами, непугаными птицами, с вашими карманными литературными обидами? Оставайтесь здесь. Неужели вам не стыдно оттого, что ваш пасынок воюет, а вы отсиживаетесь в тылу? Зато потом, когда война закончится, вы получите такой опыт, что напишете свою «Войну и мир» и прославите и себя, и русскую литературу. Но потом. Сейчас не время писать. России сегодня не нужны ни писатели, ни поэты, ни художники. Честно говоря, никогда не были нужны, но сегодня не нужны особенно. Ей нужны солдаты, офицеры, воины, и, если вы хотите послужить Отечеству, бросьте вашу пустую газету, возьмите в руки винтовку, и вы принесете своей стране гораздо больше пользы. Вы же охотник, вы хорошо умеете стрелять. Может быть, все, что вы делали в жизни прежде, нужно было лишь для того, чтобы оказаться сегодня здесь.

«Он сошел с ума, — подумал Павел Матвеевич отрешенно, — все мы, кажется, не слишком здоровы и умны, но этот человек очевидно безумен. Его скоро убьют. И самое ужасное в этой истории, что чем скорей его убьют, тем будет лучше. На грешной виленской улице бабоньки от жалости разорвали бы его на куски. Он социально опасен. Взбешен. Бешеная собака. А ведь под его началом находятся солдаты, мой Алеша. И покуда он жив, то заразит своим безумием всех».

— Иль вы боитесь умереть? Не бойтесь. Умереть за свою родную землю — разве это не счастье? Страшно одно — попасть в плен к этим зверям, но на этот случай у меня всегда есть пуля в револьвере.

— Я бы все равно не смог стрелять в людей, — сказал Павел Матвеевич и отвернулся.

— Вы? — произнес Комиссаров хрипло, и Павел Матвеевич физически почувствовал гнев, идущий от этого человека, но в следующее мгновение механик сделал над собой усилие и сдержался. — Сейчас не время, — пробормотал он, стиснув зубы, и убежденно сказал: — Это не охота, это война, Легкобытов, война. Самое высокое, что есть в мире. На ней нет людей. На ней есть свои и чужие. Это единственный признак. И вы, на ваше счастье, пока что мне свой, и поэтому я вас не трону. А чужих буду убивать. Любого, кто посягнул — неважно, по своей воле или чьему-то приказу, — на мою землю. Я тут читаю книжицу одного столичного философа. Он сочинял прежде ужасные вещи, даже гораздо хуже, чем вы, это вообще невозможно было читать — про всех этих лунных людей, бесконечные словоизлияния, кокетство, беззубые выпады против Христа, половой вопрос, еврейский вопрос, сектанты, литераторы, Египет, какие-то дурацкие древние монеты, как будто не о чем больше писать. Он ужасен был, как Нитщ, он, собственно, им и был. Русский Нитщ, ваш кумир. А теперь посмотрите, как мощно этот человек пишет про войну! Великая отечественная война и русское возрождение. Вот единственная достойная тема! Он один из всей вашей братии сумел стряхнуть с себя мирную перхоть, которой мы все были покрыты, и понять то, что чувствует сегодня Россия и чем она жива. Он вселяет веру в победу, в Россию, в ее армию и в ее государя. Он ведает, что мы живем в чудные, строгие и ответственные дни, которые потом будем вспоминать как лучшее, что случилось в нашей жизни. Вот послушайте. — Комиссаров достал из-за пазухи тонкую потрепанную книжицу, перелистнул ее, и Павел Матвеевич успел разглядеть нечто вроде авторской надписи на авантитуле.

— Откуда это у вас?

— Что? А, автограф? Он надписал мне, когда дарил.

Легкобытов почувствовал острый, жгучий укол — ему захотелось вырвать из рук Василия Христофоровича книжку Р-ва и разорвать, но прежде узнать, что мог ее желчный сочинитель написать его товарищу, однако вместо этого спросил:

— Ну а если мы все-таки проиграем?

— А если проиграем, то не будет в истории более оболганной войны, чем эта! — произнес Василий Христофорович злобным тонким голосом. — Нас всех смешают с грязью, все будет обессмыслено, затоптано, предано, но тогда тем более ваш долг об этой войне написать. Но слушайте же...

10

Комната, куда вошла Уля, отличалась от приемной, но никакой роскоши в ней не было. Несколько темных икон висело на стенах, перед ними горели лампадки, но пахло не так, как в церкви, а отдавало сыростью и затхлостью. Посреди помещения стоял большой стол без скатерти, окруженный венскими стульями с потертыми сиденьями. Открытая дверь вела в кабинет, и Уля успела разглядеть пустой письменный стол с банкой чернил, диван, обитый гранитолем, и старенькое, потрепанное кресло. И вся квартира показалась ей старой, неуютной, похожей на зал ожидания на вокзале в Польцах.

— А я тебя помню, — сказал хозяин, и что-то снисходительное, как если бы старый человек наблюдал за детскими шалостями, проявилось на морщинистом, заросшем лице.

— Зато я вас нет, — отрезала она, собирая остатки воли, и отступила к окну. — Откуда вы меня можете помнить?

С четвертого этажа двор казался далеким. Двое мещан стояли и смотрели наверх. Одутловатый господин, озираясь, шел по двору и бил себя кулаком в грудь. Потом он словно опомнился и резво куда-то побежал. «За дамой. Поздно — не догонит. А я, если что, сразу брошусь», — сказала себе Уля и от собственной решимости успокоилась.

— Я видел тебя во дворце у Петруши. Ты была вот такая девочка, — показал он руками, — толстая, послушная, доверчивая, а теперь стала худой, недоброй и подозрительной.

— Вы все врете. Ни в каком дворце вы не были.

— Почему это?

— Потому что вас бы туда никто не пустил.

— Теперь не пустил бы, — легко согласился он. — А тогда не то что пускали, просили прийти. Карету за мной присылали. Петрушин брат, крестный твой, теперь враг мне, грозится повесить, если в армию приеду, а в ту пору он и его полюбовница умоляли меня заступиться за них перед государем.

— Это еще зачем? — спросила Уля, хотя и не собиралась ничего спрашивать.

— Чтобы он разрешил им пожениться. Меня ненавидят те, кто когда-то сюда привел. И любят те, которые когда-то ненавидели. Тебя это не удивляет?

— Меня это не интересует.

— Ты пришла, чтобы мне дерзить? — промолвил он с еще большей веселостью.

— Я пришла потому, что меня об этом попросила мачеха.

— И только?

— Это правда, что вы можете помочь моему отцу?

— Ты сама это можешь сделать.

— Что я, по-вашему, должна?

— Ты должна молиться за него.

— Я молюсь, — ответила Уля нехотя: она с детства была не слишком религиозна, а с некоторых пор стала относиться к Всевышнему как к учителю, который может наказать за плохое поведение и поощрить за хорошее. Последнее время, а особенно из-за классной дамы с ее обреченной, вымученной улыбкой, Уле казалось, что она ведет себя совсем неважно и потому, если станет о себе и своих просьбах лишний раз напоминать, лучше от этого никому не будет. А так, глядишь, и проскочит, никто не заметит, не вызовет к доске и не снизит балл за поведение.

— Разве это молитва? Ты молишься холодно, отстраненно, лениво, — возразил он. — А надо молиться горячо и ничего не бояться. Знаешь, что такое настоящая молитва? Это плач, это крик, это дерзость, это бег, это танец перед Господом. Только такую молитву Бог расслышит и разглядит. А все это твое копошенье и сюсюканье никому не нужно. Знаешь, кого Господь больше всего не любит?

— Грешников.

— Как же он может не любить тех, кого пришел спасти и за кого пошел на крест? Двойка тебе по Закону Божьему. Он не любит трусов и слабаков.

— Я не слабак, — возмутилась Уля.

— В молитве ты слабак. А надо быть хулиганкой. Царствие Божие чем берется?

Уля вспомнила классную даму:

— Не знаю. Послушанием. Поведением хорошим.

— Силою оно берется. Ты должна требовать, стучать, надоедать, орать свою молитву. А ты вместо этого ссоришься с мачехой. Нашла с кем. Думаешь, Богу угодно, чтобы двое, прося об одном, друг друга ненавидели?

— Нажаловалась? — спросила Уля презрительно.

— А то у меня своих глаз нету. Она добрая и любит твоего отца.

— Любила бы — не ходила бы от мужа в лес по ночам.

— Пустое это, Улюшка.

— Пустое? — Уле вспомнилась молодая дама.

— Давнишнее. Сгоревшее. Забудь.

— Любила бы — не оставила бы здесь одну его дочь, — гнула она свое упрямо, косясь на окно.

— Ах вот оно как? — усмехнулся он, и глаза его тускло блеснули. — Али веришь тому худому, что про меня люди говорят?

— Не знаю, — пробормотала Уля, хотя еще минуту назад верила.

Он подошел к ней так близко, что Уля почувствовала, как бьется его сердце, разгоняя по сильному худощавому телу кровь.

— Боишься меня?

— Нет, — выдохнула она.

— И правильно — не бойся. Они лгут. С самого начала лгут и будут лгать, сколько свет стоит, потому что дьявол их отец. Про меня лгут — не беда. Беда, что про маму с папой лгут. Любишь их?

— Родителей своих? — спросила Уля мучительно.

— Государя, государыню, деток их — любишь?

— Люблю, — и вспомнила толпу людей на Дворцовой площади, серьезного красивого мальчика в матроске, стоящего рядом с отцом, но образ был нечетким, размытым, и таким же было чувство в душе. Не чувство, а слабое воспоминание о нем.

— Сейчас любишь — потом разлюбишь, — сказал он с досадой. — Разлюбишь, а потом снова полюбишь, да поздно будет. Ах, как поздно!

Голос у него сделался глухим, и глаза не мигая уставились на Улю. Ничего похожего ни на доброго старичка, ни на лесного Пана — взыскующий, гневный взгляд, сухая точность в движениях, и никуда от этих глаз не деться и своих не отвести. Кровь прилила у Ули к лицу и сильно застучало сердце.

— Локти себе кусать будут, каяться, прославлять, а что толку-то, православные?

Он достал из шкафа графинчик с темной жидкостью:

— Мать-то родная где, знаешь?

— Нет.

— Осуждаешь ее?

— Не понимаю, — сказала Уля, помедлив. — Не понимаю, почему она ни разу за все эти годы не попыталась меня найти.

Он опрокинул стакан, потом еще один, и покрасневшее лицо стало необыкновенно живым и подвижным.

— Значит, не могла. Не осуждай ее, никого не осуждай. И не ищи справедливости: ее нет и не будет. И смысла никакого не ищи. Смысл пусть книжники и фарисеи ищут. Взыщи милосердия. Бога, Улюшка, люби. Что б с тобой ни происходило, люби его и не ропщи. Все в его руках. На все его воля. Доверишься ему, себя забудешь — спасешься. Заупрямишься — сгинешь. В церкву-то не ходишь? Ну так сама, своими словами ему молись — везде, на улице, дома, днем, ночью молись и, когда молишься, ни о чем другом не думай — только о нем. Тогда только твоя молитва доходчива будет. А пуще всего бойся его потерять. Не отрекайся от него, что б ни было с тобой — не отрекайся. Грешить будешь, падать, как свинья в грязи валяться, в небеса возноситься — а Бога помни. Не он нас оставляет, мы — его. Ну поди-ка ко мне, я тебя благословлю.

Она приблизилась к нему и вдруг почувствовала, как ее обдало жаром. Жар пробежал от затылка по позвоночнику, охватил все ее тело до кончика носа, и Уле сделалось сладко и стыдно в одно мгновение. Она не понимала, что с ней происходит, никогда так сильно не била ее дрожь — ни когда она была с Алешей, ни в лодке на Шеломи, ни в одном из душных девичьих снов.

— Ну-ну, — сказал он тихо, ее перекрестив. — Заневестилась уже. Не время сейчас. Потерпеть надо. Погодь, я тебя с дочками своими познакомлю.

Он как-то гортанно, по-птичьи крикнул, и через минуту две девочки вошли в гостиную. Одна была Улиного возраста, другая постарше, но обе показались ей такими строгими, что Уля оробела. Они были одеты как барышни, однако длинные кисейные платья сидели на обеих неловко. Волосы уложены неумело. И куда деть руки, они не знали. Стояли потупив глаза.

— Матрешка и Варвара. Хочу, чтобы с царскими дочерьми воспитывались, — сказал он, и на мужицком лице мелькнуло хвастливое выражение. — Пока в гимназию отдал учиться к Стеблин-Каменской. А они дичатся там, ни с кем не водятся, говорят, мужичками их кличут, и просят, чтоб я их забрал оттуда. Ты бы с ними подружилась да научила б, как себя вести.

Девчонки густо покраснели и нехорошо посмотрели на Улю.

«Меня саму ругают», — подумала она, но вслух ничего говорить не стала.

Подали обед: уху, редиску, квашеную капусту, картофель, квас с огурцами и луком. Хозяин встал, прочел молитву, перекрестился на образ, лицо его просветлело, тело выпрямилось, вытянулось в струнку, помолодело, но молитва окончилась, и он снова превратился в обычного, разве что очень подвижного для своих лет человека. Чуть подвыпивший мужик, каких видела Уля в Горбунках, встречала в толпе на вокзалах и площадях, только глаза нездешние, испытывающие, пронизывающие.

Тарелок никому не дали, а ели, по очереди опуская деревянные ложки в большую миску с ухой посреди стола. Никто никому не мешал, и ни у кого из ложки не проливалось, только у Ули, как она ни старалась, то и дело падало на стол по нескольку капель. Девчонки это заметили и переглянулись. Уля отложила ложку.

— Невкусно?

— Я наелась.

— К мясу, поди, привыкла? А не надо, не ешь убоину, — сказал он ласково. — Мясо человека обугливает, а рыба просветляет. Спаситель наш рыбу ел. Кушай и ты.

И она послушно взяла ложку, с которой снова закапали на стол радужные капли ухи.

В самом конце обеда в гостиную вошел розовый толстяк с пшеничными бакенбардами, наклонившись к хозяину, стал что-то на ухо ему говорить.

— Глупости болтаешь, — ответил тот резко. — Что ему от меня надобно?

Толстяк зашептал еще более жарко.

— Никуда я не пойду, пусть сам ко мне приходит.

— Не может он сюда прийти, — сказал толстяк жалобно.

— Почему не может? Хворый?

— Боится он.

— Чего боится?

— Что люди скажут.

— Отроковица шестнадцати с половиною лет не испугалась, а он боится. Какой будет после этого министр?

Уля почувствовала на себе слепой взгляд визитера.

— Верный будет.

— Трусливые верными не бывают.

— Государыня за него просила, — выкинул толстяк последний козырь.

— Мама много за кого просит. Ну пойдем, посмотрим на твоего начальника, — сказал хозяин со вздохом, точь-в-точь как приехавший на рынок крестьянин, которому надо купить сбрую для лошади, а ничего справного нет.

После его ухода она осталась с сестрами. Девочки по-прежнему смотрели на нее исподлобья, и Уля испугалась, что они сейчас поднимутся, побьют ее и вытолкнут отсюда взашей. Особенно она опасалась старшей — крупной, грубой и очень решительной Матрены. Уля представила ее в гимназии и подумала, что мужичка — это еще мягко сказано. Она вторично за один день стала искать пути отступления из квартиры, но тут в памяти у нее всплыли слова про «трусов и слабаков», как если бы хозяин не ушел никуда, а исподтишка наблюдал за ее первым уроком.

— Ну и что у вас там не получается? Языки? История? География? — спросила она отрывисто.

— Никсен, — мрачно сказала Матрена.

— Что-что? Книксен? — вздохнула она с облегчением. — Так это же очень просто. Вот смотрите! Выдвигаете правую ногу, а левой чуть касаетесь носком пола. Теперь приседаете, главное, чтоб спина оставалась прямой, руки складываете тут, голову чуть наклоняете, а потом легко встаете. — Она грациозно присела и воскликнула: — Глаза! Все дело в глазах. Когда приседаете, опускайте веки, а когда встаете, то поднимайте глаза. Но все зависит от того, кто перед вами. Одно дело директриса, другое — классная дама, а третье — мужчина. А еще можно быстро, вот так, это называется «макнуть»,когда делать неохота, а надо. Ну а теперь давай ты! — велела она младшей сестре, показавшейся ей чуть более сговорчивой и менее опасной.

Смеяться Уля себе запретила, она почувствовала себя так, точно ей брошен вызов, и, отбросив прядь волос, стала сгибать непослушные, деревянные ноги девочек и выпрямлять не привыкшие к корсетам спины.

— Вот так, вот так, молодцы, у вас все отлично получается, — нахваливала их Уля, с удовольствием замечая, как слушаются ее сестры и одновременно ревниво поглядывают друг на друга.

Ей неожиданно понравилась эта роль, она сулила что-то новое, осмысленное, так в детстве она любила лепить фигуры из глины или из теста, и теперь две эти девочки показались ей тем материалом, которому она могла придать любую форму. Она вспомнила, как насмешливо глядели на нее деревенские девушки в Горбунках, и с мстительным удовольствием подумала: перемести их в город, они бы тут дрожали еще больше.

А сестры меж тем перестали дичиться, не сразу, но они разговорились и стали рассказывать про свое село, про странника Дмитрия Печеркина, который долго жил на Афоне и за год до войны из-за какой-то смуты вернулся домой, про его сестру Дуню, про свою мать, про брата, и лишь отца обходили стороной. Рассказали только, как страшно было, когда прошлым летом папу чуть не убили.

— А если б не рана, может, и войны никакой бы не было, — сказала Матрена и стала накручивать на палец прядь жидких русых волос.

— Он был против войны? — спросила Уля удивленно, и снова, увиденная сквозь жар и бред, вспомнилась ей деревня, плачущие навзрыд бабы, а потом огромная площадь перед Зимним дворцом, хоругви, иконы, балкон и тысячеголосый хор: «Спаси, Боже, люди твоя...»

— Папа телеграммы государю посылал, чтобы тот крепился и войну не начинал. Я сама их на почту носила. У нас в доме Богородица на иконе плакала. Он сказал тогда, что это перед бедой.

— Ему людей жалко. И Митю, брата нашего, тоже жалко. Не хочет, чтоб он шел в ратники.

— А мама ваша где?

— Мамаша в деревне осталась. Она побывала сюда и сказала, что не станет в городе жить. А нам гляди, что папа подарил.

На нее простодушно смотрели голубые глаза Варвары. В руках она держала устройство с двумя увеличительными стеклами, и они стали рассматривать фотографические карточки. На них были сняты русские воины: казак верхом на лошади, пленивший немецкого солдата; мобилизованные крестьяне в картузах с заплечными мешками; солдат с большой винтовкой и штыком, стоящий у свежевырытой могилы боевого товарища; расквартированный полк на городской площади западноукраинского городка. Была одна отталкивающая фотография: на ней солдата рвало, и все это сопровождалось подписью: «Результат разговения». Военные картинки перемежались изображениями московских достопримечательностей — Бегов, Тверской заставы и Лубянской площади, потом пошли фотографические снимки заграничные: японки в кимоно, собирающие рис на полях; братские могилы на Русскояпонской войне; пейзажи Германии; Париж, Бристоль, памятник Жанне д'Арк. Попалась карточка, на которой была изображена девушка с травинкой во рту, лежащая на животе среди цветущего луга. Одна нога в полосатых гетрах у девушки была поднята, и задумчивый взгляд устремлен в сторону.

— Была еще точно такая же, только там девушка была совсем голая, — проворчала Матрена. — А Варька ее порвала.

Уля с удивлением посмотрела на девушек, которых она должна была обучать хорошим манерам, и ничего не сказала, но картина из последнего мирного лета ей вдруг привиделась. Остров на Шеломи, они с Алешей наловили раков и собираются их варить. Очень жарко. Она идет купаться в быструю речку. Распластавшись лягушкой, отчаянно гребет руками и ногами, брызгается и боится, что ее схватит щука или укусит рак. Рыбы в реке много, гоняется за мальком окунь, бьет хвостом воду жерех, выбрасывает узкое стремительное тело затаившаяся в траве зеленая пятнистая щука, и жирует светло-серебристый судак. Река живет своей жизнью, и ей дела нет до человеческого детеныша, радостно барахтающегося в теплой чистой воде. Уля потеряла счет времени, как вдруг ей показалось, что в зарослях мелькнули синие глаза. Она смущается, вспомнив, что на ней нет никакой одежды, а потом поднимается и идет прямо к берегу. Выходит из воды медленно, долго стоит на солнце, глядя, как высыхают капли воды на смуглой коже, выжимает волосы, однако, когда, одетая, возвращается к костру и пытливо смотрит на своего спутника, ни тени смущения не видит на загорелом лице с выцветшими пушистыми ресницами.

11

Когда Легкобытов шел обратно до места, стало прохладно, ветрено, звездно, как и бывает в конце августа или в начале сентября. Он слушал хрустящую ночь, где-то далеко было видно зарево огня, но его можно было принять за костры пастухов и подумать, что этой ночью война кончилась и настал мир. Навстречу ему не попадалось ни единого человека, воспоминание о тюрьме больше не мучило его, как не мучило и воспоминание об оттолкнувшей его женщине. Ему вдруг сделалось радостно и легко. Он подумал, как обрадует Пелагею и расскажет ей про сына. Пусть ему не удалось Алешу забрать с собой, но может, и верно — отвоюет, выучится и вырвется из дурной крестьянской доли. «А что? Он действительно молодец. И в сущности, это моя заслуга. Я для Алеши как был для меня Р-в. В детстве его ненавидел, а потом понял, что это главное и самое драгоценное в моей жизни. Хотя, кажется, и бедняга Р-в сошел с ума. Ему станет скоро стыдно за эту книгу. Что он там понаписал? Русское возрождение, все помолодели, обымем друг друга перед великою нужею, историческая година, былинный Микула Селянинович пробуждается, война как великое воспитание, война-целительница... Какая, к черту, нужа, какое возрождение, какой Микула, когда все летит в пропасть и никто воевать не хочет? Учитель слишком высоко забрался и сам того не понимает. Да еще расчувствовался, как баба. Баба он и есть. Хитрая, похотливая русская баба, слабеющая перед сильным мужиком вроде Комиссарова. Вот и слюбились духовно. Одному прильнуть, другому грудь на защиту выставить. А падать-то все одно придется, и больно падать. Сами покалечатся и других зашибут. Эх, их бы посадить где-нибудь вдвоем, и пусть токуют, как глухари, которые ничего, кроме себя, не слышат и того не знают, что к ним уже подбирается охотник и нацеливает свое ружье».

Было самое глухое время ночи. Легкобытов поднял голову и посмотрел на небо. Что-то переменилось в окружающем его мире. Деревья, кусты, первые сухие листья под ногами — все было не таким, как обыкновенно. Лес словно впустил в себя постороннюю злую волю, она заполнила подлунное пространство и принесла опасность. Он вглядывался в сумрак: кто, какая сила ему угрожала, от кого или от чего она исходила и откуда снова взялось в нем чувство хрупкого льда под ногами? Ему вдруг остро захотелось увидеть Комиссарова, побыть с ним в эту ночь, ничего не говорить, не слушать, а просто быть рядом.

Огромная на ущербе луна выкатилась из-за соседних холмов. Поднимаясь на глазах, она уменьшалась в размерах, но разгоралась все сильнее и освещала дорогу. Тени густых деревьев ложились на землю, они были такими отчетливыми, что по контрасту с ними вся освещенная поверхность земли просматривалась почти так же ясно, как если бы луна была полной.

Павел Матвеевич различал все подробности, точно был больше не человеком, смиренно идущим к месту ночлега, но бессонной ночной птицей, поднявшейся над землей и зорко высматривающей добычу. Кого искали, к чему стремились его никогда не закрывавшиеся глаза? Он и сам этого не знал, а просто парил над травой, деревьями, кустами, небольшим, круглым, как блюдечко, озерцом, окруженным со всех сторон болотом, над разоренными войной лесными хуторами, плетнями, ненужными покосами, как вдруг взгляд его на-ткнулся на мертвое тело. В тот же миг ощущение полета прервалось, и охотник оказался на земле. Он хотел инстинктивно отклониться от мертвеца, но неведомая властная сила заставила Легкобытова подойти к лежащему на земле человеку. Это был немецкий солдат, судя по всему, убитый шальной пулей или осколком снаряда. Как немец тут оказался, почему никто из его товарищей не хватился его, может быть, его послали в тыл врага с каким-то особым заданием, может быть, он просто заплутал, а может, устав от войны, захотел побродить в одиночестве по лесу, пострелять дичь или пособирать грибов или же искал случайной, мгновенной и одиночной смерти и был теперь счастлив оттого, что его желание исполнилось. Лежащее на земле тело требовало, чтобы его похоронили, и, как ни противился Павел Матвеевич последнему обряду, ему пришлось взяться за работу. Природа ему помогла. Оглядевшись по сторонам, Легкобытов увидел в земле небольшое углубление, старый окоп или канаву, которую прорыли, когда осушали болото. Он оттащил туда тяжелое, неудобное тело немца и, стараясь не смотреть на красивое юное лицо врага, забросал его ветками. Хотел положить и ружье, но передумал и взял с собой, рассеянно размышляя о том, была ли накануне смерти в жизни этого юноши последняя любимая женщина, или же не было никогда никого, и он ушел из жизни, так и не изведав любви. «Странное дело, отчего так устроено, что женское тело несет на себе признак девственности или ее отсутствия, а мужское нет?» — подумалось ему вдруг некстати.

Луна тем временем поднялась еще выше. Она была очень похожа на ту, что висела год назад над Шеломью, и в ее свете Павел Матвеевич увидел на поляне зверя. Сильный, гибкий, готовый в любую минуту исчезнуть, волк стоял, подняв голову, и, казалось, собирался завыть, как воет тысяча волков, глядя на обглоданное тьмой светило. «Неужели он?» — подумал Павел Матвеевич лихорадочно и стал целиться. Оружие было тяжелым, непривычным, и он боялся вспугнуть волка неловким движением, однако тот не двигался, точно был неживым, сделанным из железа, как развратная волчица, что основала Вильну, а теперь пришла за немецким юношей. Легкобытов помедлил, не дыша, нажал на спусковой крючок и проследил взглядом, как, разрывая воздух и ночную тишину, стремительно вращаясь, раскаленная, маленькая, мягкая от своего жара пуля направилась в сторону зверя. Она летела, как ему показалось, очень долго, и волк ее почуял, но не стал убегать, а равнодушно и устало повернул голову в сторону стрелявшего. Легкобытов запоздало подумал о том, что пуля сейчас отскочит от стальной шерсти и поразит его самого. Но она легко вошла в тело волка и в нем застряла. Павел Матвеевич выпустил следующую, потом еще одну. Поднялся ветер. Ровный, устойчивый, западный, как если бы кто-то с немецкой стороны нагнетал насосами воздух, и на глазах у охотника стоящий на предрассветной поляне зверь вдруг пошатнулся, но не упал, а стал терять свои строгие, величественные черты. Он расплывался и превращался в тяжелое низкое облако, которое поплыло над полем, цепляясь за кусты и редкие деревья, отчего листья на них сворачивались и падали. Послышался резкий запах, он нарастал, усиливался, Легкобытов не видел, как русские ополченцы под командованием маленького унтер-офицера на другой стороне поляны спешно надевали плохенькие противогазы, которые не могли защитить их от яда, и солдаты обматывали лица тряпками и портянками, наспех смоченными водой, а если воды поблизости не было, внутренней жидкостью человека. Зеленое, волглое облако заполняло собой пространство, в его толще гибло все живое, и Павел Матвеевич побежал от него стремглав, интуитивно ища возвышенность, на которой можно будет спастись. Облако ползло медленно, и казалось, он сможет легко от него уберечься, но колышущаяся масса неспешно, легко настигла его на вершине похожего на женскую грудь холма и повалила на землю. Павел Матвеевич задрал бороду, намочил ее водой, образовавшейся в небольшой луже, и затаился. Так он лежал вместе с убитыми или насмерть перепуганными птахами, лягушками, жучками, червяками, мотыльками и старался как можно меньше и реже дышать.

Его мысли мутились, проваливались в небытие, он ощущал себя лежащим на дне полуспущенного пруда. Гнилая вода текла над ним, и сквозь толщу этой воды он видел знакомые лица — людей живых и мертвых, они неслись в одном общем потоке, и эта неразделенность живого и мертвого его успокаивала. Мелькнули лица берлинской Лауры, Пелагеи, матери, отца, убитого немца, которого он только что наспех похоронил, и Легкобытов подумал, что все-таки умер, виленская проститутка или безногий гадальщик ошиблись, не шальная пуля и не осколок, а мертвый волчий газ, пущенный немцами, его настиг, для него все кончилось, и осталось дождаться того, кто в свой черед найдет и предаст земле его измученное тело. Но потом, совсем юное, показалось лицо Ули Комиссаровой, она склонилась к нему, протянула руку, он заплакал и поднял голову. Облако ушло вперед, задев его лишь краем, а следом послышались выстрелы и показались враги.

Они шли ровной цепью с какой-то наглой силой, юные, отчаянные, распевая свои грубые песни, бравируя своей смелостью и презрением не только к смерти, но и к жизни, их поддерживала артиллерия, и Легкобытов опять вспомнил Нитща. Немцы несли тевтонца в себе и шли за него мстить. Мстить тем, кто Нитща заманил, похитил, впустил в свою страну, а потом убил. Легкобытов хотел вскочить и побежать вглубь леса, спрятаться там, но какое-то чувство, чей-то негромкий строгий голос приказал ему остановиться и замереть. Однако немцы успели заметить его движение. Один из них подбежал к Павлу Матвеевичу, выдернул у него из рук винтовку и направил на лежащего человека:

— Это винтовка Вальтера, я узнал ее.

— Не останавливайся, Фолькер. Он уже мертв, все русские давно мертвы, — крикнул рослый фельдфебель.

— Этот жив, я видел. Я убью его из винтовки Вальтера.

Павел Матвеевич пожалел в тот миг, что знает этот язык, лучше бы он не понимал его и не знал этой последней, тоскливой, отчаянной минуты. Ему захотелось поднять голову и посмотреть в глаза своего убийцы, как много раз смотрели в его глаза все убитые им звери, он сделал последний свой вздох и услышал, как раздался выстрел, и именно потому, что услышал, понял, что стрелял кто-то другой.

Немец вскрикнул и стал валиться на землю, а из ушедшего на восток ядовитого облака выступили русские солдаты. С перекошенными, изуродованными лицами, выпученными глазами, обожженными глотками, обмотанные тряпками, они не могли кричать, а шепотом хрипели, кашляли и хаотично палили перед собой. Они были страшны, как восставшие мертвецы, но Павел Матвеевич Легкобытов почувствовал родство и пошел вместе с ними, так же кашляя и хрипя, шатаясь, чувствуя, как что-то разрывается, лопается у него внутри. Он не мог ничем им помочь, он не догадался захватить с собой винтовку Фолькера, но она и не была больше нужна, потому что немцев на поле не осталось, а русские все равно шли, и он хотел быть вместе с ними, чтобы только не остаться одному в этом огромном мире. Но все равно остался. После отчаянной слепой атаки солдаты попадали на землю и дышали, как выброшенные на берег большие рыбины, однако немцы уже отступили, скрылись за дымом и огнем подожженных стогов.

...Несколько часов спустя Легкобытов брел по опустевшему, сожженному хлором полю. Страшные картины открывались его взору. Молодой офицер с запрокинутой головой и открытым, кричащим ртом, с глазами, устремленными в небо, застыл у орудия. Солдат, совершенно как живой, наполовину вставил в орудие снаряд и с не отнятыми от него руками, стоя на коленях, вперил глаза свои с каким-то особым удивлением вверх, словно спрашивая: «В чем дело?!» Издали фигуры казались живыми, но когда Легкобытов подошел ближе, то увидел, что у офицера три четверти головы сзади оторваны, а у солдата выбит весь живот. Над полем летали птицы. Разрушенные, еще дымящиеся после пожара пустые здания, срезанные телеграфные столбы и деревья, изрешеченные пулями стены, зиявшие пустотой выбитые рамы и двери, дыры от снарядов, следы запекшейся крови, грязная вата, марля... и везде, везде одуряющий запах трупов.

Он боялся увидеть среди этих несчастных Комиссарова, но встретил Алешу. В порванной, замызганной шинели пасынок шел по дороге с «зауэром» за спиной, такой несчастный, с мокрыми от слез глазами и прыгающими губами, что против воли Павел Матвеевич ощутил жалость, однако, превозмогая ее, сурово, как когда-то в лесу заставляя мальчишку гнать зверя, крикнул:

— Отдай ружье!

Алеша безропотно снял «зауэр» с плеча.

— Где твой командир? Почему ты не с ним? Ты должен быть рядом с ним!

Алеша дрожал и не говорил ни слова.

— Поехали со мной! Все, навоевался, хватит. Офицером он стать вздумал. Какой из тебя, деревенщины, офицер? Мать тебя ждет. В поле работать некому. Ну, иди ко мне, иди! — и резко стукнул ладонью по ноге.

Но Алеша замотал головой, попятился и исчез в сгустившихся осенних сумерках.

12

В начале октября в «Русском слове» вышла статья Легкобытова, посвященная Свенцянскому прорыву. «Либеральная русская пресса лицемерно скорбит о последних событиях на Северо-Западном фронте, — писал Павел Матвеевич, чувствуя себя несколько неуклюже на территории военных слов и оттого более обыкновенного задираясь. — Вслед за немецкой пропагандой называются ужасные цифры наших потерь, между строк говорится о безнадежно упавшем моральном духе русской армии. Нам предсказывается скорое поражение. В одном из очерков можно прочесть даже такое: "Россию непрерывно били за отсталость, но за последние сто лет еще не били Россию так, как били ее в 1915 году". Этот культ пораженчества, более грубый или более утонченный, общественным мнением охотно принимается, мы уверяемся в своей неполноценности и проигрываем в душе еще раньше, чем проигрываем на самом деле, потому что давно утратили духовное самостоянье. Безликие, безвольные, безгласные, отравленные духовным ядом, укушенные то ли скорпионом, то ли бешеным волком, мы бредем сквозь собственную историю, как по темному коридору. Но что же на самом деле произошло в Свенцянах, ставших якобы воплощением нашего военного позора?

Свенцянский прорыв был последним успешным наступлением германской армии, в ходе которого она овладела частью русской земли, захватила Вильну и еще несколько наших городов и сел, но заплатила за это неподъемную цену и не добилась той цели, которую перед собою ставила. Русская армия не дала себя окружить. Несмотря на германское варварство, несмотря на применение ядовитых газов, наша армия вырвалась из клещей, которые готовило для нее германское командование, повторила кутузовский маневр, уступив часть своей территории, но сберегла человеческий состав. Свенцяны стали нашим Бородином, только, к несчастью, Россия этого не заметила, не поняла своего военного успеха, и подвиги неизвестных людей так и остались ей неизвестными. Те часы, когда разрозненные, плохо вооруженные, отравленные хлором русские ополченцы сдерживали наступление отборной группы германских войск, а потом перешли в контратаку и заставили врага бежать, сделались для нашей армии бесценными, и каждый, кому выпало в эти сентябрьские дни оказаться в Свенцянах и на берегах Вилии, независимо от своих личных качеств и поступков стал героем. Этот героизм не есть следствие свободного выбора человека, это не высокий порыв его духа, это героизм вынужденный, насильственный, отчаянный, однако он ничуть не менее достоин уважения, чем героизм вольный, а быть может, еще более дорогого стоит. Такой героизм не ищет ни славы, ни доблести, ни чести, он не требует для себя наград, он в высшем смысле этого слова бескорыстен и лежит в основании победы, которую у нас может украсть лишь наше собственное уныние, навязываемое нам трусами и внутренними врагами. Если Свенцяны и стали низшей точкой нашего падения в этой кампании, то после них неизбежно начнется восхождение. Вслед за Голгофой и тьмой Распятия последует Воскресение, которое озарит смысл страданий и жертв, принесенных русским народом в эту великую войну».

Заговаривал себя Легкобытов или нет, были ли его мысли отголоском неоконченного спора с бесследно исчезнувшим Василием Христофоровичем Комиссаровым, чувства вины перед механиком или чего-то еще, только на сей раз по слову Павла Матвеевича ничего не сбылось. Хотя последствия Свенцянского прорыва были в течение нескольких недель русскими войсками ликвидированы и никакого грандиозного наступления немцев не случилось, не случилось также и великого наступления русских войск. Две изможденные постоянными боями армии остались стоять на тех же позициях, однако в русском тылу разруха усиливалась скорее, чем в тылу германском. Россия терпела поражение за поражением не на фронтах, она проигрывала, как справедливо заметил механик Комиссаров, в своих далеких от линии огня городах и приближалась к катастрофе с той же скоростью, с какой приближалась и к победе, и никто не знал, что настанет раньше.

...За полтора года войны население Петрограда увеличилось с одного до трех миллионов человек. Столица распухла от приезжих и походила на огромный зал ожидания. По улицам и площадям, вдоль Невы и каналов слонялись солдаты, их было очень много, они курили, харкали, сквернословили, за наглостью их глаз скрывалась трусость, и ни юные гимназистки, ни барышни, ни молодые дамы больше не смотрели на них с надеждой. Теперь они боялись своих защитников и старались обходить стороной вооруженных людей в шинелях, беженцев из западных губерний, мещан, скрывающихся от призыва, мародеров, спекулянтов, дезертиров. Город наполнялся запахом тления, словно и до него добралось то ядовитое облако, что едва не сгубило Павла Матвеевича Легкобытова, но жители Петрограда этой отравы не ощущали. Зато почти для всех для них самым страшным символом духовного разложения стал не сделавший никому зла человек, проживавший недалеко от Витебского вокзала, на Гороховой улице, в доме номер шестьдесят четыре, куда по выходным дням, как на службу, ходила Ульяна Комиссарова и от души учила хорошим манерам двух неладно скроенных, но крепко сбитых крестьянских дочек.

Своих походов в этот дом она не афишировала, но однажды зимой, незадолго до Рождества, классная дама, опустив глаза, передала Уле, что ее вызывает к себе начальница гимназии. Классная дама хотела еще что-то добавить, но гимназистка уже пошла вперед навстречу своей беде.

— Если вы не дорожите собственной репутацией, мадемуазель, то подумайте о репутации гимназии, в которой имеете честь учиться, — сухо сказала мадам Миллер. — Я надеюсь, вам не нужно объяснять, для каких целей этот господин приглашает к себе девочек.

За спиной у Любови Петровны стоял изображенный во весь рост государь, и его строгий благородный взор выражал осуждение. Уля почувствовала, как краснеет, и, чтобы не заплакать от обиды, дерзко посмотрела в глаза женщине, которая всегда нравилась ей своей справедливостью, рассудительностью, тем, что она никогда не поощряла доносов и те глупые девчонки, которые пробовали ябедничать, делали это лишь однажды. И вот теперь она встретилась с ее сдвинутыми бровями, с гневным взглядом, каким прежде начальница одаривала только самых позорных доносчиц.

Уле захотелось сказать дерзость.

— Девочек? Вы уверены, мадам?

— Не говорите ерунды, мадемуазель, — ответила та насмешливо. — Эти сказки вы будете рассказывать своей классной даме. Неужели вы думаете, что я не отличу девушку от женщины? Да и, честно говоря, мне нет никакого дела до вашей интимной жизни, однако я не желаю огласки и скандала.

— Для чего вы верите сплетням?

— Пусть этот господин живет так, чтобы о нем и не было никаких сплетен, — отрезала мадам Миллер. — Меня интересует не он, а моя гимназия, и я не хочу, чтобы завтра ко мне пришли родители моих учениц и стали забирать своих дочерей. Так что либо вы прекращаете туда ходить, либо потрудитесь сообщить своей мачехе, чтобы она подыскала вам другое учебное заведение. Если ей нет дела до вашего воспитания, то от этого не должны страдать другие.

«А зря я тогда не убежала», — подумала Уля, нарочито небрежно макнув книксен, и мстительно представила, что будет с этой самоуверенной дамой, когда она передаст ее слова на Гороховой и все расскажет. «Милай дарагой прагани злобную тетку котора хороших девочек обижает».

Торопливо поднявшись в квартиру мимо уже привыкших к ней, спокойно провожающих тусклыми взглядами агентов охранного отделения, Уля увидела перед собой дрожащее лицо красивого седого мужчины с белой пушистой бородой и большими черными глазами, а рядом с ним личико нежного юного мальчика, который словно плющ обвивался вокруг старика.

— Ты кто? — спросил старик испуганно.

— Ульяна.

— Никому не говори, раба Божья, что нас здесь видела.

— Кого видела? — не поняла она, но лицо исчезло, мелькнул под бородой большой наперсный крест, покрасневший мальчик повлекся за своим вожатым, и насмешливый низкий голос загудел в глубине квартиры:

— А у тебя что сегодня за печаль, коза?

— У меня все хорошо, — неожиданно для самой себя ответила Уля и подумала, что никогда и ни о чем не будет этого человека просить и не станет ни на кого жаловаться.

Впрочем, и без ее жалоб никаких последствий разговор с начальницей не имел. Разве что теперь она стала ловить на себе странные взгляды учителей, которые спрашивали ее на уроке очень осторожно, точно она превратилась в хрупкий сосуд и они боялись его разбить. Зато переменились к ней, стали строже одноклассницы, шушукались, шептались меж собой и Ули сторонились.

— Пусть идет к своим сипачкам, — услышала она однажды за спиной.

Уля вспыхнула, но теперь ей тем более некуда было отступать. Отступать значило дать себя унизить, признать поражение, а такого позволить она не могла. Все это было тем обиднее, что сама она никакой вины не чувствовала и ничего особенного в своих новых знакомых не находила, как не видела ничего ужасного и сверхъестественного в их отце. Не нравилось ей лишь то болезненное обожание, которым он был окружен, и Уля с оттенком легкого презрения и раздражения относилась к поклонницам, готовым есть из его рук или выбирать, как святыню, крошки из его бороды и просившим у Акилины ношеное белье, чем грязнее, тем лучше.

Ей казалось, что так же брезгливо относится к ним и сам хозяин квартиры, и нельзя было понять, зачем они ему нужны и почему он не гонит их прочь. Иногда она думала, что он честолюбив и ему нравится быть покровителем слабых и защитником убогих, нравится, что перед ним заискивают сильные мира сего, что его корявое, неграмотное слово, небрежная записка на простой бумаге стоят дороже министерского циркуляра с гербовыми печатями. Но для такого честолюбия он был, пожалуй, слишком простодушен. Скорее, привык к обожанию, как к сладкому вину, завороженный круговоротом лиц, чередой бедных и богатых платьев, мундиров, ряс, сюртуков и уже не способный остановиться; однако спросить подробнее ни у него, ни у его дочерей Уля не решалась.

13

Вере Константиновне она тоже ничего не рассказывала, хотя порою сталкивалась с вопрошающим взглядом мачехи, в котором непонятно, чего больше было: женского любопытства, беспокойства или страха. Эта холодная и так странно переменившаяся женщина, приведя падчерицу в дом на Гороховой, свое дело сделала, а все остальное, по Улиному разумению, ее не касалось, и дочь механика не замечала, как в действительности страдала, терзалась ее мачеха от обиды, по сравнению с которой все прежние переживания Веры Константиновны, все эти «я ль на свете всех милей?» казались невинной забавой. Почему с девчонкой он проводит времени больше, чем с ней, горько спрашивала она себя. Почему Юля безо всякого волнения поднимается по лестнице доходного дома и легко переступает порог квартиры, а взрослая, знающая себе цену женщина трепещет, как девочка? Да, она все понимала, она не могла быть подружкой его дочерям, но каким-то обострившимся звериным чутьем, в ней проснувшимся, Вера Константи-

новна подозревала иное и бесилась пуще прежнего. А он
это видел, не одобрял ее и в наказание еще дальше ото-
двигал от себя. И то же самое чувствовала и Акилина,
которая прямо ее третировала, и Аннушка, смотревшая
не то с насмешливостью, не то с жалостью, отчего сестре милосердия хотелось разбить тарелку о голову царской фрейлины. Странная вещь: кто бы сказал Вере
Константиновне еще несколько месяцев назад, что в ее
жизни возникнет человек, от которого она будет до такой степени зависеть, ловить его взгляд, слово, переживать из-за того, что он уделяет ей недостаточно времени
или же бывает сух! И ладно бы это был аристократ, князь
или известный поэт либо художник — косматый, кос-
ноязычный мужик в шелковой поддевке и скрипучих
сапогах, от которого пахло кислой капустой и дорогим
вином, возымел над нею власть, пленил и томил ее,
словно к чему-то приуготовляя. А она, больше всего на
свете ценившая независимость и свободу, требовала от
него еще большего для себя плена, большего послушания, наказания, унижения. Ждала, ждала, потеряв последний стыд, сгорала и перегорала. И если бы она была
одна такая!

Все они, приходившие в этот дом, кружились вокруг
него, все зависели, говорили правду и плутовали, лука-
вили и были искренними, лживыми, истеричными
и надрывными; между ними выстраивались не очень
понятные отношения, у каждой из них была своя зависть и своя ревность, и ни деньги, ни происхождение,
ни положение в обществе, ни срок пребывания в окружении известного лица ничего не значили — нечто другое играло здесь роль. Но что именно, Вера Константиновна понять не могла, и оттого ее раздражение лишь
усиливалось. И страшная мысль, что их всех тут обма-

нывают, всех для чего-то используют — но для чего? — закрадывалась в ее голову, и хотелось уйти отсюда, но и уйти сил не было.

А Уля этого ничего не ведала. Она замечала, что иногда в квартире мелькают красивые дамочки, но хозяин относился к ним с той мерой небрежного покровительства, которая граничила с неуловимой насмешливостью. Уля ничего не знала об отношениях, которые его с ними связывали, и, хотя много сплетен о том прежде слыхала, была уверена: даже если что-то непристойное там и было, ни одну из этих женщин он не вынуждал себя любить. Скорее — не всех отталкивал, принимая то, что ему шло. И доброе, и злое, и спасительное, и губительное. Он остро чувствовал людей, которые хотели им пользоваться, но никогда их не прогонял, хотя и близко до себя не допускал. Все его устремления сводились к тому, чтобы привести интересы различных людей в соответствие друг с другом и никого не обидеть.

Большинство в его окружении составляли женщины, но приходили не только они, просто женщины вели себя гораздо живее. Они точно заряжались его энергией, как если бы вокруг обожествляемого ими человека сложилось электрическое поле и каждый, кто в него попадал, начинал быстрее двигаться и больше говорить.

Поначалу находившийся в центре этого поля казался Уле стариком, но с удивлением она узнала, что ему всего сорок шесть лет и он ненамного старше и ее отца, и Павла Матвеевича Легкобытова. Однако пропасть лежала между этими людьми. Он если и был тщеславен, то каким-то иным, не личным тщеславием, любя смирять гордых и возвышать кротких, он проповедовал любовь, но походил не на пророка, не на проповедника, а на крестьянского старосту, на грамотного управляющего при царском доме, хотя даже на упоминание государя, государыни, великих княжон и наследника на Гороховой было наложено негласное табу. Его дочери были знакомы с царскими детьми, но ничего о них не рассказывали.

Только однажды, точно предупреждая Улин вопрос, Варя заметила:

— Они папу очень любят. Он добрый, он учит их Бога любить.

«А меня не учит, зато хочет, чтоб я учила», — подумала она без обиды, мельком, но, привыкшая за всем следить, прислушиваться и приглядываться к тому, что делается в доме, Уля однажды услыхала разговор хозяина с Акилиной.

— Давеча та нищенка опять приходила. Хотел ей денег дать — не взяла.

— А зачем приходила?

Он что-то тихо, невнятно произнес, и Уля напряглась изо всех сил, чтобы расслышать.

— ...успокоилась как будто, а потом все равно корить стала, что не так-де веду себя. Им ведь не угодишь. В Писании что сказано? — возвысил он голос. — Кому уподоблю человеки рода сего, и кому подобни? Подобни суть отрочищем, седящим на торжищах, и приглашающим друг друга, и глаголющим: пискахом вам, и не плясасте: рыдахом вам, и не плакасте. Мы играли вам на свирели, а вы не плясали, мы пели вам печальные песни, и вы не рыдали.

Акилина что-то негромко возразила, но он с досадой перебил ее:

— Да знаю я это все. Знаю, что вы хотите меня в монастырь заточить. И Аннушка о том же. Все уши мне прожужжала: поди да поди в обитель, там хорошо, там Бога славят. А здесь о тебе-де злословят, здесь убьют-де тебя. Не пойду я ни в какой монастырь, сожрут меня там чернецы. Отравят, ибо ненавидят меня. А за что ненавидят? За то, что я за афонских монахов вступился, когда Антоний Волынский на них попер? Они-то все промолчали. Не нравится им, что я всюду суюсь? Так ведь если меня отсюда вынуть, все еще быстрее прахом пойдет. Терпения ни у кого нету. А нам бы чуть-чуть потерпеть, и сжалится над нами Господь. Ты молчи, Акилина. Я знаю, чья ты и чего хочешь, но прогонять тебя не стану. Попустил тебя Господь в этот дом — живи, только помни, что бывает с теми, кто двум господам служит. А мне не мешай, я как свое дело здесь сделаю, так и уйду, и никто никогда не найдет меня. Ну а ты что, коза, тут делаешь?

Уля хотела отступить в тень, но было поздно.

— А ты какая любопытная. Ну, что мне скажешь?

— Про что? — спросила она, опасливо косясь на сердитую Акилину.

— Про то, что слыхала. Ну, уезжать мне али оставаться? Вот как скажешь — так и сделаю.

Он смотрел на нее пронзительными глубокими глазами, и Уля вдруг почувствовала то же самое, что в лунную ночь перед войной, как если бы от нее снова зависело, куда покатится огромный мир дальше. И человек напротив нее это тоже знал. Он бросал ее слова, как жребий, как монетку — какой стороной упадет.

— Не уезжайте никуда, — пискнула она и подумала, что он должен будет ее похвалить, но никакой улыбки на заросшем лице не появилось.

— О своем думаешь, коза, — сказал он невесело. — О своем. Вот и все так. Отец-то не пишет? — Он приблизился к ней, как в ту самую первую их встречу, но ничего, кроме тревоги, она не ощутила.

— Нет.

— Знаю, что нет. Чай, тоскливо тебе?

— Очень.

— Вот и мне тоскливо.

Она с удивлением вскинула на него глаза: представить, чтобы этот человек испытывал смятение, тоску, уныние, было невозможно.

— Молишься за него?

— Молюсь.

— Пойдем вместе помолимся.

— С вами?

Никогда прежде молиться с собой он ее не звал. Уля была подружка его дочерей, даже не подружка, а бесплатная бонна, учительница, репетиторша, но никакого отношения к той взрослой, молитвенной жизни, которая в квартире происходила, она не имела.

Они прошли в дальнюю комнату с темными образами и лампадами, где она прежде никогда не бывала, и он замер перед иконой, вытянувшись, выстроившись вверх и словно приподнявшись над полом, а потом стал отбивать земные поклоны. Уля повторяла за ним и считала, но после десятого сбилась со счету и уже механически крестилась, опускалась на дрожащие колени, стукалась лбом об пол, шатаясь, вставала и снова падала. Ее качало, кружило по комнате, как если бы пол в обычной петербургской квартире превратился в палубу попавшего в шторм корабля, но он этого не замечал. С ним происходило что-то странное — он нимало не уставал, напротив, его движения становились все более быстрыми, отрывистыми, хлесткими, уверенными, и все его худощавое крепкое тело мелькало, как спицы в колесе. Руки, ноги, туловище — сливались, множились, рябили в глазах, точно он был каким-то индусским божеством или вот-вот в такого Шиву превратится.

Уле сделалось страшно. Захотелось выбежать прочь из этой комнаты, но постепенно, подчиняясь его ритму, она тоже стала двигаться быстрее, пытаясь совпасть с его движениями. Кровь глухо билась в ее висках, пот застилал глаза, откуда-то появились силы, и она истово кланялась, не думая ни о чем, но точно растворяясь в этом замкнутом пространстве и испытывая невероятную сладость, какой прежде никогда не знала. Это было похоже на то, что переживала она во сне, когда мчалась по приильменской равнине, но чувство было острее, глубже, и она понимала, что еще немного — и ее тело сорвется с места, подхваченное ветром, исходившим от этого человека, и она ударится о стены, пол или потолок, как залетевшая в окно птица, и забьется; но поверх этого она чувствовала и другое: эту молитву услышат, и она поможет тому, кому эта помощь сейчас особенно нужна, он не погибнет там, на далекой войне, он останется жив, они выпросят, вымолят его, потому что этот новый, неизвестный ей, таинственный человек уверенно ведет ее в молитвенной буре своим опытным, изведанным путем и не позволяет сбиться в сторону.

— Ну хватит, коза. — Он поднялся сильный, свежий, с прилипшими ко лбу волосами. — Таперича к Роде поедем.

— К какому Роде?

— В ресторан за городом.

— Вы что? — испугалась она. — Мне нельзя в ресторан.

— Со мной все можно.

На улице сгущались ранние ноябрьские сумерки, мороз сменился сильным ветром, казалось, хотел идти снег, и красивое серое ландо ехал по запруженным петербургским улицам, обгоняя извозчиков. На них смотрели то ли с завистью, то ли с неодобрением прохожие, мрачного вида господин злобно махнул палкой с набалдашником, и было непонятно, возмущен ли он автомобилем или же теми людьми, что в нем находились. Но чем быстрее, вырвавшись за Неву, они мчались, тем веселее Уле становилось, она узнавала скорость, мелькание деревьев, человеческих лиц и больше не боялась того, что ее увидят, она не боялась ничего. Снег ударил по ним из всех орудий, как только они оказались за городом. Налетел внезапно, так что вмиг все смешалось, верх и низ, земля и небо, и Уля подумала, что они никуда не доедут, заблудятся, пропадут в этой снежной круговерти, но за несколько минут этого полета было не жалко и пропасть. Однако, не снижая скорости, машина неслась вперед, как если бы ее водитель видел дорогу сквозь снежные заносы, и его сторонились обозы, повозки, экипажи, сани и пешие странники. Они свернули с шоссе, и в метельном снегу возникла окруженная остроконечными черными елями просторная нарядная деревянная дача, где их уже ждали. Уля вошла внутрь роскошного помещения так же легко и привычно, как вошла бы в собственный дом.

То, что происходило дальше, девочка помнила смутно. Она быстро захмелела от шампанского, ела мало, но жадно пила, потому что ей хотелось пить, беспричинно смеялась и через пелену смотрела, как танцует сильный, некрасивый, жилистый, скандальный мужик в малиновой рубахе в окружении других мужчин и женщин, как поет цыганский хор, что-то выкрикивают люди, плачут, рыдают, хохочут... Ей тоже хотелось веселиться вместе со всеми, и она ворвалась в этот круг, где еще отчаянней, надрывней звучала музыка, и слышно было, как в тон ей свистит за окном метель, заметая по самую крышу не только «Виллу Родэ», но и весь город, страну и мир. В какой-то момент хорошо освещенный дом погас, публика ахнула, но тотчас же лакеи внесли свечи, и веселье стало еще острей и безоглядней.

В темном таинственном пространстве было так уютно и хорошо, что Уля почувствовала себя в полной безопасности. Ни мадам Миллер, ни классная дама, ни мачеха с ее ревностью ни за что сюда не проберутся, она убежала от них, ускакала, как когда-то убежала прочь по крутому берегу Шеломи от Павла Матвеевича Легкобытова. С Улей почтительно, как со взрослой, заговаривали незнакомые мужчины, и она весело им отвечала, все казались ей чрезвычайно приятными, доброжелательными людьми, даже толстяк с пшеничными бакенбардами, который был на обеде в ее первый день на Гороховой, показался милым, обаятельным человеком. Он издалека погрозил ей пухлым пальчиком с перстнем, и она засмеялась и погрозила ему в ответ. Голова у нее кружилась, она плохо соображала и совсем не поняла, почему и как очутилась в небольшой комнате, где горело несколько свечей и странный запах ударял в голову, мешаясь с алкоголем.

Толстяк исчез, вместо него появился другой, незнакомый ей пожилой господин. Его опытные, ласковые руки раздевали ее так умело и деликатно, что она даже не замечала, как спадает с нее одежда, но краешком сознания понимала, что ведет себя неприлично, и в этой тягости вдруг зазвучал высокий голос Легкобытова. Он пронзил ее голову тонкой иглой, уколол и вырвал из дурмана, воспоминание обожгло, отрезвило ее, и Уля стала отчаянно биться и кричать, а потом вырвалась и побежала по коридорам в залу.

Свет включился внезапно, выставил ее на позор перед всеми людьми, среди которых она различала только того, кто ее сюда привез. Никогда она не видела этого человека в таком гневе. Он был сильно пьян, тяжело дышал, руки у него дрожали, на лице выступил пот, вышитая рубаха была порвана, он страшно закричал, и вцепился в толстяка, и принялся бить его по лицу, до крови, откуда-то в комнате сразу возникло множество других людей, лакеи, швейцары, шум, брань, угрозы, вспышки фотоаппарата, направленные прямо на ее лицо, жадные, слепящие, звон разбитой посуды, свист полицейских, но этого она уже не видела.

Когда возвращались, снег прекратился, на улице рассвело, машина ехала очень мягко, но Уле казалось, что они несутся по ухабам, у нее страшно болела голова, ее мутило, и сквозь эту муть доносилось сокрушенное:

— Недоглядел я за тобой, девка. Недоглядел. Моя вина.

Он велел остановить машину у церкви и, только что страшный, неистовый в хмельном кураже и в гневе, снова натянулся, как тетива, трижды наклонился до земли и скрылся в храме.

В гимназию Уля в тот день не пошла. До самого вечера ее тошнило, а мачеха сидела подле нее, меняла тазы и гладила ее по голове. Руки у мачехи были прохладные, мягкие, а глаза такие испытующие, что Уле сделалось неловко. Она чувствовала, что мачеха хочет задать ей какой-то вопрос, но не решается, и Уля догадывалась о том, что именно хочет Вера Константиновна спросить, но делала вид, что ничего не понимает... А Вера Константиновна, истолковав ее смятение по-своему, вдруг заплакала, и Уля прижалась к ней, чувствуя ее соленые слезы на губах, и не заметила, как уснула.

Часть IV
ПРЕСТИДИЖИТАТОР

1

— Вы доблестно сражались, и немецкое командование обещает не только сохранить вам жизнь, но и оказать почет и уважение.

Немецкий генерал говорил через переводчика, и в контуженную голову Комиссарова его гладкие слова вливались словно яд.

— Сейчас вас посадят в вагоны и отправят в тыл, где вы получите кофе и бутерброды. Каждый желающий может написать письмо домой и сообщить своим родным, что находится в безопасности и его жизни ничего не угрожает. Если у кого-то не имеется бумаги и перьев, вы можете получить их у младших офицеров.

Немецкая санитарная рота, вытянувшись цепью, пошла подбирать раненых. Со стороны леса раздавалась артиллерийская стрельба. Стреляли свои. Красноречивый генерал исчез, и механик подумал, каким счастьем было бы погибнуть от этих снарядов, но раскаты становились все реже, дальше, глуше, и на поляне, где их окружили, сделалось тихо. Комиссаров в который раз ощупал одежду: личное оружие у него отобрали, и исполнить свое обещание не попадать в руки врага он не мог. Хотелось плакать от бессилия, унижения, позора, но, когда он огляделся по сторонам, ему показалось, что почти никто из его солдат этого стыда не испытывал. Напротив, они расслабились и почувствовали облегчение и доверие к своим завоевателям. Кто-то закурил, кто-то нервно засмеялся. «Ах ты господи, что же это такое? Почему так светит солнце, зачем оно так ярко светит, это стыдно... зачем он так с нами говорил... кофе, бутерброды, сигареты... и они поверили, дурачье... какое же темное беспробудное дурачье, стадо...»

Он лежал на теплом мху в полузабытьи, не чувствуя, как по его телу ползут жадные лесные муравьи, и снова переживал окончившийся бой, свое страшное одиночество, когда рядом не осталось никого, переживал промедление, когда можно было успеть выстрелить себе в голову, но он не выстрелил. Что это было — страх, надежда, что побежавшие солдаты вернутся, не бросят своего командира? Да, надо было стрелять, но не в немцев, а в них, чтобы их остановить, а если бы не получилось, то в себя, но он ошибся и стал добычей. И этот благородный генерал, который не понимал, как унизительно звучат для русского офицера его слова. Немец не пытался намеренно Комиссарова оскорбить — тем более оскорбленным чувствовал себя пленный человек. «Вот ты корил другого, а теперь сам лежишь растянувшись и на самом деле маленький. Такой маленький, что тебя не страшно и похвалить», — вспомнил он и почувствовал кровь на разбитых губах.

Над ним склонилось круглое безусое лицо.

— Попить не желаете, вашбродь?

Он оттолкнул чужую руку и отвернулся.

— Худо совсем нашему прапорщику, — сказал солдатик, отходя, и Комиссаров стискивал зубы, но не во сне, а наяву, чтобы не закричать.

Те, кто умели писать, воспользовались предложением генерала, те, кто не умели, попросили своих товарищей помочь им, но, как только они закончили, высокий немец со впалыми щеками собрал листки с такой же деловитостью, с какой это сделал бы школьный учитель, и, не стесняясь присутствия пленных, стал быстро просматривать написанное.

«Разведка, — кольнуло механика, — выуживают сведения. Как же все просто, до обидного просто. Дурачье!»

— А вы ничего не желаете передать своим домашним, господин прапорщик? Что это у вас? Книга? Я очень люблю вашу литературу. Достоевского, Толстого, Тургенева, Чехова, — перечислял он красивым звучным голосом имена писателей, как если бы официант в ресторане называл блюда. — А вы кого предпочитаете? Дайте-ка я посмотрю.

Немец говорил почти без акцента, должно быть, он жил в России много лет, а может быть, и родился здесь.

— Вам эта книга ничего не сообщит, — сказал Василий Христофорович злобно, прижимая к себе подарок Р-ва.

— Давайте, давайте.

Немец впился глазами в строчки, покраснел, а потом вдруг засмеялся и подозвал своих товарищей. Он с листа переводил, вызывая хохот и брань у тех, кто его слушал. Книга пошла по рукам, немцы плевались в нее, рвали страницы, подбрасывали, пинали, а потом передали переводчику, и тот учтивым жестом вернул ее прапорщику:

— Вы нас изрядно повеселили. Не смею забирать себе этот трофей. Нам он действительно ничего ценного не сообщит, а вам да послужит утешением в неволе. Вам теперь придется молиться о том, чтобы ваш славный государь поскорее капитулировал и вы смогли вернуться домой.

Василий Христофорович рванулся, чтобы ударить его, но немец перехватил руку русского:

— Ну-ка тихо! Раньше геройствовать надо было.

...Начался дождь и шел все время, пока они ступали по разбитой дороге. Ночевали в сыром сарае на краю небольшой деревни. Народу набралось столько, что трудно было повернуться. Только легли и забылись сном, как раздалась команда выходить и идти дальше. Несколько часов простояли под дождем в темноте, потом двинулись вперед и шли несколько дней, сопровождаемые рослыми кирасирами на холеных лошадях. На третьи сутки у Комиссарова начался жар, и сквозь бред он видел, как немцы отнимают у пленных сапоги, одежду, как раздают хлеб, как толкают друг друга русские солдаты, боясь, что не всем достанется, и организованные германцы бьют их прикладами. Говорили, что их всех повезут в Берлин и как военный трофей проведут по городу.

Василий Христофорович легче согласился бы умереть, чтобы ничего этого не видеть, но кому-то было нужно, чтобы он жил и терпел унижение от германского конвоя, от врачей, которые называли его симулянтом, от лагерных надзирателей, но более всего от своих собственных солдат, от армии, которая разлагалась у него на глазах. Он вглядывался в их лица и не мог ничего понять. «Они считают, что спаслись. Что самое страшное позади. Они не хотят победы. Им плевать на все, кроме себя».

Он думал об этом все время, когда его уже отделили от солдат и поместили вместе с младшими офицерами, но и здесь Василий Христофорович с ужасом наблюдал за тем, что офицеры оказались немногим лучше нижних чинов. Многие из них не горевали из-за того, что попали в плен. Плен и для них означал спасение, они были готовы вынести его тяготы, потому что знали: немцы хоть и строги, но если соблюдать правила, которые они установили, то можно уцелеть. А потом их переправят домой через Красный Крест, к тому времени и война, глядишь, закончится, и никто не станет спрашивать, как они оказались в плену, никто не накажет за малодушие, хотя половина из них могли бы не сдаваться и не сдавать своих солдат. «Надо всех офицеров, кто попал в плен, разжаловать в солдаты. А потом вернуть в армию, и пусть кровью смывают позор. Надо наказывать их семьи, надо делать так, чтобы дети стыдились своих отцов. И первым среди этих наказанных буду я. Но прежде скажу тебе, государь: нельзя так командовать армией, как командуешь ты. С ними нельзя ни мягко, ни благородно — они понимают только силу, страх и жестокость».

Он много думал о царе в последнее время, представлял его склонившегося над военными картами, выслушивающего своих генералов, принимающего решения, от которых зависела судьба России. Василию Христофоровичу казалось, что если думать напряженно, целенаправленно, то эти мысли не рассеются, не исчезнут, а дойдут до того, кому они предназначены. Ведь если существует злобный духовный волк, то должны быть и другие, добрые существа, способные перенести от человека к человеку важные, сокровенные, полезные мысли, которые сообщал механику его опыт.

«Государь, государь, ты не должен бояться крови, даже невинно пролитой, пусть не смущается твое сердце никакими жалобами и упреками. Тебя никто не осудит даже за несколько тысяч безвинно пострадавших людей, но тебя проклянут за поражение в этой войне. Ты должен быть решительным, властным и мудрым, не слушать ничьих советов, не поддаваться ни на какие уговоры и предостережения, а идти до конца».

Василий Христофорович ни с кем не делился своими мыслями, ни с кем не сходился, и его никто не трогал, считали чудаком, гордецом, мизантропом. Он единственный не ждал писем из дома, потому что не писал их, запретил себе писать домой, не имея на это морального права как человек, попавший в плен. Прапорщик приучил себя к одиночеству и сиротству и контролировал свои сны, свои чувства, чтобы даже тень, слабый намек на образ жены и дочери не коснулись его и близкие люди не были бы мысленно осквернены тем местом, где он теперь находился. И странное дело: здесь, в неволе, ему удавалось то, что не получалось на свободе, — овладеть своим сознанием, как если бы мысленному волку не было хода за колючую проволоку. Василий Христофорович ощущал, как внутренне очищается, но это очищение лишь усиливало его страдания и презрение к самому себе и к людям, которые его окружали.

Барак жил своей жизнью, в нем молились, пели, ставили спектакли, по утрам делали гимнастику, ели лук и чеснок, чтобы не заболеть цингой, обсуждали, что происходит в России, болтали про царя и про царицу, про отчаянного удачливого мужика, который государыню обворожил, скучали, добывали вино и устраивали посиделки, много говорили про женщин, рассматривали порнографические карточки, хотя все знали, что их приносят сами немцы, а вместе с ними и пропагандистскую литературу. Днем в бараке смеялись, а ночью плакали во сне и скрежетали зубами; все было здесь перемешано — и русский Бог, и русский черт, и русская воля, и русская покорность, бунт и кротость, и невозможно было провести ту черту в сердце человека, которая отделяла бы доброе от злого.

Однажды случился побег. Убежали трое офицеров, про которых Василий Христофорович меньше всего мог подумать, что они на побег способны, и в первый момент он ощутил нечто вроде острой обиды: почему его с собой не позвали, почему ему не доверились? Немцы всех допросили. Допросили и Комиссарова, и он вызывающе, не скрывая ненависти к своим дознавателям, проговорил, что убежал бы сам, если бы не раненая нога, но как ни напрашивался Василий Христофорович на наказание, ему ничего не сделали.

Неделю спустя беглецов поймали, вернули в лагерь и зачитали приговор.

— Согласно конвенции о военнопленных мы не имеем права наказывать вас за побег, — объявил им через переводчика комендант лагеря, — но мы имеем право наказать вас за порчу имущества.

— Какого имущества? — угрюмо спросил кто-то.

— Порванной одежды и поврежденной колючей проволоки.

Появился врач и на глазах у всех перерезал беглецам сухожилия.

Комиссаров думал об одном: убить себя — дело самое простое, он этого не боялся, но прежде должен был сделать другое. Если не удалось с пользой прожить жизнь, надо хотя бы постараться с пользой умереть. А для этого выздороветь и убить немцев, убить как можно больше — с этой мыслью о мщении только и можно было жить. Убить тех, кто мучает людей, травит их газом, сбрасывает бомбы на санитарные поезда, презирает других и не стесняясь называет лагерь военнопленных зверинцем.

Кажется, он об этом не только думал. Кажется, кричал, оскорблял охрану, надзирателей, дрался и сумел дать волю тому буйству, что мучило его в довоенной жизни, но ему по-прежнему все сходило с рук. Почему? Он этого не мог понять, этого не мог понять никто, Василия Христофоровича не просто теперь сторонились, но избегали, боялись, видели в нем провокатора, и он был готов броситься на кого-нибудь из немцев и в горло ему вцепиться, он смерти искал, а потом успокоился, странное оцепенение им овладело. Он почувствовал, что ему сделалось все равно, будет он жить или нет, принесет родине пользу или умрет бесславно, бессловесно, как животное на скотобойне.

Однажды в лагерь приехала делегация Красного Креста, и среди приехавших оказалась русская сестра милосердия. Она подходила к каждому раненому, передавала подарки от государыни, и Комиссарову вдруг почудилось — нет, этого не могло быть, но ему почудилось, — что это Вера, и он ощутил, как страшная, слабая, теплая волна поднялась из глубины его существа, смыла лед и захлестнула его и он не может ничего с этой волной поделать. То, что скопилось в нем за месяцы фронта и плена, прорвалось криком, рыданием, истерикой, от которой вздрогнули и пленные, и охранники, и сестры милосердия.

Это была не Вера, это была женщина, совсем на нее не похожая, и он не понимал, как мог ошибиться. Зато она что-то поняла, подошла к нему и положила руку на его голову:

— Не надо стесняться. Вы плачьте, плачьте, вам легче станет. Вам надо плакать. Да у вас жар какой. Вас в больницу нужно срочно отправить. — Она прислонила ухо к его груди и в гневе подняла голову: — Его слушал кто-нибудь? У него хрипы в легких. Почему его здесь держат? Почему не лечат? — обратилась она к старшему из охраны. — По какому праву вы себе позволяете бесчеловечное отношение к пленным? Не можете больных содержать — отдайте его мне.

— Это невозможно, мадам.

— Отдайте! Одного, мне его одного отдайте. Это мой муж, муж! — выкрикнула она судорожно. — Скажите им, что он мой муж!

— Пойдемте, сударыня, пойдемте, — заговорил торопливо швейцарский врач, — вы ему все равно помочь не сможете, только хуже сделаете.

Наутро Комиссаров не встал. Уступив, он уже больше не мог держаться и покатился вниз, в слабость, слезы, жалость к себе. Василий Христофорович был уверен, что на этот раз немцы его не простят, заставят подняться и отыграются на нем, отомстят, но они стояли в отдалении, смотрели на него с испугом, а вечером отправили в тифозный барак. Сначала его одного, потом еще нескольких офицеров, потом еще — в лагере началась эпидемия, и было понятно, что ходу назад из этого барака не будет.

«Вот и хорошо, — думал он в бреду, — скорей бы умереть и ничего не видеть, молотилка, веялка, сломалась, засорилась... сор, мусор, грязь... и больше ничего... Звездное небо, звезды — это души умерших, земля живым, а небо мертвым, решетка, веялка... Шалишь, брат, не видать тебе никакого неба...»

Какой-то глумливый усатый человек померещился ему в забытьи. Он был одет в желтое холстинковое платье Веры Константиновны, которое было ему мало, смотрел на Комиссарова наглым взглядом и страшными словами поносил его жену. Василий Христофорович хотел грубияна вздуть, но, сколько ни хватал его руками, в пальцах оставалась пустота. Он метался по кровати, кричал, угрожал, пока не прибежали какие-то люди и не привязали его к кровати ремнями.

2

Этот сон Исидор видел каждую ночь. Он снова бежит с каторги, вздрагивая от любого шороха, ночует не на постоялых дворах, не в гостинице, а в каких-то хлевах, овинах, несколько раз ему кажется, что вот-вот полиция схватит его. О его побеге уже раструбили в газетах, уже ищут его как особо опасного преступника, пытаются угадать маршрут его бегства, толкуют про Китай и Иран, а он упрямо стремится в Россию, он не доверяет тем, кто его сопровождает, ему кажется, они все время ведут за его спиной свою игру и в любой момент могут сдать его. Он нервничает, плохо спит, у него дрожат руки, но, когда наконец ему остается последнее — в небогатой петербургской квартире на Литейном проспекте переодеться в женское платье и уже оттуда бежать за границу, приходит хозяин, муж той женщины, что это платье носила, берет в руки хлыст и начинает его стегать. От боли и наслаждения Исидор просыпался и заранее ненавидел весь ожидавший его долгий день, тоску, пустоту, которая повторится завтра опять, и так будет до самого последнего вздоха.

Расстрига никогда не думал, что будет страдать без России. Никогда он не предполагал, что северная страна, куда его вывезли и которая поначалу ему понравилась своей аккуратной, опрятной бедностью, вызовет раздражение и ему станет тоскливо на чистых улицах небольшого городка на берегу студеного моря со сделанными из камня на сотни лет домами. Ему казалось, что на этом пространстве нет жизни. Этой жизни не было ни в лавках, возле которых не толпился народ и не бродили пьяницы, ни в местных кабачках, где крепко выпивали по выходным дням, но никогда не дрались, ни на продутой холодным ветром площади с ратушей. Иногда он заходил в кирху, но и там его отпугивали строгость и пустота. Среди этих людей едва ли удалось бы ему стать законоучителем. Не пошли бы к нему эти гордые, суховатые женщины, не понесли бы своих детей, не сделались бы его учениками и послушниками эти мужчины. Никто бы не защищал его от полиции или местных властей, если бы он вздумал с ними повздорить, никто из этих законопослушных людей не понял бы, что такое чан кипящий, и не стал бы в этот чан бросаться, точно здесь, в этом чуждом холодном мире, странным образом сбывалось реченное некогда епископом Феофилом: ничего никому не проповедуй, кайся и молись, молись и кайся, и больше ничего.

Деньги, переданные ему людьми, которые его сюда перевезли, скоро кончились. Он попросил новых, ему дали немного и сказали, что больше, пока он не напишет книгу про хлыста и царицу, не дадут. Их жадность так возмутила и оскорбила его, что он хотел швырнуть бумажки господину с аккуратной бородкой и пригрозить ему: «Пойду и сдамся».

Швырять деньги он не стал и угрозу свою не озвучил, но запомнил, и в минуты особой тоски она утешала его. Он представил, как это произойдет и о его возвращении напишут в газетах. «Иеромонах-расстрига Исидор принес покаяние перед Государем и матерью Церковью». Пусть даже посадят, вернут в арестантские роты, но он успеет пережить тот миг известности, без которой он не мог теперь жить, как застарелый наркоман без морфия. Но еще больше и острей он страдал оттого, что рядом с ним не было женщин. Похотливый, разжигающийся от одной мысли, от одного мелькнувшего в голове образа или воспоминания, Исидор испытывал необычайные муки плоти, но пойти к проститутке не мог. В соседнем большом портовом городе продажных женщин было немало, они жили на улицах, примыкающих к морю, и иногда он ездил туда, но всякий раз что-то останавливало его. Покупать женщину за деньги ему не позволяла не жадность, не стыдливость, не боязнь подцепить дурную болезнь, а неведомое чувство, которое он не умел объяснить, но ближе всего оно было к брезгливости. Исидор не мог допустить, чтобы его чистое красивое тело соприкоснулось с телом нечистым, чтобы его драгоценное семя упало туда, где не раз смешивались другие мужские семена. Иногда он смотрел на платье, в котором сбежал за границу, и с ненавистью и одновременно вожделением думал о женщине, что его носила. Он ненавидел мужчину, которому эта женщина принадлежала, и однажды в припадке ярости разодрал платье, мучительно представляя, как сделал бы это на ней... Чтобы хоть как-то похоть унять, стал много пить, а вместе с тем и есть и за несколько месяцев растолстел, обрюзг. Ел и пил он ночами, а днем тусклыми безжизненными глазами смотрел вокруг себя. Учить тарабарский язык, на котором тут говорили, он не собирался и все чаще думал о том, что зря согласился на побег, жил бы и жил в этих ротах, среди своих. Можно было бы попробовать тайно перейти границу обратно, но он боялся не того, что его поймают, не тюрьмы, он боялся мести со стороны темных людей.

Осенью Исидору пришлось пойти работать на рыбный завод, и за несколько недель он так пропах рыбьим запахом, что не мог отмыться. Никто из местных жителей с ним не сходился, несколько русских эмигрантов держались от него обособленно и после того, как однажды позвали его в гости, больше не приглашали. Что он такого в этих гостях наделал, чем не понравился, он не знал, но тоска его не проходила, не притуплялась, а выжирала что-то внутри его большого тела, и чем больше расстрига наполнял это тело жиром и мясом, тем жаднее солитер, заведшийся внутри него, становился. Однако больше всего Исидор скучал не по большому городу, который жестоко с ним обошелся, не по монастырю в Царицыне, откуда его изгнали, и даже не по сырому женскому телу — без всего этого, оказалось, можно было прожить или чем-то заменить, — он скучал по тому арапчонку, что уловил его в свои сети, а теперь то ли оставил на чужбине подыхать, то ли арапчонка в эту страну не пустили, задержали на границе вместо самого Исидора, взяли в заложники, а может быть, он и сам не захотел сюда ехать. И Исидор ощутил острое чувство не богооставленности, о котором когда-то рассказывал ему один печальный и надменный от своей печали философ в царицынском монастыре — и монах не мог взять в толк, о чем тот говорит и печалится и что вообще этому человеку с близорукими глазами и холеной бородкой нужно, — Исидор переживал странное, невероятное, непостижимое ощущение того, что оставлен своим личным бесом. Однако оно, это чувство, принесло расстриге не свободу, не радость, а такой ужас и пустоту, какие Исидор и помыслить не мог и искал, чем их заглушить, что придумать такое, что еще сказать, чтобы уже не слава, не власть, а обычный арапчонок к нему вернулся.

И причиной всему был человек, который должен был быть убит, но уцелел. Уцелел там и тогда, когда никаких шансов на личное спасение у него не было. «Дура косая, идиотка. Кинжал она взяла. Шилом надо было его пропороть. Засадить чалдону так, чтоб не вытащили, кишки намотать», — лихорадочно шептал он, ругая Фионию, и глядел на мрачное море, и взрезал одну за другой холодную скользкую треску и навагу.

Море погружало его в мысли смутные, мрачные, он вспоминал донскую степь, жару, вспоминал свой монастырь, серый Петербург, просторный дом на Каменном острове, и на сердце накатывала злоба. А может, и права была мать, когда не хотела отпускать его учиться в Петербург. Остался бы на своем хуторе, женился бы, нарожал детей, стал бы обычным священником. Как много у него было тогда свободы. А теперь? Он чувствовал себя в узком коридоре, по которому гнала его судьба, и у этой жизненной катастрофы был один виновник — тот, кто правил теперь Россией, кто спал с императрицей и был отцом наследника. И чем дальше шла жизнь, тем больше понимал Исидор, что, погубив душу, он хотел бы здесь, при жизни, хоть что-то взамен получить, а и взамен ему ничего дано не было, и это оскорбляло его нечестностью, но вместе с тем сулило надежду, что все еще, может быть, поправится, не кончится так глупо и бессловесно.

А потом настала зима, от которой, ему казалось, он просто сойдет с ума. Здесь было так северно, что несколько недель подряд почти не бывало света. Хуже, чем в темном, но хотя бы ненадолго брезжащем светом декабрьском Петербурге. Он сидел в пустой холодной тьме и думал: наверное, это и есть ад.

Ночами Исидор пытался писать свою книгу, но у него ничего не получалось. Он садился перед листом бумаги, и все мысли, что у него были, покидали его, а оставалась лишь ненависть, но, как оказалось, ненависти недостаточно, чтобы писать. Он вспоминал, с какой легкостью находил слова, когда произносил проповеди, говорил о божественном, ругал смутьянов, выискивал масонов и обличал неверных, как гладко у него тогда все выходило, но теперь кто-то — или что-то — отнял у него эту способность, и Исидор припоминал взгляд окающего мужичка. Посмотрит такой на тебя острым глазом, посмотришь ты на него...

Иногда привозили газеты из России. Он просматривал их с жадностью, надеясь отыскать хоть слово о себе, но о нем ничего не писали. Его забыли, точно ничего и не было — никаких скандалов, ни судов, ни грязных статеек, ни его блистательного побега в желтом холстинковом платье через границу. Зато чалдон не сходил с шуршащих страниц. Хлыста было запрещено называть по фамилии, но все понимали, о ком идет речь, когда расписывали его приключения. Скандал в московском ресторане «Яр». Выступление протоиерея Филоненко в Государственной думе. Новый обер-прокурор Синода Самарин пообещал, что покончит с распутицей в Церкви. Новый министр внутренних дел Щербатов займется расследованием драки на корабле «Товарпар», следовавшем из Тюмени в Покровское, где чалдон напился и стал безобразничать. Звонкоголосый иерей Востоков писал старенькому московскому митрополиту Макарию: «Россия на краю пропасти. Злой развратник, хлыст — докапывает России могилу», — и требовал от Макария ответа. Старец Фома желал объяснений от обер-прокурора Синода и грозил тому скорой отставкой и судом. Новый начальник русской контрразведки генерал Батюшин обнаружил в деле скандального варнака германский след и измену национальным интересам России. Все накалялось, сжималось, и — ничего не происходило. Все хлыстовы недруги изгонялись, уходили, садились в тюрьмы, замолкали, а он продолжал свои радения, безнаказанный, наглый, сильный.

Отчего никто его не остановит? Отчего не соберутся оскорбленные им женщины, их мужья, отцы, сыновья и не задушат гадину? Почему все выпало делать одному Исидору? Или гадина эта кому-то нужна? Нет, дело не в чалдоне, понял он однажды с обжигающей ясностью. Все дело в том, кто ему потворствует. Слабый, безвольный царь, подкаблучник, бледный полковник, по манию хлыста ставший главнокомандующим русской армии. Разве такой государь нужен сегодня России? Ей нужен другой. Тот, кто никого и ничего не боялся и не слушал. Тот, кто знал, что внутри страны враги, предатели, тати, и не побоялся их устрашить с помощью своих верных. Казней, крови, слез — ничего не побоялся и через все переступил. Этот царь такого мужичонку не то чтоб во дворец не пустил, он бы приказал его бить плетьми, вырвать ноздри и на каторгу бессрочную отправить. И всю заразу, все предательство, всю трусость он бы каленым железом выжег. Вот какой нужен государь России. Вот при ком была бы у нас другая церковь, и тогда он, Исидор, не стал бы снимать с себя сан, не пускался б в разврат, а твердо защищал бы веру, царя и Отечество. Это по вине Николая он пал до того, что стал жить по чужой милости. Разве допустил бы такое унижение тот великий царь? «А хлыст, — думал он, мрачно читая газеты, — с евреями водится. Банкир Рубинштейн, банкир Манус, адвокат Слиозберг, ювелир Симанович, барон Гинцбург, раввин Мадэ, личный секретарь Арон Симанович. Евреям пособляет, освобождает их от службы в армии, вытаскивает из тюрем, а они ему щедрые деньги платят. Мне б так платили. Хитрый, хитрый гад. Ласковое теля. «Эх, владыка, владыка, — вспоминал Исидор саратовского епископа, — как вы-то этого не разглядели, как допустили на пару с Феофилом, чтоб к такому царю да такого вепря пустить? Ваша ж идея была. Вы мечтали, чтобы царь-государь православный с народом объединился, к истокам духовным припал и вдохновился. Вот и припал. Вот и вдохновился до того, что вас всех в опалу отправил».

А газеты продолжали писать. «Еще одна жертва похоти сластолюбивого старца... доколе русское общество... невинная гимназистка... дочь боевого русского офицера... подпоили и бросили... разврат... серый автомобиль... девочка с Конногвардейского бульвара... "Вилла Родэ"...»

На Исидора смотрела полураздетая девочка с большими испуганными глазами — ее сфотографировали в каком-то ресторане, было видно, что она не понимает, что с ней происходит, и оттого растерянности на ее нежном лице больше, чем стыда. Это был не женский, но детский, невинный взгляд, от которого у любого человека дрогнуло бы сердце, но у Исидора он вызвал острый приступ ненависти и вожделения. Эти глаза, этот облик были настолько нестерпимыми, что Исидор в ярости порвал газету и увидал арапчонка. Он сидел на краю причала, там, где еще недавно горланили жирные чайки, ежился от холода, одиночества и глядел на эмигранта с жалостью и недоумением, но Щетинкин почувствовал, что вся стесненность его исчезла, и он стал писать — стремительно, быстро, как если бы кто-то водил его рукой.

3

— Ну и где вы были все это время, мадемуазель? Или вы считаете, что вас освободили от занятий? По какому такому случаю, позвольте полюбопытствовать?

Голос мадам Миллер звучал насмешливо, но за этой насмешливостью Уле почудилась напряженность. В том, что она будет теперь отчислена, она не сомневалась и не могла понять, чего еще от нее хотят и зачем сюда позвали? Неужели эта дама ждет от нее слез раскаяния, мольбы, обещаний, что ничего подобного больше не повторится? На такое она не согласилась бы никогда. Волчий билет так волчий билет. И ничего страшного. С волчьим билетом тоже жить можно.

На столе у начальницы лежала злополучная газета с фотографиями из загородного ресторана, однако мадам Миллер не торопилась ее предъявлять.

— Не забывайте, пожалуйста, мадемуазель Комиссарова, о том, что у вас скоро экзамены.

«Иезуитка чертова. Какие экзамены? Давай уж, топи скорее!» Уля задрожала от возмущения и почувствовала, что на глазах у нее закипают слезы. Не хватало только здесь расплакаться. Но нет, не дождетесь и слез!

— Вам, кажется, холодно, мадемуазель? Вы вся дрожите.

— Нет.

— Я все равно зажгу камин.

Начальница взяла со стола газету, брезгливо скомкала ее и подожгла. Тотчас загорелись сухие березовые дрова, вспыхнули берестой, заиграли, и большой кабинет с портретом царя на стене преобразился, стал уютным, родным. И даже царица, которую Уля боялась еще больше, чем государя, посмотрела на нее без прежнего осуждения.

— Ну вот и хорошо. Сейчас здесь станет тепло. И не сердитесь на меня, пожалуйста, за наш прошлый разговор. Вы думаете, мне легко с моей фамилией, когда все только и делают, что подозревают меня в том, что я германская шпионка?! Они забывают, какая кровь течет в жилах нашей государыни. Пока забывают...

Мадам Миллер встала и прошлась по кабинету.

— Нам всем сейчас приходится трудно. Но вместо того, чтобы объединиться и друг другу помогать, мы начинаем ссориться и подличать. Если что-то и погубит Россию, то лишь это. Так вот, я хочу сказать вам, чтобы вы шли, мадемуазель Комиссарова, в класс и спокойно учились. Не обращайте внимания ни на какие сплетни. Будьте тверды и снисходительны. И пожалуйста, постарайтесь больше не пропускать занятия без уважительных причин, иначе мне будет очень трудно защищать вас от педагогического совета и опекунского комитета, которые почему-то единодушно настаивали на вашем исключении.

Она поправила щипцами дрова, и огонь заметался еще яростнее и стал стрелять угольками.

— Мадам... — пробормотала Уля.

— Благодарите не меня, благодарите его, — произнесла мадам Миллер, не оборачиваясь.

— Кого?

— Того человека, который виноват в том, что с вами случилось, — сказала начальница раздраженно. — Я заставила его поклясться перед святыми образами, которых у него висит как в церкви, что это он вас втянул в эту историю и один за нее должен ответить.

— Вы были на Гороховой? — изумилась Уля.

— Должна же я была узнать где-то правду.

— Как вас туда пустили?

— Попробовали бы не пустить, — усмехнулась она. — Они там обедали, кажется. Но мне-то какое дело? Велели обождать. Будто у меня есть время, пока эти дуры облизывают его жирные пальцы, а он закусывает вино, выбирая крошки из собственной бороды. Я отчитывала его как мальчишку, а он только повторял: «Не ругайтесь так шибко, барыня, не ругайтесь...» Обычный мужик нашкодивший, что я, не видела таких, что ли, в доме у своего отца? Самая скверная порода — это избалованный смекалистый мужик. Мужик, который не землю пашет, а прихлебателем при господах служит. А тут при нем прихлебатели. На его месте у любого голова бы кругом пошла, да еще когда вокруг тебя все наперегонки бегают. Деньги пихают, Петербург, огни, рестораны, певички... Но меня другое удивило. Ладно он. Они! Они, образованные, культурные женщины, приходят в этот дом. Бросают своих домашних, свою профессию, свое призвание, забывают о приличиях, о чести. Что они в нем находят? С ума посходили, что ли? Объясните мне. Что за кликушество такое? Я встретила там свою университетскую подругу Наташу Биронову. Она писала дивные стихи, была платонически влюблена в государя, у нее замечательный, энергичный муж, воспитанные дети, и вдруг оказалась в этом вертепе на первых ролях. А Таня Золотова? Умница, филолог высочайшей пробы, переводчица, доктор наук на кафедре германистики в Петербургском университете...

— Простите?

— Была готова меня убить за то, что я посмела возвысить голос на старца. Я говорю им: «Девочки, какого старца? Вы кого называете этим словом, которым Амвросия Оптинского называли? Этот человек — духовный самозванец. Вы что, не видите? Кто он такой? Откуда взялся? Кто его благословил? Он не прошел никакого послушания. Он лекарь без диплома, неуч, шарлатан. Или забыли вы двадцать шестое правило Лаодикийского собора: "Не произведенным от епископа не должно заклинать ни в церквах, ни в домах"? Ну хорошо, если вы так религиозны, неужели в Петербурге нет достойных клириков? Если вам потребны старцы, если вам кажется, что здесь вера иссякла, стала теплохладной, поезжайте в монастыри — на Валаам, в Печоры, в Оптину. К старцу Гавриилу в Седмиезерную пустынь. Да в обычный сельский храм поезжайте! Что вы нашли в этой душной квартирке? Кого вы обманываете? Он же государя порочит! Из-за него о нашей царице бог весть что говорят. Он же погубит их, он нас всех погубит — как вы не понимаете? Он должен был, если у него есть хоть капля разума, чести, совести, обязан был, как только слабый намек, лишь тень легкая пала из-за него на царское имя — правда это или неправда, неважно, — уйти, исчезнуть так, чтобы никто о нем больше не слыхал». Я их спросила еще: «Вы Нилуса Сергея Александровича хорошо помните? Близок был к государю сей муж, на фрейлине ее величества императрицы Марии Федоровны женат был. Священство собирался принять и стать духовником семьи царской. Но что сделал он, когда враги его злое умыслили и в газетах стали поминать грехи его юности? Удалился в монастырь и смирился. Вот пример, достойный подражания. А этот ваш кумир сибирский какой карьер себе сделал? Безобразничает, ходит по ресторанам, интервью всем раздает, квартиру свою в притон превратил. Или, может, ему батюшки Иоанна Кронштадтского слава покоя не дает? Так ведь про батюшку посмел бы хоть один человек непотребное сказать. А тут? Да и сам батюшка Иоанн что про него рек? "Будет тебе, чадушко, по фамилии"». Мне казалось, еще немного, и они начнут меня хотя бы слышать, он и сам стоял, не смея глаз поднять и слово в оправдание свое молвить. Совесть-то не промотал еще совсем. Но тут поднялся какой-то фарисей, затрясся, закликушествовал, и они все смолкли, точно петух взлетел на насест. «Бог тебя покарает за такие слова, Бог тебя покарает! И месяца не пройдет, как покарает». У него даже Бог мстительный какой-то. Злые они все там, черствые, одно слово — немцы! — топнула ногой мадам Миллер.

— Кто немцы? — не поняла Уля.

— Все, кто туда ходят и ему поклоняются. Но довольно. Я не буду настаивать на том, чтобы вы оставили этот дом. То, что вы делаете по отношению к двум деревенским девочкам, в высшей степени благородно, и я не стыжусь того, что воспитала такую ученицу. Даже горжусь, я так и сказала на совете, что горжусь вами, но все равно буду молиться, чтобы Господь отвел вас от этого дома точно так же, как я молюсь о том, чтобы Господь отвел этого человека от дома царского. А теперь идите, я и так слишком много вам тут наговорила.

Уля ушла, ничего не понимая, но чувствуя в душе неловкость перед этой неистовой женщиной, которую втянула в непонятную историю, подобно тому как мачеха втянула в такую же историю саму Улю, а мачеху втянул кто-то еще, а того еще кто-то, и Уле стало казаться, что все они поражены, отмечены, несчастно избраны, и этой избранности стыдятся, и торопятся уединиться и друг друга не видеть.

Однако гораздо тяжелей ей пришлось на Гороховой.

— Славы ищешь? — Желтые, как у кошки, глаза Матрены сузились и заблестели.

Уля посмотрела на ученицу и побледнела. Она меньше всего ожидала, что ее станут осуждать и корить свои же.

— Но он сам меня позвал.

— Мало ли кто кого зовет, свою-то голову на плечах надо иметь. Ты ж не дурочка какая. Видишь, какой у нас папа. Что теперь про него из-за тебя говорить станут?

— Но при чем тут я? — вскричала она и на этот раз слез не удержала.

— А при том. Если ты в этот дом попала, то должна за каждым шагом своим следить. Это тебе не никсены делать. И нечего на меня таращиться и коровой реветь. У него, между прочим, жена есть. Ей, думаешь, приятно будет такую газетку получить? А он ей никогда не изменял. Поняла?

Уля перевела заплаканный взгляд на Варю, но и та смотрела на нее печально и взыскательно. Это была не просто дочерняя забота или ревность — в молчаливой крестьянской строгости Уле почудилось глубинное, твердое, неподвижное, обо что все прежние ее легкие представления о жизни разбивались, и в ее отношениях с сестрами что-то надломилось. И, хотя внешне они примирились, вернуть прежнее было невозможно.

...В марте на Гороховую прибилась еще одна девушка. Она была на несколько лет их старше, рослая, крупная, с простонародным широким лицом, но что-то очень детское, незащищенное в ней было. Звали ее Анастасией. Она рассказывала о себе, что жила прежде в богатой купеческой семье, но там ее невзлюбили, словно из милости взятую нищую родственницу. Отец презирал за безделье и безбрачье, за то, что, поступив в женский медицинский институт, она бросила его после первого же похода в морг и с той поры ничем не занималась. А она и не могла ничем заниматься. Вид обнаженных мертвых тел ее словно парализовал, но вместе с тем невероятно обострил религиозное чувство. Она стала бояться смерти, бояться, что и ее, голую, беспомощную, холодную, будут рассматривать, а потом взрезать ее тело чужие люди. Настя стала ездить по монастырям, но нигде не находила утешения.

— Я уже и спать не спала, зато ела много, остановиться не могла и растолстела страшно. Меня и мама ругала, и сестры, а я, как вспомню покойника, так еще одну булочку съедаю.

Варя с Матреной хохотали, Уля улыбку сдерживала, но Настя никогда не обижалась.

— И вот узнала я от одной доброй женщины про старца. И пришла к нему, а пускать меня сюда не хотели, обыскивать стали... — Она всхлипнула. — Обижали, говорили, что я-де кем-то подослана и убить его хочу. Я заплакала, и он сам тогда вышел, сжалился надо мной и велел к себе позвать. И такую я увидела здесь благодать. Старец — святой, старец своими молитвами Русь хранит и государя нашего оберегает, как щит, все зло от него отводит. Пока он с государем, ничего не страшно. У него сердце большое, доброе, умное. Только ведь никто этого не ценит, не понимает. Все злые, завистливые, умом своим кичатся, нападают на него, а спроси их, чего они хотят? Кого любят? Что в душе у них? Как сами живут? Кто такие, чтоб его осуждать? А сколько неправды на старца наговаривают, в каких грехах обвиняют!

Говорят, будто бы он по кабакам ходит, вино пьет, с женщинами дурными бывает, а все неправда, все.

— А что правда? — спросила Уля осторожно и покосилась на сестер.

— Двойник у него.

— Кто?

— Человек, на него похожий. Что тут непонятного?

— И что?

— А то, что пока старец в храме стоит и Богу молится, двойник в шинке дьяволу служит. А наутро в жидовских газетах непотребные картинки и статейки паскудные.

Сестры насупились, а Уля почувствовала, как краснеет всем телом.

— Погоди, — возразила она, отбросив прядь волос. — А если бы ты узнала наверняка, что нет никакого двойника и это он в ресторанах бывает, вино пьет и женщин целует, а потом в храм идет и Богу молится, ты бы его меньше любить стала?

— Нет.

— А как?

— Не знаю. — Настя непонимающе на нее посмотрела. — Больше только. Жалела б. Столько искушений человеку Господь посылает.

— А зачем тогда про двойника сочиняешь? Может, он потому и ходит туда? Чтобы больше любили и жалели? Таким вот любили. Святого, чистенького всяк полюбит, а ты полюби его такого, какой он есть.

— Перестань, — тихо попросила Варя.

— Что перестань? Почему перестань? Ну юродствует он, понимаете? В кабаках юродствует, с женщинами, с пьяницами, с мздоимцами и лжецами. Вы же не знаете про него ничего.

Уля ждала, что Варя или опять Матрена вмешаются, но те молчали. Молчала и Настя. Потом сказала:

— Не хочу про такое думать. И тебе не советую. Это злые мысли. От беса. Ты гони их. И помни, что он сказал: ложь велика, но правда больше.

Настя завела альбом с изречениями святого человека, она так же остро, как он, чувствовала тех, кто его просто любит, и тех, кто ищет возле него выгоды, но, когда попыталась о том заговорить, он ее оборвал:

— Не смей меня старцем называть. Не старец я.

— А кто?

— Странник со стреноженными ногами. И не суди никого. Все люди — Божьи твари, все для чего-то нужны.

— А те, кто о вас худое говорит, тоже? И кто хочет вас убить?

— И они.

— И жиды тоже люди?

— Они всех нас старше, они от Авраама, Исаака и Иакова. Мы их почитать должны.

— Тех, древних, может, и должны, а нынешних — нисколько. Все несчастья в России от жидов.

— Все несчастья в России от того, что на евреев все валят, а сами делать ничего не хотят, — вздохнул он и добавил: — Человек другому человеку, народ другому народу судьей быть не может. Только себе. А другим — лишь Бог. Так и запиши.

Но Настя качала головой, и, глядя на нее, Уля думала: хорошо так жить, не ведая сомнений. Однако странным образом после появления купеческой дочки в их кругу Уля окончательно почувствовала, как становится здесь лишней. Никто об этом ей прямо не говорил, никто не давал понять, чтобы она больше сюда не бывала, но, когда она входила в комнату, где разговаривали или играли в кости Матрена, Варя и Настя, они замолкали, точно ее стеснялись или боялись сделать при ней ошибку, но никогда не принимали в свою игру. А у Ули, когда она смотрела на них играющих, когда слушала глухой стук костей, возникало странное чувство нереальности происходящего, ей хотелось что-то вспомнить, рассказать, но она смущалась еще больше, чем смущались ее они. Как ни старалась она быть простой и доступной, ей это не удавалось, как не удавалось быть для них и учительницей. Все равно они говорили на своем, им одним понятном языке, а она как была, так и осталась крестьянским дочкам чужой. Они не доверяли ей, инстинктивно ее сторонились, в чем-то недобром подозревали, и никаким манерам научить их она не могла, все реже на Гороховой бывая. В душе ждала, что ее позовут, что не они, но он спросит:

— Почему не приходит та весноватая барышня?

— Бесноватая?

— Да нет, веснушчатая. Что с ней?

Но он о ней не спрашивал. Не думал. Забыл. И ей казалось, что все это было сном, а возможно, и в самом деле тот человек, которого она видела, был двойником. «А может быть, и я тоже чей-то двойник?» Или же она не оправдала того, что было на нее возложено. Или уже получила то, что хотела. Или что-то еще... Она вспоминала, как молилась до изнеможения в темной комнатке, как неслась в загородный ресторан на сером автомобиле, как кружилась у нее голова, и понимала, что хочет именно такой — острой, полной ощущений и перепадов жизни, чтобы всегда чьи-то сильные руки ее держали и страховали, и она тосковала, печалилась, скучала и еще больше замыкалась в себе, оттого что эти руки ее оттолкнули или просто разжались и отпустили.

4

Он не спрашивал не потому, что не думал, и уж тем более не потому, что в ней разочаровался, и даже не потому, что чувствовал перед ней какую-то вину или неловкость или же считал в чем-то виноватой ее, а потому, что слишком многие притекали к нему и на всех людей его не хватало. Он не был политиком, не был дельцом, не был юродивым, не был ходатаем за народ перед светлыми очами государя, как думали о нем иные возвышенные натуры, но не был и духовным самозванцем, как самонадеянно полагала слишком умная и чересчур благородная начальница гимназии на Литейном проспекте Любовь Петровна Миллер. Он был танцором, как те гости из сказки, которые плясали под гусли и не могли остановиться. И он тоже не мог замереть, хотя и чувствовал гибельный напев той музы́ки. В этом танце сплелась вся его жизнь с ее мольбами, слезами, песнями и разгулом, он с детства нес в себе русское пространство, как если бы, единственно выживший пятый ребенок в крестьянской семье, он унаследовал силу умерших при родах или в младенчестве братьев и сестер, получил от них в дар, и силы этой поначалу было столько, что он не знал, куда ее девать. Растрачивал в детских играх, в драках, в пахоте и косьбе, но силы не убывало, она томила, переполняла его, искала выхода, и бессонными ночами он бегал по земле и славил Бога, кричал ему в небо слова любви, и Бог отвечал отроку радостным мерцанием звезд, таинственным движением луны сквозь темные великолепные облака, встающим из утреннего тумана солнцем, слепыми дождями, могучими снегами, вешними водами, разливами Туры, радугой, грозами, тишиной, листопадом, и он, неграмотный вьюнош, вернее всех мудрецов знал, что все в мире от Бога, и пел псалмы, и молился до изнеможения, и плакал, и смеялся, и рыдал, и если бы кто-нибудь мог в эту минуту его увидеть, то решил бы, что он сошел с ума. А он счастлив был, он все в жизни делал с молитвой, и казалось ему, что сама его кровь была Божьим пространством и любовью насыщена, как кислородом. Сильная, кипящая, пузырящаяся кровь, которую неутомимо качало его крепкое сердце и не чувствовало сокращения времени, а одну только вечность знало. И дела не было ему до того, что на селе его считают дурачком, дразнят, смеются, бьют. Иногда только тоска подкатывала, и тогда он заливал ее вином, был буен и неукротим в пьянстве, как и в молитве. А потом каялся и снова славил Бога, точно взлетал на качелях в высь неба.

Одно у него было в жизни в ту пору огорчение, одна постыдная хворь, о которой он никому не рассказывал: иногда ночью, как маленький, он мочился под себя. Он пытался с этой болезнью бороться, мало пил на ночь, не спал и молился, но под утро все равно забывался и терял власть над собственным телом, просыпался мокрый и проклинал свой тайный уд, не умевший сдержать мочу. Знала о его несчастье только одна нестарая одинокая женщина, жившая на краю села, она сама его однажды встретила, позвала к себе и дала выпить темный отвар из зверобоя, чабреца и тысячелистника, смешанный с сухими листьями брусники, и велела приходить еще. Когда по весне хворь обострялась и обычное средство не помогало, травница настаивала на водке осиновую кору, корни калины и березовые почки. Порой ему казалось, что она не лечит, но, напротив, продлевает его болезнь, потому что привязалась к нему и ждет его прихода, но однажды женщина дала ему выпить настойку из лавра, который ей привезли откуда-то издалека, и с грустью сказала, что в течение месяца болезнь отступит и никогда более не вернется.

Он хотел ее отблагодарить, но она запретила ему.

— Скорбей от тебя много будет, — сказала, когда он пришел к ней в последний раз.

Он не знал, о каких скорбях она толкует, да и спросить не мог, потому что женщина вскоре оставила их село, но со временем уразумел, что, покуда его тело боролось с помощью таежных трав и заморского лавра со своей немощью, в его тайном уде копилась сила и он научился управлять ею так, как редкие мужчины умеют.

...Кончилась его болезнь, прошла стремительная юность, и однажды он почувствовал, он услышал, что призван и времени у него будет немного, и сердце его забилось еще быстрее, стремясь успеть отбить все положенные ему удары. И, хотя он был женат и у него родились дети, он оставил село и стал ходить далеко по земле. И сделался другим — сосредоточенным, цельным, властным. Он больше не учился, но учил. Он знал, чему учить и как, знал, как лечить людей от хворей, как помогать скорбным душою, отчаявшимся и впавшим в уныние. Когда к нему приходили страждущие, он находил для них слова утешения, когда встречался с неверующими, возвращал веру, молился вместе с ними, и молитва его бывала услышана.

Очень скоро слава стала обгонять его. Его звали в богатые и бедные дома, в монастыри, скиты, привечали, давали рекомендательные письма к важным людям. Не признавали его только в родном селе, где называли хлыстом, жаловались на него архиерею, учиняли расследование, опрашивали завистливых соседей, записывали их фантазии и вздорные бабьи сплетни, что он-де радеет как хлыст, что кого-то против воли целовал и ходил с женщинами в баню, а он помнил о том, что нет ни пророка, ни прока в своем отечестве, скорбел душой и опять уходил из дома. Так он обошел всю ближнюю ему Сибирь, был в Верхотурье, на Волге, в Константинополе, Иерусалиме, Египте, доходил до Афона, но и домой, к жене и детям, всегда возвращался, чтобы снова из дома уйти. На дальних дорогах на него нападали лихие люди, грабили, избивали до полусмерти, за ним гнались волки, случалось ему гореть, лежать в лихорадке, замерзать во время метелей в степи, но ничто не могло остановить его.

Однажды, когда он плыл на большой парусной лодке с паломниками в Соловки, налетел злой ветер шелонник. В один миг поднялись лютые волны и сорвали подпарусник. Товарищи его заплакали — смерть пришла. А он страха не ведал. Он до этого на море не бывал. Первый раз увидал тяжелую громаду воды, и сердце его зашлось от восторга, и чем сильней была пенистая волна, тем больше благодарности к Богу испытывал он за мир, им сотворенный. И твердил псалмы царя Давида, как в юности, и плакал не от страха — от счастья. И смеялся, и ликовал, и все думали: тронулся умом человек. Лодку меж тем стала захлестывать продольная волна. Все, кто были в ладье, принялись свои грехи исповедовать и с жизнью прощались, и особенно один убивался, крестьянский поэт из староверов, а он, сам не зная, откуда в нем, сухопутном человеке, это взялось, крикнул кормчему: «Пусти меня к рулю! Парус ребром ставь». Встал у руля, и часа не прошло, как показался среди волн белокаменный монастырь.

Поэт ему тогда в ноги поклонился и стал зазывать к себе в Петербург, а он посмотрел в его порочные глаза и сказал равнодушно:

— Не приду. Предашь ты меня, отречешься.

Но в Петербург все равно собрался, Петербурга ему было не миновать, а перед тем, как туда отправиться, пошел в Седмиезерный скит к авве просить благословения. Авва промолчал и благословлять не стал, но он авину мысль угадал: «Пропадешь ты в Петербурге, испортишься ты в Петербурге, и Петербург из-за тебя испортится и пропадет». И крикнул авве отчаянно:

— А Бог? А Бог?

— А Бога там мало, — ответил авва. — И на тебя Его не хватит.

Но он все равно пошел, точно кто-то взял его за руку и повел. Пришел незаметным серым странником в армячишке, на которого косились дворники и гнали прочь, а уже через месяц был принят в царском дворце, да и застрял там на целую жизнь, так что все, бывшее прежде, казалось ему далеким, точно случилось оно с другим человеком — тем, на чью долю не выпадало столько ненависти, обожания, пресмыкательства, злобы и жадного любопытства, сколько выпало ему в этой гордой столице. Он так и не полюбил ее. Он хотел — или думал, что хочет, — отсюда уйти, он мечтал или думал, что мечтает, снова, как в прежние годы, не ездить на поездах, но ходить пешком по далеким дорогам и трактам, ночевать в стогах под открытым небом, на постоялых дворах вместе со странниками и странницами, говорить о божественном, смотреть на звездное небо, которого все меньше становилось в этом городе. Он чувствовал, что город иссушает и соблазняет его, вбирает в себя, что прав был прозорливый авва: в этом городе Бога мало, — и понимал, что надо вырываться на волю, идти туда, где Бога много, спасаться, как внушал ему еще один, очень нелепый грузный человек, повстречавшийся на тобольском тракте и проговоривший с ним всю ночь о мысленном волке. Он чуял правду его слов, но это была лишь ее видимая, поверхностная часть, а сама правда была глубже, труднее, ибо одно маленькое существо удерживало его во дворце. Это был самый могущественный и самый беспомощный мальчик империи, ее будущий властелин, больной неизлечимой болезнью крови — гемофилией.

Взрослый человек не знал прежде такой хвори, она была редка в его стороне, но с той поры, как много лет назад он увидел одетого в перешитое бережливой матерью девчоночье платье двухлетнего кудрявого ребенка со слезящимися глазами, он ощутил его недомогание и почувствовал, что в силе ему помочь. Его собственная быстрая кровь таинственным образом отзывалась на больную кровь цесаревича, и, как бы далеко он от мальчика ни находился, одной мыслью, словом, молитвой, произнесенным вслух именем, шепотом своим ребенка лечил. Эта помощь была главным делом его жизни, для которого он был рожден в Сибири и уцелел, исходил пол-России, перевидал кучу людей, монастырей, церквей, сект, молельных домов, был ненавидим, любим, оболган, оправдан, преследуем, вознесен и низвержен, приведен в Казань, а потом в Петербург, спасен от ножа злобной тетки с проваленным носом — все это было нужно для одного: поддерживать, как огонь, жизнь в теле ребенка, имевшего несчастье унаследовать древнюю болезнь чужеземного рода, передававшуюся от женщины к женщине, но поражавшую мужчин.

А все остальное в его жизни было пеной — злобная Дума, честные, но тупые монархисты, пакостливые либералы, себе на уме архиереи, трусливые генералы, министры, великие князья, патриоты, литераторы, дипломаты, революционеры — все его ненавидевшие, ему завидовавшие и ждущие его смерти, расследовавшие его принадлежность к хлыстам, к эсерам, бегунам, масонам, предлагавшие ему большие деньги за то, чтобы он только уехал, пытавшиеся ему подражать или выспрашивающие советы, — но он должен был жить не ради них, но ради мальчика, от которого зависело будущее империи. Иногда к нему приходили важные люди и твердили: ты должен уехать и лечить ребенка оттуда, из своего дома, — но важные люди сами не знали, что говорили. Не могли, не умели ничего, а только говорили, давали советы. Как же любили здесь все советовать, не Россия, а страна советов какая-то. Мальчику осталось болеть еще несколько лет — если он их проживет, если не умрет сейчас, то болезнь притихнет и он сможет жениться, родить своих детей, которые гемофилию не унаследуют. Надо только перетерпеть это узкое, тонкое место, выдержать такую некстати войну, которую он ненавидел мужицкой душой, но не смог удержать государя, потому что не оказался рядом с ним в нужный момент. Хотя, даже если бы оказался, вряд ли б это что-либо изменило. Генералы хотели войны, чести, наград, торжества; они не могли забыть поражения от желтолицых и жаждали отмщения, министры требовали величия страны среди европейских держав, журналисты хотели острых статей, дамы — благотворительных концертов и военных нарядов, а о цене никто не думал. Мужиков много, а ежели их поубивают, не беда: бабы новых нарожают. Они черпали людей, как зерно из бездонных коробов, а он чувствовал, что дно уже близко, что к краю подошли и надо остановиться.

Он послал тогда из больницы в Тюмени письмо царю: «...не попусти безумным торжествовать и погубить себя

392

и народ». Но папа не послушал его. Попустил. Папа, что бы там ни говорили, вообще слушал его нечасто. Он был странный человек — замкнутый, сдержанный, куда более нерусский, чем его иноземная жена. Папа никогда не просил у него совета и послушался только однажды, в тринадцатом году, когда греки выгнали с Афона русских монахов. Как преступников, как каторжников, их привезли на военных кораблях в Россию и разбросали, словно по тюрьмам, по разным монастырям, отлучив от причастия. Он узнал обо всем от своего односельчанина, с которым когда-то ходил по святым местам и не расстался бы, не останься тот на Афоне. Там земляк стал послушником, а он не сумел — ему ни в одном монастыре не жилось, не мог он существовать взаперти и нести послушание, не умел, не желал, — но, когда с имя-славцами случилась беда, пошел к папе и все ему рассказал. И тогда папа повелел обер-прокурору имяславцев простить и покрыть все любовью.

И получилось это у папы так сдержанно, так благородно, что обер, даже если б захотел, не посмел бы отказать. И Синод все проглотил, как ни сердились, ни злились и ни злословили архиереи. С папой было так: его ругали за глаза, с ним не соглашались, но, когда он появлялся, все умолкали. А вот с мамой все было наоборот: она обладала несчастным даром врагов множить, делать врагов из друзей, и ее он чувствовал хорошо. Эту раздерганную, нервическую, страстную и очень благородную женскую натуру он понимал, утешал, утишал, видел, как ей нелегко — шутка ли выйти замуж в далекое, злое село за быстрой рекой, где тебя не любят, а мама с ее гордым нравом еще ничего и не делала, чтобы понравиться. Наоборот, настраивала против себя всех. Ссорилась со свекровью, невестками, золовками, зятьями. Не то что ее родная сестра Елизавета. Вот та умела себя вести, умела обаять, приблизить нужных людей, она втайне ему очень нравилась, и горько было думать, что эта женщина так против него настроена. Против него вообще было много тех, кого он уважал, и сердце его болело при мысли о том, что верные царю люди не могут меж собой договориться и лаются как псы.

Когда прошлым сентябрем отправили в отставку обер-прокурора Самарина, весь Петербург-Петроград, вся Москва были уверены, что это он папе нашептал: «Сними, убери Самарина, он мне враг». А разве так дело было? Самарина оттого папа отстранил, что новый обер выступил против папиной воли возглавить армию. Он же про Самарина ни одного дурного слова не сказал, наоборот, пытался миром с ним все решить, о встрече смиренно просил, а что в ответ услыхал? Презрительное, барское — кто ты есть такой, чтобы мне, обер-прокурору Синода, москвичу из древнего дворянского рода, с тобою, грязным хлыстом, встречаться? Знать тебя не знаю. А что он лично Самарину плохого сделал? Ну хорошо, положим, обер отказался, потому что надо было перед своими фасон держать, ну а захоти с Самариным поговорить обычный мужик без хвоста скандальной славы, разве приняли бы его? Нет ведь. Не по Сеньке шапка. Все они баре, все привыкли мужиков на порог не пускать, зуботычину — и ступай себе вон, хамское отродье, не смей тревожить голубую кровь. А что эта их кровь гнилая вся, что больна похлеще, чем кровь несчастного царевича, который за их грехи расплачивается своей болезнью, они знают? Взять ту же государынину сестру Елизавету Федоровну, кем был ее муж? А муж сестры государя великой княгини Ольги Александровны? А великий князь Николай Николаевич кем был? А Феликс Юсупов, который вокруг него который год вьется? А в Церкви сколько таких? Среди монашествующих? Даже к нему вон ходят архиереи с мальчиками, с воспитанниками. В деревне о таком грехе и не слыхивали, а тут, куда ни плюнь, в содомита попадешь. Его иногда поражало, как много уродства в Петербурге, и чем выше, тем больше: женоподобных мужчин, муже-подобных женщин, они тянулись в столицу, превращая ее в новые Содом и Гоморру. Но стоило ему попытаться об этом заговорить, мама, обыкновенно во всем к нему прислушивавшаяся, сделала надменное, неприступное лицо, и он отошел, к этому разговору боле не возвращался. Только как они дальше жить собираются, если у них четверть рода содомитская?

А еще он хотел и папе, и маме сказать, что нельзя так с народом, нельзя, чтобы хлеб дорого стоил и очереди за ним выстраивались, нельзя на поводу у злодейской Думы идти, нельзя людей не жалеть — да кто его слушал? Его либо боялись, либо перед ним заискивали, столпотворение у него на дому устраивали, но делали личные дела, а об общем никто не задумывался. Распадался народ, разбредался, и война не объединяла, а разделяла его. Войну надо было скорее кончать, но кончить ее можно было лишь одним — победой. С германцем замиряться никак нельзя. Замириться — значит Россию потерять. И когда к нему подкатывали ушлые людишки, сделавшие на войне огромные деньги, когда намекали, что он мог бы быть им полезен и войти в долю, он гнал их прочь, хоть и догадывался, что это от них пойдут самые мерзкие, гадкие, опасные слухи и сплетни. Не те, что он пьет, скандалит по загородным кабакам и совращает женщин — к этому все давно привыкли, и это никого не удивляло, — не те, что хлыст — и это ерунда, — и даже мерзость про него и про царицу можно было пережить и не обращать на нее внимания, нет, они, эти темные людишки, эта вьющаяся вокруг и опутывающая страну думская, банкирская, штабная, журнальная сволочь, пускали более страшный слух — измена.

Что может быть жутче во время войны, чем слух об измене на самом верху? Что вернее погубит армию и отнимет у нее такую близкую, такую выстраданную уже, окровавленную победу? Ненавидевшие Россию нащупали самое слабое ее место — доверчив и простодушен был русский человек, а ко всему прочему в последние времена сделался легковерен, обомлел от того, что столько свободы на него после пятого года свалилось, и вот уже поползло по стране: сепаратный мир, прогерманская партия во дворце, царица-немка и он — немецкий шпион. И русские люди, уставшие, измученные, не понимающие, почему так тяжко идет война, не умевшие объяснить себе, отчего столько убитых и раненых на фронте и столько зла и несправедливости в тылу, поверили, впустили в себя эту подлую мысль, ухватились за нее, подхватили, дали ей в себе прорасти, себя опутать и сами не поняли, как стали ее рабами. И вот уж рыскала волчья мысль об измене по окопам, по госпиталям, по тылам, по лагерям для военнопленных, по столицам и по станицам, по городам и по деревням, иссушала душу, валила сильных и заграждала уста благородным, топила смелых и возвышала подлых, прославляла трусливых, обессмысливала жертвы, и подзуживала, и передавалась от человека к человеку: кончать войну, скорее кончать, договариваться с немцем, сдаваться ему, сдавать оружие, землю, хлеб, как угодно, сколько угодно отдать, все что можно предать, от всего отречься и идти за любым негодяем, мерзавцем, жуликом, только за тем, кто скажет: конец войне! Сегодня конец! И найдется такой иуда, объявит проклятый мир, овладеет безвольной страной, обманет ее и пустит по миру.

Ах, как нельзя было эту войну начинать, но еще страшней будет закончить ее, не победив. Тогда все рухнет, тогда всему придет смерть и не будет больше России. И он, косматый, неопрятный мужик из далекого села на тюменском тракте, один из миллионов русских мужиков, опытный странник, молитвенник и буян, пеший христианин, проповедовавший любовь и согласие, будет виновен, потому что через него, безвинного, пройдет соблазн, его, благонамеренного, сделают своим орудием, и ничего возразить он не сможет. Он был готов к поруганию, сжился со своим позором и личной славы и оправдания для себя не искал, он смертником стал, как только вступил в этот темный душный город, только верилось ему еще: не сорвется его родина, сильна она, крепка, остановится, удержится, образумится.

За окном сгущались сумерки, отчетливее становились свистки паровозов на Витебском вокзале, доносился приглушенный шум голосов из-за двери — поклонниц, просительниц, просителей, что-то резкое говорила им Акилина, — все было как обыкновенно; он выпил еще вина и подумал о собственных детях: о сыне, которого с таким трудом уберег от войны, о дочерях, потом мельком о хрупкой девочке с конопатым личиком, на которую он рассчитывал, что она обучит его дочек хорошим манерам, о ее смешной начальнице, что пришла на него ругаться и ученицу свою защищать, наскакивая на него, точно нелепая тощая птица с перебитым крылом; ему ничего не стоило бы сделать так, чтобы завтра же эта гордая женщина на коленях приползла в эту квартиру и униженно клянчила бы у Акилины его грязное белье. И не таких он обламывал, и не такие ждали от него милости, но зачем ему еще одна? И так ничего с дочерьми не вышло, видно, и тут деревенская кровь оказалась сильней господской. Сильной была с его юности, а все равно сил не хватало, истрепались все.

Вместе с мыслями о домашних навалилась тоска, от которой он знал одно только средство: ресторан, огни, музыка и бешеный танец до утра, до угара, до забвения, до полного изнеможения. Он взял телефон — ему очень нравилась эта штука, с помощью которой можно было поговорить с нужным человеком, — и вызвал авто. Авто с шофером ему выделил новый министр внутренних дел — упитанный, розовощекий дилетант, быстро ставший игрушкой в руках профессиональных сыскарей из охранного отделения. От них зависела теперь его судьба: пока будут охранять — будет жить, отрекутся — найдется тот, кто убьет. Не психованная дура с кинжалом от Исидорки, не сумасшедший ялтинский генерал-губернатор из числа записных черносотенцев, некогда его приветивших, а теперь по недальновидности своей и зависти возненавидевших, не доморощенные разбойнички, а холодный заморский убийца, который не промахнется и всадит пулю в лоб. Слишком многие его смерти хотели, слишком высоко он залез, а до цареви-ча, до державы, до России, до народа ее — кому было дело?

И даже государь, которого они так любили, даже государь был сильнее привязан к собственной семье, чем к стране. Это было понятно, но неправильно. Он не мог ему этого сказать, даже намекнуть не мог, потому что знал, чувствовал свои границы, он мог только молиться и верить, что как-то выкрутится, спасется и с ним вместе спасется Россия, проскочит сквозь все ловушки, случится русское чудо, как не раз случалось, и все одолеет, кончится злая полоса неудач, одумаются русские люди, изгонят беса, отмолят Россию ее праведники. Только, видно, Господь замыслил иное, и сокращалось время, и надвигалось страшное, и единственное, что ему, не по своей воле угодившему в самое сплетение этих событий, оставалось — пить да плясать, хоть и ноги стреножены, плясать да пить, пока играла на его заказ музы́ка, пока окружали и подобострастно заглядывали в глаза людишки с чинами и прошениями, пока не пришла и не обняла его приставучая, как голодная девка, его самая верная и надежная подружка — смерть. Ах, как быстро уходило, как исчезало время, точно кто-то хищный все с большей и большей жадностью его пожирал и не мог насытиться...

5

А изгнаннице Ульяне время казалось долгим, ненужным, лишним, как в младенчестве. Кажется, месяц прошел, а это только неделя. Она много бродила в одиночестве по большому городу, и ее чувство к нему стало меняться. Она вдруг поймала себя на мысли, что прежде совсем не знала Петербурга — к новому названию она так и не привыкла, — ибо ее жизнь ограничивалась несколькими улицами и площадями недалеко от дома и гимназии, а огромное пространство, лежавшее за их пределами, было ей неведомо, и теперь Улины ножки исходили все набережные и острова. Она жадно всматривалась в людские лица, и новое чувство возникало в ее сердце в эти часы. Ей нравилось наблюдать за детьми и стариками, она заглядывала в окна чужих домов, ей хотелось обо всем узнать, все выведать и испытать. Кто эта женщина в высоких ботах, которая торопливо идет по Миллионной, о чем говорят двое господ на Итальянской и почему плачет девочка на Английской набережной? Есть ли семья у старика, сидящего подле Владимирского собора, и откуда и зачем пришли на Невский эти бабы с настороженными глазами? Она больше не хотела от людей бежать, они сделались ей интересны. Уля точно чего-то или кого-то искала и, сама не додумывая эту мысль до конца, смутно догадывалась, что ищет мать, которая в этом городе где-то жила. Она должна была ее найти, однако матери нигде не было, вернее, мать смотрела ей в спину, но себя не обнаруживала и, стоило Уле внезапно обернуться, успевала спрятаться, зато однажды в толпе солдат возле Витебского вокзала мелькнуло другое знакомое лицо.

— Алеша, ты?

Накануне захолодало и выпал снег, который теперь, когда так же резко потеплело, падал с крыш и тек по тротуару.

— Алеша!

На них смотрели люди с винтовками, до Ули доносились грубые слова, но она ничего не слышала, не понимала, только видела не изменившиеся синие глаза и длинные девичьи ресницы.

— Почему ты не писал?

— Ранен был в руку. Пальцы зацепило. Лечился долго. — Он говорил отрывисто, нехотя, но она не замечала этой неласковости.

— Какой ты молодец, Алешенька! — Уля жадно вдыхала запах табака, и ей хотелось к нему еще сильней прижаться, обнять его, обо всем расспросить. Все ее обиды, все наговоры показались в тот миг такими же глупыми и непрочными, как рисунки на шеломском песке.

— Я все время о тебе думала, я молилась за тебя, я тебя ждала.

Она не думала о нем никогда, не ждала его и не молилась, она забыла его, но, когда говорила эти слова, не обманывала его нисколько, ибо только сейчас поняла, что ее забвение было неправдой, мнимостью — а на самом деле думала, только не знала, что думала, молилась, того не ведая, и ждала.

— На фронт скоро, Алешенька?

Он ответил не сразу, поглядел в сторону, сплюнул презрительно:

— Нам хватит. Пусть господа идут.

— Алеша, — опешила она, — нельзя так, у меня отец добровольцем, он без вести пропал, он...

— Знаем мы это без вести. В плену отсиживается, пока другие в окопах вшей кормят.

— Алеша, как ты можешь?

— Ты меня агитировать пришла?

Его синие глаза, когда-то такие послушные и близкие, были холодны, колючи и слепы до отчаяния, они словно ей за что-то мстили.

— Алеша, что мы тебе плохого сделали?

— Ты бы, барышня, шла поскорей, — буркнул он, оглядываясь по сторонам. — Не ровен час, обидит тебя кто.

Сзади загоготали, и она стала различать фразы, которые бросали солдаты ей вслед. Это было так нестерпимо грубо, так унизительно, обидно и зло, что Уля пошла торопливо, а потом побежала, глотая слезы и не разбирая дороги.

«Этого не было, ничего не было, — твердила она себе. — Я никого не встречала, я перепутала, мне просто показалось. Обозналась, мало ли похожих лиц. И он тоже обознался. Это не Алеша, это другой человек. Совсем другой. Это его двойник...»

Так она шла очень долго, кружа переулками, переходя мосты через канавы, не понимая, где и куда идет, ее толкали какие-то люди, возмущались, качали головами, принимая за пьяную, как уже было однажды, и остановилась она только около решетки Летнего сада, едва не налетев на даму, которую вел под руку высокий худощавый человек.

Даму Уля узнала сразу же. Она была одета столь же нарядно, как и тогда, когда приходила на Гороховую, но теперь держала в руках красивый зонтик. Ее надменное лицо пыталось скрыть растерянность, а тяжелая сумочка, из которой она, похоже, так и не выкинула тот тяжелый предмет, раскачивалась в такт ее движениям. Мужчина рядом с этой красавицей выглядел словно недавно сбежал не то из казармы, не то из тюрьмы, не то из психиатрической лечебницы, а верней всего, имел поочередное отношение ко всем трем казенным учреждениям. Он тоже показался Уле знакомым, но где и когда его видела, вспомнить она не могла. Следом за этой странной парой ехал пожилой извозчик и на всю улицу ругался доступными извозчику словами, единственное печатное из которых было сочетание: деньги плати!

— Плати, кому говорю! — орал извозчик, и казалось, еще секунда — и он огреет худощавого господина кнутом.

На лице у извозчика было неописуемое возмущение, на лице у дамы — страдание и ужас, а на лице у господина — столь же неописуемый восторг. Дама то и дело порывалась достать деньги, но господин не позволял ей этого сделать.

— Погоди, погоди... Пусть его еще! Ох, и слабо ты, Ванька, ругаешься, — сказал он, извлекая из кармана мелочь. — Ты на большее сегодня не заработал. И нечего на барыню пялиться. Ничего она тебе не подаст. Езжай!

Глаза у извозчика округлились, лицо налилось кровью, но странный господин уже не замечал его. Дама что-то очень быстро говорила, сначала негромко, потом ее голос сделался более высоким, кричащим, почти визгливым, и она стала вырываться. Спутник ее не отпускал, и Уле показалось, что сильные руки обвились вокруг женской шеи и стали медленно ее сжимать. Это было какое-то одно, едва мелькнувшее видение, однако Уле сделалось жутко. А страшнее всего было от того, что у незнакомца, так же как и у Алеши, не хватало двух пальцев на руке. Уля похолодела и онемела. И как назло, улица вымерла. Некуда было ни спрятаться, ни убежать — все парадные, все двери, все окна, ставни и этажи были закрыты, как перед бурей или грабежом. Только жаркое петербургское солнце сжигало камни на мостовой и запах жареной трески ударял в нос. Уля запоздало, краешком сознания подумала о том, что сырое многолюдное апрельское утро никак не обещало пустого июльского зноя, но тотчас же ей стало не до этих мыслей. Пронесся мимо на большой скорости и исчез знакомый ей серый автомобиль, на котором она ездила в ресторан к Родэ и где теперь рядом с водителем восседала девица с проваленным носом, несколько черных крыс врассыпную брызнули из-под колес. Уле казалось, что у нее помутился рассудок и из обыденной жизни она переместилась в иное измерение.

Наконец дама вырвалась и побежала в сторону моста. Она пронеслась мимо девочки, вжавшейся в стену большого желтого дома с башенками на крыше, больно ударив ее сумкой, и Уля вновь поразилась ее пронзительной, строгой красоте и какой-то неземной стыдливости.

— Постойте!

Она хотела побежать следом, остановить ее, но чья-то тяжелая рука легла Уле на плечо и больно его сжала.

— Не бойся. С ней ничего не случится. Она не из тех, кто бросается в Неву.

Вблизи незнакомец выглядел еще страшнее: небритые воспаленные щеки, большой, как будто бы перешибленный нос, глубокие продольные морщины, щербатый рот, запавшие, казалось, никогда не улыбающиеся глаза и жесткие, как щетка, темные волосы.

— Кто вы такой?

— Друзья называют меня диким мустангом. Я художник, и голод и алкоголь — две мои музы. Но мы лучше потолкуем о тебе — ты ведь не случайно здесь очутилась. Ты давно следишь за мной?

— Я...

— Ты человек или манекен?

— Что?

— Кукла из тех, которых выставляют в лавках на Невском. Днем они в витрине стоят. А по ночам маленьких девочек пугают. Им многие барышни завидуют, даже те, что дрожат в жаркий день. У них много одежды, и каждый раз новая. На них смотрят тысячи людей. Завистливо и с вожделением. У них тонкие фигуры, кудрявые волосы, обманчиво простодушные голубые глаза и капризные губки. Все женщины хотели бы оказаться на их месте. А иные и оказываются.

— Что вам от меня надо?

— Они отдают свою душу и становятся куклами. Сначала им нравится так стоять, но потом они начинают

404

испытывать дикий зуд. От этого их лица делаются злыми и непривлекательными, и приказчики по ночам больно секут их. И тогда они договариваются с хозяином, чтобы снова научиться ходить, сбегают из магазинов и живут среди нас. Они ищут себе замену и так искусно притворяются, что только немногие люди могут их распознать. Но от этого притворства устают и совершают ошибки. Вот и ты ошиблась. Тебе больше незачем притворяться. Ты разгадана. Возвращайся в свой магазин, становись за стекло и не смей оттуда уходить.

— Вы сумасшедший.

— Или постой. Ты не из магазина, ты из...

— Отпустите меня!

— Я тебя не держу, — сказал он, но, когда она сделала несколько испуганных шагов, в спину ей донеслось: — Ты называешь меня сумасшедшим, а сама когда-то почти летала, девочка, играющая в кости!

Уля резко повернулась к нему:

— Кто вам...

— Ты не смогла оторваться от земли, потому что все время смотрела вниз и боялась. Тебе никогда не приходило в голову перенестись туда, где есть мир прекраснее этого? Ты же чувствуешь его отзвуки, их ловишь, обоняешь, осязаешь, слышишь голоса и звон серебряных колокольчиков, однако тянешь голову вниз, как глупая жирная гусыня. Я знаю, тебя так изваяли. Ну почему ты не хочешь оттолкнуться сильнее и посмотреть наверх?

Все это он говорил низким грудным голосом, и Уле казалось, он к чему-то прислушивается.

— Разгаданы вы, — возразила она хладнокровно. — Я вас вспомнила. Это было очень давно. Вы были на Коломяжском ипподроме и хотели взлететь, как аэроплан, но не взлетели. Над вами все смеялись.

— Ну и что? — возразил он сердито. — Дураки всегда смеются над умными. А ты благодаря мне поняла, что есть более интересные вещи, чем ходить пешком по земле, хоть это и не избавило тебя от дурного воспитания и сомнительных знакомств. Прощай, глупая домашняя птица, и не вздумай меня искать.

— Ну постойте, не уходите, пожалуйста, — взмолилась Уля. — Я же вас тогда пожалела.

— Нужна мне твоя жалость, — буркнул он.

— Зато мне нужна ваша.

— Знаешь, сколько таких, как ты? Меня ждут во всех этих домах. — Он обвел руками улицу, которая вдруг ожила, распахнулись окна и ставни, открылись витрины магазинов, появились прохожие, зеваки, извозчики, монахи, гимназисты, юнкера, студенты. — Если не они, то их дети и внуки будут предо мною преклоняться. Какое мне дело до глупой капризной девчонки, которая сама не знает, чего хочет?

На них вопросительно смотрел разноликий народ, и Уля, боясь, что все эти люди уведут, присвоят себе, растащат на части ее ужасного собеседника, ухватила его за худую, сильную руку:

— Погодите. Мне очень плохо. Так плохо, как не было никогда. Раньше я мечтала куда-нибудь убежать, а теперь вижу, что бежать некуда. Везде одно и то же. Я устала и часто плачу. Я не понимаю, почему моя юность совпала с этой проклятой порой, почему мой отец ушел на войну и уже несколько месяцев от него нет никаких вестей. Моя мачеха что-то знает, но скрывает от меня. Меня оставили все мои подруги — и старые, и новые. Человек, которому я доверяла, ко мне охладел, его дочери меня презирают. Юноша, которого я любила, меня жестоко обидел. Я повсюду ищу и нигде не могу найти свою мать. Иногда мне кажется, что какие-то силы сговорились отравить мою жизнь. Да я и не хочу так жить.

— Ну и не живи, — отозвался он сварливо. — Неужели ты думаешь, что меня это тронет? Ты сама виновата.

— Чем?!

— Ты растеряла все, что тебе было дано, — сказал он безжалостно. — Если б хотя бы крохи твоего дара, твоего чуда достались кому-то другому, разве бы он так ими распорядился?

— Я ничего не теряла! Это неправда! — выкрикнула она. — Меня хотели убить! В меня стреляли!

— Стреляли? В тебя? — Он посмотрел на нее с любопытством.

— Да! И я чудом осталась жива.

— Кто же в тебя стрелял? Только не смей ничего выдумывать. Я все равно узнаю.

— Один охотник.

— Зачем?

— Не знаю.

— Это плохая выдумка.

— Вы мне не верите, — проговорила Уля унылым голосом. — Ну почему вы мне не верите?

— А почему я должен тебе верить?

— Вот, смотрите!

— Что это?

— Пуля, которую вынули из моей груди.

— Дай сюда! — произнес он с жадностью. — Какая странная фантазия. Никогда бы не подумал, что она выглядит так. Она была в крови?

— Да.

— Наверное, это было очень больно?

— Когда вынимали, — шмыгнула Уля носом.

407

— Когда вынимали, больней, чем когда стреляли, конечно. — Он сделался вдруг серьезен и даже мрачен, но потом расхохотался. — А вон тот господин с красным носом — переодетый японский император. Ловите его, ловите! У-у-у!

— Вам показать шрам? — звонко спросила Уля, из последних сил удерживая слезы.

— На груди? Хорошая мысль, но ты еще немножко молода, девочка. Твоей груди надо подрасти, прежде чем ты мне ее покажешь.

— Какой же вы негодяй! — Она хотела ударить его, но сил не было, и, размазывая слезы, Уля побрела по опустевшей улице к мосту.

«Пойду и утоплюсь, — подумала она спокойно. — Вот сейчас дойду до моста и брошусь с него. И все кончится. И ничего больше не будет, потому что ничего из меня не получилось. И уже не получится. Я уродка. Это окончательно».

Она стояла посреди Троицкого моста и смотрела на воду. До берегов было так далеко, что если кинешься вниз, то уже не выплыть. «Однажды я чуть было не утонула. И жаль, что не утонула, потому что ничего хорошего с той поры у меня не было и уже не будет».

Зеленая вода текла далеко, нестрашно, и ее было так много, что она подействовала на Улю завораживающе. В такой воде никто и никогда ее не найдет, она бесследно в ней растворится, не заставив никого совершать печальные погребальные церемонии.

— Погоди. — Он нагнал ее и взял за руку. — Я хоть и был моряком, но плаваю неважно и не смогу тебя вытащить. Тело все равно найдут, не обольщайся. Но нескоро, и выглядеть оно будет ужасно. Ты же помнишь. Вода не твоя стихия. Пойдем со мной.

Она машинально подала ему руку, и они пошли на Петроградскую сторону. Мост казался Уле бесконечным, и зависшее прямо над головой солнце испепеляло две человеческие фигурки, снова единственные, кто был на улице в этот знойный час.

— Бедное дитя! Я наговорил тебе гадостей, да? Так было нужно. Я должен был убедиться в том, что ты из наших и тут нет ошибки. Если б ты только знала, как те, другие, умеют маскироваться и сколько из нас ошибалось и погибало понапрасну. Да, ты несомненно из наших и только по какому-то недоразумению находишься здесь, — говорил незнакомец глухим, невыразительным, но при этом несколько назидательным скрипучим голосом. — Заговор, о которым ты говорила, существует — это древний заговор манекенов и черных крыс против воздушных людей. Они нападают первый раз в младенчестве, а иногда и раньше, в материнской утробе. Потом снова приходят в детстве. И всю жизнь за нами охотятся, нас преследуют, натравливают на нас толпу, а потом нас же изучают и сочиняют про нас небылицы. Они ловят нас, как бабочек, препарируют и собирают целые коллекции. Нас ненавидят, когда мы летим или идем над площадью по канату, и жаждут, чтобы мы упали. Они хотят нашего позора, а самые злые и завистливые из них в нас стреляют, потому что хотят быть похожими на нас и не могут. Но знай: что бы ни происходило в твоей жизни, как бы тебя ни оскорбляли и ни заставляли страдать, ты должна помнить, что есть мир, который тебя ждет, и этот мир прекрасен. В нем пахнет имбирем, гвоздикой и чаем, его мужчины благородны и храбры, а женщины похожи на детей — они ловят руками форель в чистых ручьях и слушают, как звенят камни. Я тебе кое-что из него подарю в обмен на твою пулю.

Все, что происходило дальше, еще больше напомнило Ульяне сон. Ювелирная лавка на Каменноостровском проспекте. Швейцар. Народу в магазине никого, кроме высокой тонкой барышни с гладко зачесанными светлыми волосами и хозяина — одутловатого господина, в нем неожиданно узнала Уля посетителя квартиры на Гороховой, который отдал деньги для только что убежавшей дамы. Это совпадение ее нимало не поразило. Она знала, что именно так и должно быть, и приготовилась ничему не удивляться, точно попала в причудливый механизм наподобие часов, в которых одно колесико цепляет другое, только часы были живые, и в них крутились, захватывая друг друга руками, ногами, голосами, люди.

Все повернули голову, глядя на вошедших, хозяин сжался, верно ожидая, что сейчас произойдет ограбление, но, не обращая ни на кого внимания, Улин вожатый потянул девочку к витрине, где лежали драгоценные камни.

— Тебе нужен камень, который связан с небом. Алмаз не подходит, изумруд — не то, агат — нет, рубин — совсем другое, топаз не годится, янтарь тем более, — бормотал он. — Это все не оттуда. Нам нужен... Дайте-ка мне звездчатый сапфир.

Уля была уверена, что их сейчас с позором выставят, но высокая барышня за прилавком стала послушно доставать темно-синие камни.

— Не то, не то... Этот вообще поддельный. Мне нужен камень из Кашмира. Такой вот сколько стоит?

Барышня отвечала, но незнакомец небрежно возражал:

— Нет, мало. И это тоже недостаточно дорого. У вас что, нет дорогих камней? Если у вас таких нет, мы сейчас же пойдем в лавку к Быкову.

410

Откуда-то сбоку появился приказчик и принес им чаю и несколько кусков сахару. Уля к угощению не притронулась, а ее спутник пил неторопливо, вприкуску, потом, напившись, положил по-крестьянски стакан набок, но лицо у него при этом было столь надменное и небрежное, словно покупать драгоценности было для него делом обыкновенным. И вся эта сцена напоминала странный аукцион наоборот. Уже вся обслуга выстроилась перед ними, но больше всех суетился хозяин, усеянный капельками пота, выступавшими не только на его лице, но даже на одежде.

Наконец принесли камень, который покупателя удовлетворил.

— Это очень дорогая вещь, — сказал хозяин уважительно. — Я берег его для одной дамы... — Он понизил голос, но дикий мустанг его перебил.

— Тебе нравится? — повернулся он к Уле.

Она неопределенно кивнула — скорей бы отсюда уйти и не видеть людей, которые бог знает что о ней думают, хотя прозрачный, тяжелый камень с таинственными лучами, которые были в нем заключены, ей не просто понравился, а она подумала, что умрет, если он не будет ей принадлежать.

— Сколько стоит безделица?

Хозяин назвал цифру, от которой Уля вздрогнула, а ее спутник удовлетворенно кивнул, после чего произошло нечто еще более невообразимое. Дикий мустанг пристально поглядел в глаза одутловатому господину, что-то прошептали его губы, и, вместо того чтобы взять деньги у покупателя, хозяин сам открыл ящик, достал купюры, отсчитал сдачу с названной суммы и, улыбнувшись, протянул девушке изящную коробочку:

— Приходите еще, милая барышня.

Уля все видела, Уля испугалась и хотела сказать, что ей не нужен этот обман, но у нее точно язык отнялся. И все, кто были в лавке, тоже молчали и ничего не понимали, а потом заулыбались и принялись любезно, непрестанно кланяясь, их провожать, только побледнела продавщица за прилавком, и ее гладкие волосы растрепались и потемнели.

На улице ничего не осталось от жары. Свистел ветер. Острый снег косо летел от фонаря к фонарю. Коробочка горела в ее руке, Уля ощущала себя преступницей и ждала свистка городового. Однако ничего не происходило в городе, где люди научились не обращать внимания друг на друга и никому не было дела до сероглазой худенькой девочки, идущей рядом с безобразным щербатым господином. Двое неприметных господ стояли на углу и так старательно смотрели в другую сторону, что, приглядевшись, Уля узнала в одном из них агента с Гороховой.

— Я не могу взять камень. Я не буду носить краденое. Верните его туда, где взяли, — сказала она тихо и быстро добавила: — За вами следят.

— За мной всегда следят. А сапфир не украден. Он получен из того будущего, которое мне принадлежит, но которого я не увижу. Если хочешь, можешь выкинуть камень, только не вздумай никому его продавать или менять на какую-нибудь услугу.

И он исчез так быстро, словно его унесло поднявшимся ветром, а двое агентов растерянно крутили головами и смотрели на Улю, спрашивая: куда ты его дела? И если б не цепочка, где прежде болталась пулька, а теперь холодил грудь тяжелый сапфир, можно было бы подумать, что этот странный человек Уле пригрезился. Однако сапфир был — как отблеск горнего мира, о котором сумасшедший похититель драгоценностей говорил, и Уля стала носить его вместо свинца.

6

Человек, которого Павел Матвеевич Легкобытов называл Савелием Крудом, сменил за свою жизнь такое количество имен и фамилий, что однажды перестал помнить, какое из них было настоящим. Он обожал выдумывать имена, и они получались у него мелодичными и звонкими, как тысяча задребезжавших вмиг бубенчиков, о которых он рассказывал непослушной девочке Уле, укоряя ее за бескрылость. Он никогда не думал, что будет жить долго. Его жизнь столько раз оказывалась подвешенной даже не на волоске, а вообще непонятно на чем, что каждый новый день он ощущал как нечаянный и незаслуженный дар Божий, хотя отношения с Господом поддерживал джентльменские. У Создателя своя жизнь, у него, Круда, своя, и докучать Всевышнему мелкими просьбами, которые тоскливые христиане называют молитвами, он считал делом недостойным. Еще меньше он мог поверить в то, что для Творца важны глупые людские установления, как-то: посты, исповеди и обедни, коими маленького Круда пичкали в его уральском детстве не верившие в Бога и ходившие в церковь по принуждению бескрылые люди.

Савелий взирал на мир то с благодушием, то с ожесточенностью, сменявшими друг друга так же незаметно и быстро, как менялись два его облика — светлый и черный. Он был не слишком красив, но вызывающе притягателен и трогателен, старомоден, благороден, учтив, обладал хорошими манерами — так проявляла

413

Алексей Варламов. МЫСЛЕННЫЙ ВОЛК

себя польская кровь в жилах потомка короля Августа, — и женщины самых разных возрастов и страт охотно в него влюблялись, но вскоре сбегали. Однако странное дело — и тут он Уле не солгал — ни одна из них не пожалела об этой любви.

Круд дружил с редкими, такими же странными, неустойчивыми людьми, как и сам, много и страшно пил, не зная, куда девать силу, был расточителен и жаден до денег, вытрясая душу из издателей, но он же мог отдать весь свой гонорар уличному музыканту, нищенке или ребенку, разглядывающему витрины богатых магазинов.

Его рассказы — ничего другого Круд не писал — ужасали, он так глубоко и остро проникал в тайну человеческого подсознания, точно никаких преград для него не существовало, и если средневековые итальянцы полагали, что Данте побывал в аду, то про Круда можно было сказать, что он совершил путешествие вглубь человека по всем извивам его ума и сердца. Кроме человека, ничто другое его не интересовало. Он мог между делом искусно описать природу, корабль, дворец или какую-нибудь вещь, но все это было не более чем зеркало, в котором отражались лица и нравы его героев.

Впрочем, ни один из хоть сколько-нибудь значащих в литературном мире людей Круда не ценил и солидные журналы его сочинения не печатали.

«А, это тот, который подстрелил в Сахаре французского летчика и присвоил себе его рукописи?»

Откуда взялась Сахара, почему французский летчик, а не английский, например, капитан, никто не знал, но слухами Савелий обрастал, как днища его любимых парусных судов — ракушками, и благодаря своим добрым, независтливым собутыльникам бывал тотчас же обо всем осведомлен. Однако, к их неудовольствию, на все плевал.

«Я первый писатель десятого ряда, — говорил о себе Круд, — а они десятые в первом ряду».

Других писателей в Крудовом кругу не было — он был единственный его насельник. Если кто-то из критиков пробовал Круда хвалить, он присылал ему письмо, начинавшееся словами: «Милостивый государь, Вы болван и ничего не поняли в моем рассказе». Когда ругали, нанимал хулиганов и обидчику разбивали стекла или выливали на голову горшок с нечистотами. Постепенно его просто перестали замечать, но он и на это не обращал внимания. «Мои читатели — в будущем», — говорил он надменно, а в настоящем исключение сделал только для одного доброго карлика со сморщенным лицом, наделенного какой-то потусторонней наивностью. Вероятно, именно эти наивность и неотмирность Круда в нем привлекли, и они с карликом иногда выпивали и говорили друг с другом так откровенно, что потом подолгу не могли прийти в себя и при следующей встрече испытывали неловкость, которую снова заливали вином.

— Вам просто все очень завидуют, Круд, — говорил сгорбленный человечек. — Мережковский, Гиппиус, Белый, Иванов, Брюсов — все эти живые покойнички, все литературные фельдшеры, возомнившие себя мудрецами, понимают, что вы сумели сделать то, о чем они могут только теоретизировать. Вы единственный в русской литературе сумели выразить словами цвет и музыку. Они лишь подбираются к этому, только стенают, нащупывают пути, громко называют свои неряшливые сочинения симфониями, бегают, как восторженные гимназистки, за Скрябиным, а вы уже все сделали, и у вас все получилось. Эти разбойники хозяйничают в литературе, смотрят на вас свысока, морщатся при упоминании вашего имени, не разрешают никому писать про вас хорошее и запрещают серьезным журналам публиковать ваши рассказы.

— Меня дважды печатали в «Русской силе».

— До тех пор пока не расчухали, с кем имеют дело.

— А мне плевать на них, — повторял Савелий свое любимое словечко и нимало не лгал.

Мир, в котором он жил, Круд презирал. Люди за редким исключением казались ему тупыми, жадными, самодовольными существами, но более всего на свете он не любил их сообщества, начиная с самого первого — семьи, из которой его вышвырнула в тринадцатилетнем возрасте мачеха, а отец не стал за сына заступаться, но откупился деньгами. Те два червонца, которых другому могло бы хватить на полгода экономной жизни, юный Круд за месяц проел в одесских ресторанах и с той поры всю жизнь то голодал, то шиковал, но своего отношения к законам жизни не менял. Вслед за семьей и гимназией пришла очередь армии, тюрьмы и прочих общественных институтов... Государства, партии, суды, правительства, парламенты, школы, литературные журналы, секты, религиозно-философские собрания и балетные труппы — все это Круд ненавидел. Театры вызывали его особенное раздражение. Когда, поддавшись уговорам жены, он несколько раз попадал на спектакли, то не просто скучал или засыпал, а приходил в состояние неистовства, выражая его столь бурно, что театральные служители выводили хулигана из зала. Круд оскорблялся и дерзил, однако стоило пригрозить ему полицией, как скоро успокаивался: воспоминаний о тюрьме хватило на всю жизнь.

Насколько сильно Савелий не любил толпу, настолько же он любил одиночек и повсюду их искал. В этом была не только его воля, но и данное ему свыше задание.

Он был убежден, что вся его с обыденной точки зрения нелепая, нескладная, расточительная жизнь предназначена для того, чтобы находить людей себе подобных и уводить их в свой прекрасный, сияющий, блистающий мир, ибо он один знал время, место, способы и условия перехода.

Ему нечасто удавалось это сделать. А точнее, не удалось еще ни разу. В молодости Круд попытался спасти эсерку Алю Распутину, но сделать этого не смог, и Аля давно лежала в безымянной могиле, повешенная за покушение на одного из великих князей. А спроси ее, что ей этот князь, что лично плохого сделал и зачем было его убивать? Не лучше ль было вместе с любившим ее человеком уехать прочь из холодной безумной страны, населенной неврастениками с редкими волосами и впалыми белесыми глазами?

Вслед за Алей прошла череда самых разных людей, преимущественно девушек и женщин, но никто из них не был готов следовать за Крудом, никто не верил в реальность мира, им открытого. Они считали этот мир игрой Крудова воображения, они восхищались им, говорили Савелию о его необыкновенном литературном таланте комплиментарные слова, а он приходил от лести в ярость и требовал детской веры в буквальную подлинность им сочиненного: «Я ничего не выдумываю, все было так, как я написал!»

Ему вежливо улыбались, а за спиной крутили пальцами у виска. Он про это знал, потому что умел видеть затылком, но никому про свой талант не рассказывал. Больше всего Круд любил ставить эксперименты на людях. Когда ему требовалось узнать, как ругается извозчик, он нанимал извозчика и, вызвав его ярость тем, что не платил деньги, выслушивал поток бранных слов.

417

Если ему надо было узнать, как ведет себя человек, которого внезапно начинают душить, он вставал среди ночи и сжимал горло кого-нибудь из своих собутыльников. Сила его воздействия была такова, что он мог заставить обернуться идущего в тридцати шагах впереди прохожего. Приятели говорили ему, что он смог бы зарабатывать гипнозом больше, чем рассказами, но Круд считал это делом для себя недостойным и прибегал к нему только в самых крайних случаях — как к артистическому жесту.

В нем было что-то от духовного вождя, законоучителя, но в отличие от Исидора Щетинкина он не имел ни одного ученика и ни к какой власти ни над кем не стремился. Поскольку его отношения с людьми не складывались, он долго не мог найти себе ни подходящего места, ни достойного занятия. Однако, поболтавшись среди революционеров и писателей, Круд частично приспособился к правилам человеческого общежития. Он понял, что людьми можно управлять, и из открытого им мира сотворил легенду, перенося на бумагу еле слышные запахи, далекие звуки и мелодичные цвета, и тот, кому случайно попадались его рассказы и кто давал себе труд в них вникнуть, прочесть не по одному разу, вдруг начинал испытывать странное чувство. Он не понимал, читает он книгу или смотрит на картину, почему видит буквы и слышит музыку так явственно, точно кто-то играет на скрипке, отчего плачет его холодное сердце, отогревается и учится переносить тягости жизни. Однако людей, способных подобным образом его творения прочесть, было немного, и лишь избранные были готовы за сказки Круда платить. Все же со временем Круд начал зарабатывать немного денег, и, поскольку деньги были необходимы, а зарабатывать иначе ему казалось делом скучным и недостойным, он пришел к выводу, что сочинительство есть меньшее из зол.

Он никогда не писал летом, никогда не писал пьяным, не слушал ничьих советов, даже своей жены, хотя боготворил ее и считал ангелом-хранителем, спасшим его от тюрьмы, в минуты близости звал на испанский манер Консуэлой, то есть утешительницей, но даже она его не понимала, не принимала и приводила в пример хороших, спокойных беллетристов.

— Саввочка, будь реалистом. Пиши семейные романы из русского быта. Пиши биографии великих людей. Они пользуются спросом, и с ними ты войдешь в большую литературу. А то, что пишешь ты, не нужно никому, кроме тебя и горстки таких же, как ты, безумцев.

От семейного русского быта Круда тошнило в жизни, не хватало еще только размазывать эту кашу на бумаге. Великих людей для него не существовало вовсе. Всех царей, императоров, героев, полководцев, всех прославленных в этой жизни поэтов, писателей, художников и музыкантов непризнанный Круд презирал и считал самозванцами. Но жене, единственной, все прощал, хотя ни в чем ее и не слушал. Она обижалась, грозилась от него уйти, умоляла лечь в лечебницу, для чего попросила деньги у заведовавшего литературным фондом Жоржа Шуляка, но тот посмотрел на нее с наглой усмешкой и цинично сказал, что ежели каждой женщине Круда давать денег, то литературный фонд разорится.

Жена плакала, но Круда не оставляла. Когда денег не стало совсем, отчаявшись и презрев стыд, она отправилась по совету одной старушки на Гороховую улицу, но и те деньги, которые ей там дали, не пошли впрок: из частной лечебницы для анонимных алкоголиков доктора Крупина Круд сбежал, а капитал, положенный на лечение, таинственным образом изъял, загипнотизировав персонал банка «Лионский кредит», и за три дня спустил в ресторане «Капернаум», напоив и накормив всех нищих и проституток с Сенной площади и прилегающих к ней достоевских улиц. Этот праздник, с накрахмаленными скатертями, дорогими винами, устрицами и окороками, с первоклассными музыкантами и избранной из числа молоденьких шлюх королевой бала, которой все присягали на верность, отчего глаза у разодетой портовой девочки были полны сладких слез и грез, казался гостям бесконечным, но, когда деньги иссякли, Круда до полусмерти избили, причем королева усердствовала более всех, топча его острыми каблучками, и с той поры он обходил Сенную кругом.

Однако пережил и это, как переживал все. Реальность его не сильно волновала: он научился от нее защищаться. Круд строил свое умозрительное убежище, обустраивая его с тщательностью и любовью, и мог по сорок раз переписывать одну и ту же страницу — но ничего сальеричного, только моцартианское было в его строках. И хотя глупая публика по-прежнему предпочитала других литераторов, ничто — ни угрозы нищеты, ни жажда славы — не заставило б его изменить самому себе. Круд никогда не зависел от обстоятельств и ни разу по ним не жил — он их презирал, и они платили ему тем же. Эта тяжба с жизнью изнуряла и вдохновляла его, но с течением лет он начинал чувствовать себя все более уставшим и опустошенным. Алкоголь был для него средством пополнения внутреннего баланса, которым Круд виртуозно пользовался и ставил эксперименты, смешивая в различных пропорциях крепкие напитки и поражая даже видавшие виды питейные компании Санкт-Петербурга. Однажды выпил на спор со скоморошным графом Толстым американского ерша — смесь из шампанского, пива, лимонада и водки с молотым перцем, уксусом и полусотней валерьяновых капель. Толстой упал замертво и проснулся сутки спустя с больной головой и икотой, которая не проходила неделю, а Круд сидел возле его рыхлого тела как триумфатор и вдохновенно писал карандашом рассказ под названием «Потерянный ад».

...Расставшись с Улей, Савелий двинулся в порт. Он любил лишь парусные суда и те города, в чьи гавани одним парусникам дозволено заходить, но за неимением таких городов отправлялся в обычный порт, где стояли под разгрузкой или загрузкой скучные серые корабли, лежали кучи грязного угля, ходили матросы в обнимку со случайными подругами, шатались в ожидании работы грузчики и докеры, все друг друга знали, иногда между людьми вспыхивали драки, которые быстро заканчивались примирением, и немолодой человек в старомодной шляпе, что-то бормочущий себе под нос, казался вызывающе чужеродным. «Маяки, — бормотал он. — Маяки враги всему. Они нужны людям, но о них разбиваются птицы. Если погасить все огни разом, корабли ударятся о скалы и сядут на мель, зато птицы останутся живы. Люди и птицы враждебны друг другу, и примирить их невозможно. Но кто важнее?» На него оборачивались люди, лаяли собаки, однако Круд не обращал ни на кого внимания, он вспоминал встреченную им девочку, и сердце его вздрагивало от нерастраченной отцовской нежности.

— Она будет самым прекрасным моим творением, — говорил Савелий несколько часов спустя женщине, которая его давно оставила, но с которой он так и не сумел расстаться и всюду, где жил, ставил в красный угол вместо иконы ее портрет.

Они сидели в «Вене» на Малой Морской, он пил коньяк из чайника, догуливая сдачу с купленного в лавке сапфира, а она рассеянно смотрела на несуразного толстяка, вставшего посреди зала и пьяно кричавшего: «Эй, вы, пустые пиджаки!» Толстяку хотелось скандала, но никто не обращал на него внимания. Ни Куприн, ни Аверченко, ни Арцыбашев, ни даже Алеша Толстой, который обыкновенно обращал внимание на всех, а если мимо проходила красивая женщина, становился на четвереньки и кусал ее за ноги, изображая бродячую собаку. Но теперь все они продолжали увлеченно выпивать и закусывать, где-то в стороне от них гуляла редакция «Биржевых ведомостей» и «Журнала для всех». Круд был отдаленно со всеми знаком, но сложная иерархия отношений, которая связывала этих людей, его утомляла. Они так верили в нее, так были увлечены самими собой и своей ролью в этом мире и спешили эту роль сыграть, что даже землетрясение или цунами не смогли бы их удивить.

Картина землетрясения Круда неожиданно увлекла, он представил гигантские разломы на Невском, обрушившийся фасад Адмиралтейства, груды камней, сыплющиеся в каналы, идущее с Финского залива цунами, вышедшую из берегов Неву и мечущихся по улицам, обезумевших, рыдающих людей.

— Каким по счету?

— Что? — очнулся он.

— Каким по счету творением? — спросила женщина раздраженно. — Ты говоришь и сейчас же сам забываешь, что говоришь, потому что думаешь о своем.

— А о чем еще я, по-твоему, должен думать? — огрызнулся он. — Первым. Она будет первым моим творением.

— Когда-то ты говорил то же самое мне. Сколько у тебя таких первых и зачем тебе ребенок? Неужели на свете мало дур, которые только и мечтают, чтоб ты их обманул?

— Она несчастна. И это несчастье я у нее выкрал, купил, для того чтобы превратить в свое счастье. Вот смотри!

— Что это?

— Кусочек свинца, который вынули из ее груди, когда она попыталась покончить с собой на крыше «Лионского кредита». Девчонка все время носила эту пульку с собой на шее и не понимала, что она отравляет ее жизнь. А я знаю, что с этой маленькой смертью сделать.

Он любовно подкинул трехпалой кистью свинцовую пулю, похожую на желудь, и та на несколько мгновений, прежде чем опуститься обратно в его изуродованную руку, застыла в воздухе, остановленная тяжелым взглядом дикого мустанга.

— Я напишу повесть, которую закончу благодаря пуле, — сказал Круд самодовольно.

— Как мне надоели твои фантазии и фокусы, — пробормотала женщина.

— Не ты ли носишь в предплечье дробинку, которой наградил тебя тот слабосильный стрелок, и не позволяешь мне ее вынуть? А если бы позволила, я написал бы и про тебя.

— Я не хочу, чтобы ты про меня писал, — отрезала она, и нежные серые глаза вмиг стали жесткими и сухими, а голос шершавым. — Я запрещаю тебе обо мне писать.

— Ну уж это, душа моя, точно не в твоей власти. А где ты была все это время? На какой войне? Кому теперь ты служишь и у кого берешь деньги для своих дамских нужд?

— Тебя не касается.

— Ты сильно изменилась.

— И это тебя тоже не касается.

В ресторане было накурено, дымно, давно перевалило за полночь, но народ не расходился. Савелий пил много, его взгляд становился все более мрачным и капризным.

— Проклинай меня сколько хочешь, изменяй мне, меняйся сама, я все равно останусь самым ярким событием твоей жизни, и только благодаря мне о тебе будут знать.

— Самым ярким останется твое пьянство, такое же невыносимое, как пустые мечты и фиглярство, — сказала женщина сердито. — И я не хочу, чтобы меня знали.

— И это тоже не в твоей власти.

— Перестань пить, или я сейчас уйду.

— Ты и так уже ушла, — проговорил он с печалью. — Ушла и не будешь вместе со мной, когда придет моя слава, ты не вытерпишь совсем чуть-чуть, и все достанется другой.

— Я ей не завидую.

— Врешь. А это что за чучело там?

Среднего роста человек с клубящейся бородой и длинными, расчесанными на прямой пробор русыми волосами показался в дверях. Был он одет в нарядную шелковую рубашку малинового цвета, суконную жилетку поверх нее, черные бархатные шаровары и лакированные сапоги. Умные, злые глаза выделялись на заросшем бледном лице.

— ...спутин... утин... — зашелестело в толпе.

И тотчас же куда-то пропал пьяный толстяк с его пустыми пиджаками, смолкли голоса за столиками журналистов, и вслед за тем началось то самое землетрясение, которое вызвал своим воображением Савелий Круд. Поднялся невообразимый шум, все задвигались, завскакивали с мест, сгрудились и жадно на вошедшего уставились. А он шел через зал — свободный, сильный, ничего не боящийся, и все, на кого он глядел наглым взором, опускали голову. Посетитель успел окинуть всех, а потом узнал и кивнул Савельевой спутнице.

Круд перехватил этот взгляд и ударил глазами. Запахло электричеством.

— Откуда ты его знаешь? — спросил он резко.

— Тебе показалось.

— И снова врешь!

— Он мне незнаком, клянусь!

— Как ты смеешь здороваться с порядочной женщиной, хам? — крикнул Круд, вставая.

Одетый в малиновую рубашку человек остановился и с холодным любопытством посмотрел на Круда. Он ничего не говорил — просто смотрел, и от этого насмешливого взгляда бешенство в груди Круда стало невыносимым. Он терпеть не мог, когда перед ним оказывался кто-то более сильный духом, чем он сам.

— А ты, мил человек, никак драться со мной собрался? Али мало прежде получал? — спросил мужик миролюбиво. — Иль по тюрьме опять заскучал?

— Хлыст!

Удар раздался прежде, чем Круд успел выкрикнуть, и со стороны увидел, как его худощавое тело упало, посыпалась со звоном посуда, кто-то охнул, кто-то заржал. Здоровенный краснощекий детина с пшеничными бакенбардами, вынырнувший из-за спины холеного мужика, брезгливо смотрел на лежащего на полу Савелия и примеривался, куда бы ударить еще. Душа мустанга, на миг зависшая над рестораном, и окинувшая сверху растрепанный зал с пальмами и чучелами зверей, и узревшая нечто кровавое впереди, ужаснулась и полезла обратно через воспаленное шерстяное горло.

— Черт! — выкрикнул Круд, плюя кровью и потрясая сжатой в кулаке Улиной пулькой. — Погоди, получишь свое, свинцом подавишься, кровью умоешься.

Мужик присел перед ним на корточки и ласково сказал:

— Это я и без тебя, голубок, знаю. Всем нам в свой черед придется чем-нибудь подавиться да умыться. А ты бы пил лучше меньше да людей с толку не сбивал.

— Не твое собачье дело, шут. Своих баб учи!

— Что ты, миленький, что ты, Саввочка, — бормотала бывшая жена, хватая бывшего мужа за руки, — пойдем отсюда, пойдем. Не обращайте на нас внимания, господа. Не надо звать полицию. Разве вы не видите, он не в себе, он болен, он художник, он престидижитатор.

7

— Кто-кто?

— Шулер, ловкач, человек с быстрыми и сильными пальцами. Она меня всегда таким и считала. Прожила со мной семь лет и ничего во мне не поняла. Каково это — жить с человеком и совсем его не понимать? Или боялась понять. Ей никогда не хватало веры в меня. Что ты на меня так смотришь? А, мои пальцы? Когда мне было столько же лет, сколько тебе сейчас, я убежал из дома в Одессу, там сильно голодал, просил денег, и один одесский жирный туз предложил мне сто рублей за то, чтоб я положил два пальца на рельсы перед трамваем. Я был так голоден, что он не успел договорить. Только эта сволочь испугалась и убежала, ничего мне не заплатив. И так вся моя жизнь, я отрезаю от себя куски живой плоти, а от меня все убегают. Сколько их было! А она первая, кто меня по-настоящему пожалел, потому что ее саму жестоко обидел один негодник. Но вся ее жалость ко мне свелась к тому, чтоб попробовать меня перелицевать. Я провел два года в ссылке в Олонецкой губернии, и это было самое ужасное время. Хуже, чем тюрьма. Короткие белесые дни, ветер, снег, холод, шуга и тоска, какая же тоска! А она, — лицо его исказила гримаса, — считала, что мы прекрасно живем, ей нравились баня, мороз, солнце, нравилось, что я хожу на охоту, провались эта охота пропадом, и она обижалась, когда я от нее сбегал или ей нечаянно изменял. А что мне оставалось? Но с тобой все будет иначе. Мы уедем в далекую страну, о которой не знает никто, кроме меня. Раздобудем денег, купим билеты до Баку и оттуда на пароходе переберемся в Персию. Там нас встретят верные люди. Через горы и пустыню мы перейдем под звездами в Индию, а в Индии... В Индии ты поймешь, что такое жизнь, и все твои обиды покажутся тебе такими мелкими. Ах, девочка, девочка, если б ты только знала, как могут быть счастливы люди. Но не здесь. Ты ошиблась когда-то. Бежать надо было не на север, а на юг.

Глаза у него горели, и Уля вдруг поймала себя на мысли, что все это ей что-то напоминает, что-то очень далекое и точно не с ней бывшее, когда она замышляла свой детский побег. Но, бог ты мой, как молод был этот человек, с лицом, похожим на смятую рублевую бумажку. Он был моложе ее на несколько жизней, но знал гораздо больше, и, когда она бывала с ним, у нее перехватывало дыхание и она забывала обо всем на свете. Ее чувство к нему было смесью всех женских ипостасей — дочери, матери, сестры и жены, хотя ничего плотского ни в отношении Савелия к ней, ни в своем отношении к нему она не ощущала. Он ее старомодно от всего оберегал, а ей нравилось быть рядом с ним и им восхищаться.

Чем тоскливее делалась жизнь вокруг, чем злее становились и газеты, и люди, чем более отсутствующими были глаза у мачехи и безнадежнее мысли о пропавшем на войне отце, так что она эти мысли гнала, хоть и знала — делает это ради себя, тем больше притягивал ее к себе, утешал странный человек, ворвавшийся в ее жизнь, заменившей ей то, что оставила она на Гороховой. Он помогал ей существовать, он скрадывал лишнее время, затыкал в нем щели, и Уля чувствовала, что если проходит день или два и они не видятся, то начинает по нему тосковать. Это было какое-то странное привыкание, подобное действию морфина, и, хотя день их отъезда в Индию каждый раз откладывался и очень скоро Уля поняла, что никакого побега не будет, она продолжала подыгрывать Круду и выспрашивала все новые подробности про его страну, про ее города, морские проливы, острова и странных обитателей с непривычными именами, и он никогда не путался и отвечал так уверенно и подробно, что, будь она учительницей, а он учеником, поставила бы ему за ответ «отлично».

Но порой эта игра ей надоедала, Уля вздрагивала и с недетской горечью думала: «Как же мне фантастически не везет на мужчин! Болтуны, ничтожества, сухостой. Неужели других просто нет? Или я только таким интересна? И так будет в моей жизни всегда?»

— Так будет до тех пор, пока ты мне не доверишься полностью, — сказал он однажды. — Мы не можем никуда тронуться, пока в тебе остается хоть капля сомнения. Ты еще не готова, девочка. Ты ползаешь по кругу, как если бы кто-то тебя привязал. Оторвись, только ты сама можешь эту веревку обрезать.

«А надо ли ее обрезать? И не мешает ли она ему привязать свою?» — подумала она мрачно, хотя думать при Савелии стала с некоторых пор опасаться. А он только к тому и стремился, чтобы она его слушала и была ему подвластна во всем, и это странное, новое чувство несвободы, заполнившее Улино существо, заставляло ее вспомнить Павла Матвеевича и Алешу с его покорностью и послушанием. «Нет, это он хочет сделать из меня собачку, а потом заставит гонять ему дичь. Ну точно, дрессировщик. Сейчас приласкает, потом ударит хлыстом, потом опять приголубит».

Она искоса на него поглядывала, и в душе у нее поднималось возмущение, но одновременно с этим кто-то другой, а точнее другая, что с недавних пор поселилась в ее сердце, подсказывала: а ты не противься, ты делай вид, что слушаешься его, а сама попытайся управлять им. Он хочет использовать тебя, а ты используй его, на этом мир стоит, но Уля спорила со своей подружкой: люди не должны так жить. Он говорит, что беда нашего времени — индивидуализм, а сам эгоистичней всех людей вместе взятых. Уле так понравились эти споры, что она вообразила, будто их теперь двое — одна взрослее, а другая младше. Они все время спорят между собой и никогда не могут договориться, а сама она объединяется то с одной, то с другой против той, что остается в меньшинстве, но тотчас же ей становится жалко проигравшую и она перебегает к ней. «Я, наверное, схожу с ума», — думала Уля, но в этих бесконечных разговорах ей было легче проживать дни.

«В сущности, что ты ему? — говорила она строгим взрослым голосом, каким могла говорить бы старшая сестра или, может быть, родная мама. — Девчонка, о которой он вообразил бог весть что, да еще тебя попытался в этом убедить, а когда понял, что ошибся, ему сделалось неудобно, и он теперь возится с тобой по обязанности. Или потому, что ему нечего сейчас делать». — «Но ведь это неправда, ему интересно со мной. Я живая, непредсказуемая, я другая». — «Вот увидишь, ему надоест, и он бросит тебя так же, как тебя бросали все остальные». — «Это, видимо, моя судьба — быть брошенной людьми, к которым я привязываюсь, — соглашалась Уля маленькая. — Они все на меня набрасывались, а потом исчезали. Все это означает лишь одно — что во мне есть какой-то изъян». — «Счастье женщины — не красота, не доброта и даже не верность, ее счастье — это умение удерживать возле себя мужчин, — говорила с важностью в голосе взрослая Уля. — Ты этого не умеешь. У тебя талант наоборот. И потому этот тип тоже скоро тебя оставит. Попользуется тобой, сочинит какую-нибудь историю, тиснет ее в разноцветном журнальчике на плохой бумаге, получит и пропьет гонорар, и до свидания, Улечка. И этого мадам Миллер тебе уже точно не простит, потому что от такого урона ее гимназия не оправится». — «Зато у меня будет капитал, воспоминание на оставшуюся жизнь, о чем можно будет рассказывать детям и внукам, ежели они у меня случатся. А мадам Миллер не так глупа, чтобы меня этим корить».

Так размышляла Уля, в присутствии Круда научившись жить две жизни сразу, и он ее поощрял. Этот человек будоражил, смущал ее, сбивал с толку, постоянно отвлекал, и она чувствовала, как устает от него, но это была правильная, хорошая усталость. Единственное, что ее удивило и напомнило неприятное, — ни разу он не дал ей прочесть ни одной своей книги, ни одной строки.

— Тебе не надо меня читать.

— Но почему? — возмутилась она. — За кого вы меня держите? Или боитесь, что разочаруюсь?

Он побледнел.

— А если я ослушаюсь и прочту? Что тогда? Умертвите?

— Хуже. Я отведу тебя туда, откуда ты пришла.

И больше она его об этом не спрашивала. Зато теперь никаких тайн для нее не существовало, и он рассказывал ей обо всех, кто попадался им по дороге.

— Та старуха? Содержательница притона. Была когда-то красива и глупа, а потом подурнела и поумнела. Но к своим девочкам очень добра и не позволяет клиентам их обижать. А вот эту молодую женщину видишь? Вот уж у кого несчастная судьба. Когда умерла ее мать, отчим женился на ней, потому что внушил ей, что покойница мама в нее вселилась. Потом девочка забеременела, и он потерял к ней интерес. Бедняжка тяжело больна, и жить ей осталось немного. А вот тот нищий был когда-то очень состоятельным человеком, работал в банке, а потом заболел дурной болезнью, и его оставила жена. Тесть перестал давать деньги, с работы его выгнали, и вот чем все кончилось.

— А пожилой господин с треснувшим коричневым пенсне и ржавыми глазками? Я где-то его уже встречала.

Они шли по Конногвардейскому бульвару в сторону порта и играли в затеянную Крудом игру.

— Бывший гимназический учитель — на редкость сердитый и неприятный тип. Привык говорить всем гадости и так всех к этому приучил, что ему все прощали.

— Вы знаете всех?

— Я знаю тех, кто достоин того, чтобы я их знал.

Белоголовые настороженные мальчишки ловили рыбу, ветер гнал рябь по воде, и Уле вдруг вспомнилась Шеломь, качающаяся на волнах лодка и человек в зеленой охотничьей куртке с ружьем за спиной. Странное дело, но она почувствовала, что изменила ему, что сильный, властный человек с грубым лицом похитил ее душу, отнял вместе со свинцовой пулькой у того, кому она, Уля, по праву принадлежала с той поры, как ходила за ним по лесу и мечтала похитить его ружье.

— А Легкобытова вы не знаете?

— Мы встречались с ним в молодости, когда оба играли в революцию, но он дешевле отделался. — Голос у Савелия поскучнел. — Потом приезжал ко мне на Тошный остров в устье Двины. Болтал про какой-то дурацкий волшебный колобок, за которым он якобы идет по жизни, и искал сбежавшую от него невесту. А она была тогда уже моей женой, которую я отправил в Петербург к папаше. У нее очень занятный папаша: выступал за свободный брак, но, когда его дочь связалась с арестантом, потребовал, чтобы она со мной рассталась. Легкобытову я хотел, да не успел сказать, где ее найти. Он пошел пострелять уток, и его цапнула лисица. Бедняжка решил, что она бешеная, и так перепугался, что поехал в Архангельск делать прививку от бешенства. На обратном пути лодка, в которой они плыли, налетела на льдину и едва не перевернулась. Я налил ему водки, а он вдруг разорался, что я хочу его погубить. Оказывается, прививка от бешенства и алкоголь несовместимы. Какая чепуха! Я страдаю тем и другим одновременно сколько себя помню, и это мне ничуть не мешает. Если б я хотел его погубить, то просто убил бы. Он все пишет про своих тупых собак и запуганных птиц? Писать стоит лишь о том, чего нет на свете, ибо нет на свете ни поэтов, ни художников, ни писателей. Есть ловцы, ныряльщики в вышину, искатели небесного жемчуга, которым изредка удается стянуть с неба на землю что-то стоящее. Легкобытов не из их числа.

— Вы просто ему завидуете, — сказала Уля, неприятно задетая пренебрежительностью Крудова тона.

— Завидую? Это смешно. Не он у меня, а я у него увел невесту. Он бескрыл, а я летаю. Я смотрел в глаза смерти, а он может похвастаться только шкурками убитых зверей. Я объездил весь мир, он же не видел ничего, кроме своих дурацких северных лесов и комариных болот. И читать сто лет спустя будут не его — меня.

«Ну и что с того? — подумала Уля. — Неужели это так важно, кого будут или не будут через сто лет? Да может быть, они вообще тогда ничего читать не будут. Но интересно, как бы рассказал ту же историю Павел Матвеевич?» И ее сердце само против воли заныло от лесной тоски, так что захотелось обменять обратно звездчатый сапфир на свинцовую пульку и вернуться в ту лодку, что текла по шеломской воде, но Уля испугалась своих беглых, непослушных мыслей, а еще больше испугалась того, что ревнивый и проницательный Круд их прочтет, углядит третьим глазом — или уже прочел, потому что он нахмурился, замкнулся, не отвечал на ее вопросы и не рассказывал про тех, кто попадался им навстречу, и так они молча шли вдоль реки: юная девочка и мужчина с крепким телом и старческим, изможденным лицом.

«Прямо пытка какая-то, — думала Уля. — Как, должно быть, несчастна была та дама, его жена. Поди поживи с таким человеком. Сегодня он фонтан — рот не заткнешь, а завтра до него стучи — не достучишься. Но странная вещь: я второй раз сталкиваюсь с этой женщиной. И получаюсь ей вроде как соперница. Ах, как бы мне хотелось с ней подружиться. Она, наверно, очень душевная и хорошая женщина, хотя ничего и не понимает в литературе. Но разве это обязательно? Ей просто не везет с мужчинами, как моему отцу не повезло с женщинами. Люди вообще очень невезучие существа, и чем лучше человек, тем меньше ему везет. Вот мне, например, не везет совсем. К тому же я родилась в ужасное время. Мои родители поторопились. Как бы хорошо было родиться лет через сто. Или сейчас заснуть, например, чтоб ничего этого не видеть, убежать в сон, а потом проснуться. Ах, какая тогда настанет жизнь! Какая жизнь!»

Она не заметила, как начала говорить вслух, и услыхала скрипучее ворчание Круда:

— Гадость будет еще большая, чем сейчас. Если о чем жалеть, так это о том, что мы не родились на сто лет раньше. Да и тогда тоже было скверно.

— Это неправда. В будущем люди будут другими.

— Разумеется, другими. Ты же видишь, что происходит с женщинами, — произнес он мрачно.

— А что с ними происходит?

— Они стали иначе одеваться. Раньше приличная женщина никогда не позволила бы себе надеть платье, которое не закрывает щиколоток. А сегодня посмотри на эти вертлявые юбчонки, едва прикрывающие колени.

— Нежели это так важно, открыты у женщины колени или нет? — удивилась она.

— От того, как одеваются женщины, зависит то, как ведут себя мужчины. Женская распущенность страшнее, чем революция, война и террор вместе взятые, а точнее, именно она их вызывает. И, если женщины когда-нибудь станут носить юбки выше колен, человечество озвереет либо размякнет и через три поколения сгинет.

— Юбки выше колен? Да это же невозможно, — засмеялась Уля и вздохнула. — А вы, должно быть, очень нравственный человек.

— Я? — возмутился он. — Я понятия не имею, как слово «нравственность» пишется.

— Представляю, каким бы вы могли быть учителем или даже директором гимназии. Жаль, что мачеха этого не понимает и сердится на меня за то, что я провожу с вами время. Зато больше не ревнует, — вздохнула она, и на глаза у нее навернулись слезы.

— К кому не ревнует?

— Так, к одному человеку. Вы его не знаете, слава богу, — ответила Уля уклончиво и на всякий случай соврала: — Он уже давно уехал отсюда. Но что же мне теперь делать? Носить платья до пят и мечтать о том, кто увезет меня отсюда в далекую страну, куда так и не отвезли меня вы?

Последнее она, кажется, опять не сказала — только подумала, но он все равно рассердился:

— Нет ничего более вредного, бессмысленного и опасного, чем мечта. Чудеса надо изготовлять своими руками, как изготовляют скорняки шапки, а сапожники башмаки. Все материалы лежат на земле, но люди топчут их ногами, вместо того чтобы нагнуться и взять.

— Где?

Он пожал плечами и поднял с земли булавку.

— Тоже мне ценность.

— Не превращайся в гусыню. Откуда ты знаешь? Вдруг, если ты сломаешь эту булавку, исполнится твое сокровенное желание.

— Шутите? Это вы, может, ее сломаете, как этот... как его... престижи... престиди... Да и зачем ее ломать?

...Иногда Круд исчезал, и, когда они снова встречались на мосту через Пряжку, он выглядел воспаленным, уставшим, на расспросы не отвечал, но женским чутьем Уля чувствовала, что он был в загуле, в запое, и в душе поднималось незнакомое ей взрослое раздражение, но она сдерживала себя до тех пор, пока однажды в метельный день начала зимы они не зашли в Гатчине в гости к большому писателю — знакомому Круда. Он угостил их обедом и очень весело смотрел на Улю, то подмигивая ей, а то укоризненно качая головой. У него было полное лицо с хитрыми азиатскими глазками, и, глядя на него, Уля не могла понять, чего в этом человеке больше, лукавства или простодушия, но все равно он ей понравился, и она с удовольствием слушала его рассказы про царицу Суламифь, не замечая, как ранит ее звонкий смех мрачнеющего час от часа Савелия. А может быть, замечая и нарочно его дразня. Но ей действительно было ужасно весело и нравился этот дом, и красивая заботливая хозяйка, и их восьмилетняя дочка, и маленький клоун, и она вдруг подумала: а почему Круд, этот дикий мустанг, не может быть таким же веселым, домовитым, радушным? Так же иметь жену, воспитывать детей, принимать у себя в доме гостей? Почему он скитается по чердакам, которые ему якобы стыдно ей показать, и оттого никогда не приглашает к себе в гости? Почему вечно чем-то задет, раздражен, куксится, жалуется на литературных врагов, завистников, критиков, которые его принимают не за того, кто он есть на самом деле, и не сам ли он в том виноват?

Она не решалась его прежде об этом спросить, но теперь, когда увидела добродушного, слегка самодовольного, добившегося признания, счастливого человека, вопрос завелся в ней как червячок, и Уля решила, что обязательно выберет момент и его задаст, даже если Савелий рассердится. Потому что если ничего не делать, то ничего и не случится. А так у него появится шанс, он задумается над своей судьбой, и его судьба изменится. Она вдохновилась этой задачей так же, как когда ей хотелось обучить хорошим манерам двух деревенских девочек. Но кончилось все еще стремительнее, чем в прошлый раз. То ли Круд по своему обыкновению успел все прочесть на ее лице, то ли недостаточно выпил, только они с писателем поссорились. Уля даже не поняла, как это произошло. Помнила лишь, как хозяин что-то неторопливо рассказывал и Круд вдруг перебил его:

— Алексей Иваныч, да ты хоть раз видел вблизи настоящего каторжника? А я видел. Я с ними по этапу шел.

Алексей Иваныч набычился, не любил, когда ему перечили, а особенно при других, а особенно, если эти другие — молодые женщины или девушки.

— Видел я каторжников в середине срока.

— Кого?

— Тебя я видел.

Маленький клоун засмеялся, Уля против воли улыбнулась, а Савелий враз сделался таким же неприятным и грубым, как в их встречу на Троицком мосту.

— Хороший ты писатель, Алексей Иваныч, очень хороший, а все ж до Бунина тебе далеко, — сказал он ядовито, и Уля поразилась тому, как переменилось лицо слушающего и добрый, гостеприимный хозяин стал вмиг обиженным, злым, а все его благодушие сменилось раздражительностью, каковую она не встречала и у Круда.

— Бунин твой — самодовольный, напыщенный гусак, который только себя слышит и собой любуется: ах, какой я талантливый, ах, какие слова умею подбирать. А у меня от его изобразительности в глазах рябит. Простодушия в нем нет, а без простодушия нет и гения.

— А мне понравилось про Олю Мещерскую, — подлила масла в огонь Уля и мысленно макнула книксен — ей было ужасно весело.

Она вдруг все поняла. Они — дети, все эти сочинители, они любят, когда их хвалят и гладят по головке, они обижаются, если их ругают, они хнычут, если про них молчат и их не замечают, они хотят быть первыми, лучшими, они все время просят сладкого, но при этом фальшивят, потому что своей детскости стыдятся и пытаются казаться неуязвимыми, гордыми и независимыми. Они меряются славой и оттого ранимы, а она — слава богу — была ни капельки их переживаниями не тронута, но чувствовала, как ей интересно с ними. И так же весело было итальянцу Россолимо, он передразнивал обоих, как бы давая понять, что все это так, баловство, сегодня поругались — завтра помирятся. Но кончилось совсем безобразно.

Круд, оскорбленный тем, что Россолимо строит за его спиной рожи, заорал:

— А ты пошел вон, чертов макаронник! Не лезь, когда русские писатели о жизни говорят!

Клоун с акробатической ловкостью вылетел из-за стола и, прежде чем кто-либо успел понять, что он собирается делать, выскочил за дверь.

— Тогда убирайся и ты, — сказал хозяин Савелию.

— Пожалуйста, — пожал плечами Круд, но в дверях остановился. — Только вина дай мне с собой.

— Ничего не получишь.

— Я тогда сяду и никуда не уйду.

Уля осторожно тронула Круда за плечо:

— Пойдемте, прошу вас.

— Ты мне еще будешь указывать! — Глаза Савелия были полны бешенства, и Уля поняла, почему в самую первую их встречу он назвал себя диким мустангом.

В комнату вошла хозяйка с пыльной бутылкой, закрытой сургучом.

— Забирай свою мадеру и дорогу сюда забудь! — буркнул Алексей Иванович. — А ты, девочка, оставайся. Нечего тебе с пьяницей связываться. Брось его. Что он тебе? Ты ему все равно ничем не поможешь. Он всю жизнь будет охотиться за несчастьем, и не найдется в этой охоте равных ему по удаче. А мы с тобой не охотники, мы будем лучше пить чай с тортом.

Торта ей хотелось, но стало так больно за унижение Савелия, что она крикнула сквозь слезы:

— А вы, вы... как вам не стыдно только? Пусть вы знаменитый, богатый, пусть вас все читают, и знают, и всюду зовут, и про вас пишут, но зачем вы так с ним? Он лучше, он чище, он выше вас всех в тысячу раз. И читать через сто лет, вот увидите, будут его, а не вас.

И выбежала на улицу, где уже допивал в ранних сумерках дорогое вино ее друг. Впервые она увидела его пьяным. Только это было какое-то странное опьянение. Уля перевидала немало пьяных мужиков в Горбунках, помнила их скандальные пляски и драки, но чтобы человек, который еще недавно говорил связные, пусть и воспаленные речи, в одну секунду превратился в бесчувственный столб с идиотской щербатой улыбкой на лице — с таким она столкнулась впервые и не знала, что делать. Стояла на темной улице рядом с Крудом, без движения прислонившимся к забору, и не плакала потому, что заплакать было бы еще страшнее. Он был бледен до невозможности, крупный пот выступил у него на лбу и катился по лицу. Бились фиолетовые жилки в висках с такой силой, что казалось, сейчас из них хлынет кровь.

Началась поземка, сгущались сумерки недолгого дня, Савелий не двигался, и Уля испугалась, что он замерзнет. Денег на извозчика не было ни у него, ни у нее. Возвращаться и просить у оскорбленного ее последними словами Алексея Ивановича было невозможно. Уля огляделась и, кажется, впервые в жизни по-настоящему взмолилась: «Господи, помоги!» Кричать она стеснялась и стала упрашивать: «Помоги! Ну чего тебе стоит? Пожалей его, если не хочешь жалеть меня. Придумай что-нибудь такое, чтобы этот снег растаял и мы очутились в его стране. Я за это что-нибудь готова сделать, хотя и не знаю, что тебе понравится. Я даже согласна для этого замерзнуть, если так надо. Помоги нам, ну пожалуйста, пожалуйста, помоги». Однако небеса были наглухо задраены, и никто за пеленой облаков и снега не хотел смотреть на непослушную, дрожащую от холода и страха девочку и ее бесчувственного товарища. Уля подняла камень и бросила его в небо. Камень пролетел совсем немного и упал, стукнувшись о небольшие сани с дровами у забора напротив. Уля скинула поленья и вместо них положила на сани длинное тело мустанга. Затем попыталась толкнуть это громоздкое сооружение. Санки не сдвинулись с места. Тогда Уля впряглась в них как лошадь и потащила.

Снега было еще совсем немного, и сани скользили плохо. Ноги Круда свешивались с саней, цепляясь за землю. Какая-то женщина шла им навстречу.

— Мужика тащишь? Иль отца? — спросила она сочувственно.

Круд вскоре протрезвел, но ни телом, ни языком по-прежнему не владел. Он виновато смотрел на Улю, а она тащила его по темной улице к вокзалу и там еще долго ждала, покуда он придет в себя, и вдруг почувствовала, как в ней просыпается новое, взрослое чувство ненависти к мужскому пьянству, но тут же она вспомнила свое жуткое похмелье после «Виллы Родэ», и ей стало жаль его. «Или буду пить вместе с ним, или и вправду его брошу. Так ему и скажу».

Но Савелий ее опередил:

— Я даю тебе слово, что не притронусь к вину до тех пор, пока ты сама мне этого не позволишь. Но ты так и не поняла меня. Как и они все не понимают. Я для них шут, обезьянка с острова Борнео, хуже, чем этот итальянский клоунишка. Ах, какие они все хамы, сволочи и негодяи — все эти людишки из редакций и газет, все эти профессора и приват-доценты! Они жиреют, а мы спиваемся. Им игрушки, а нам слезки. И ты ничем не лучше. Ты увидела во мне другого человека и вообразила, что это и есть я, а меня настоящего не узнала. Меня не знает никто. Ты подошла чуть ближе и заглянула в меня, как в колодец, но все равно почти ничего не разглядела, потому что твои глаза ослеплены обыденностью. Зато я разглядел тебя очень хорошо. В твоей жизни есть лишнее и недостающее, и это тебе мешает. Но я сделаю так, чтоб твою жизнь изменить. Я подарю тебе другое имя. А потом ты встретишь того, кто тебя полюбит. Он будет бедным человеком, очень старательным, очень добрым, и твой отец попробует дать ему шанс выкарабкаться, но ты пройдешь мимо этой любви.

— Почему?

— Потому что ты небрежна к людям, скользишь по жизни и думаешь лишь о себе. Ты пуста, девочка. Ты даже не бескрыла, нет. Ты настолько пуста, что каждый, кто тебя встречает, наполняет своим содержанием и думает, что тебя поймал. Но это все равно что поймать кусок лунного света. Очаровательно, но бесполезно.

Он неприятно засмеялся, а она вспомнила, как защищала его от Алексея Ивановича, как тащила пьяного на санях, и обиделась, а когда позднее поняла, что в его словах была какая-то глубокая, не до конца ясная ей правда, обида сделалась еще глубже.

8

«Я плохая, дурная, эгоистичная, пустая, а какой мне еще быть? Я же не виновата в том, что меня такой воспитали. Или вовсе никак не воспитали. Мамочка меня бросила, когда мне было три года. Мачеха прикоснуться ко мне боялась, будто я лягушка какая. А если девочку в детстве не ласкать, что из такой девочки получится? — подумала она о себе то ли с жалостью, то ли с беспощадностью. — Нет, я свою доченьку по-другому буду воспитывать. Я ее целовать стану, купать, волосы ей гребешком расчесывать, в платья белые наряжать. А когда она вырастет, я ей все-все расскажу, как жить надо и как не надо. Ах, когда же ты у меня появишься, маленькая моя? Как без тебя грустно!» В квартире было пустынно, глухо, и только слышно, как шумит за окном ветер и гонит воду с залива в еще не замерзшую Неву. Наступило самое тягостное время года, до весны и тепла далеко, дни стояли бессветные, дикие, и даже Савелий сделался печален и, когда они, реже, чем прежде, встречались, молчал или рассказывал темное, жуткое.

— Меня мучит один человек, — сказал он однажды нехотя.

— Кто?

— Ты его не знаешь, слава богу. Он был одним из наших, он был лучшим из наших, но потом с ним случилось нехорошее. Он не рассчитал своих сил, вознесся и сам не уразумел, как его стали использовать темные людишки. А представь себе, что бывает, когда человек, наделенный волей, умом, состраданием и красноречием, становится орудием в чужих руках. Не так страшно, девочка, когда крупный подчиняет себе мелкого, страшно — когда человеческая мелюзга берет в плен великана. И чем могучей великан, тем опасней. Я много думал о нем в последнее время, я постоянно о нем думаю, не могу ничем другим заниматься, строчки из-за него написать не могу, — произнес Круд недовольным голосом. — Это тип трагический, над ним нельзя смеяться и сочинять про него небылицы. Но и молчать нельзя. Он серьезен, важен, непрост. Его много раз пытались остановить, но ни у кого не получалось и не получится. Хотели убить, отравить, столкнуть в пропасть — все напрасно. Он ускользал, выживал там и тогда, когда это казалось невозможным. Он заговорен. Но, если проживет еще дольше, этот город окажется во власти голода, смерти и черных крыс.

Уля пожала плечами и забыла о том странном разговоре, отнеслась как к обычной Крудовой фантазии и причудливому способу сочинять из ничего свои угрюмые истории, но однажды Савелий не пришел к месту их встречи. Он не пришел и на следующий день, и на третий, и она поняла, что он оставил ее. «Я ему надоела. Он просто меня использовал. Я была для него игрушкой. Куклой, которую можно наряжать по своему усмотрению. Или все-таки запил? Не выдержал, сорвался? Хотя дал мне слово не пить, и теперь ему стыдно. Но, если бы он попросил, если хотя бы намекнул, я бы разрешила ему. Или он все-таки ушел? Ушел один в свой блистающий мир, а меня не взял, потому что я гусыня, потому что усомнилась, потому что не поверила, не выдержала испытания...»

Эта мысль пришла ей безлунной ночью. Уля сама не понимала, спит она или бодрствует, но проснулась от ужаса и подошла к окну. Не было видно ни зги, а потом небо стало мерцать, очень слабо, неверно, постепенно разгораясь. Ей захотелось распахнуть окно, выброситься из него и побежать. Однако здесь в отличие от деревни не было земли, а только внизу угадывалась пустая, жесткая мостовая. В комнате кто-то был. Уля узнала приходившее к ней в детстве ночное существо, но теперь ей не было страшно — скорее любопытно. Что-то засветилось, и она не сразу поняла, что это светится ее камушек и зовет: «Оторвись от земли, поверь...»

— Да, оторвись, поверь, — сказала вслух Уля, — чтоб потом побольней шмякнуться, а он будет смотреть, как я падаю и кричу. Я не удивлюсь, если он исподтишка за мной все это время наблюдает, как я буду себя вести. А вот как.

Она сняла с шеи цепочку с камнем, положила ее на стол, сладко зевнула, потянулась и тотчас уснула. Не уснула даже, а провалилась в сон, как в яму. Проснулась Уля, оттого что ей стало холодно. Она сидела на полу в ночной рубашке, плечи ее дрожали, а из угла на нее глядели две точки. Уля хотела закричать, но не смогла. Надо было срочно просыпаться. Ухватиться за сапфир и прорваться, выпутаться из мутной жижи больного сновидения. Но у нее ничего не получалось, она барахталась, тонула, вязла, и никакого сапфира на столе не было. Камень кто-то похитил... Два красных глаза приблизились, и Уля увидела большую крысу. Во рту у нее мерцал сапфир. Уле сделалось гадко, страшно, а крыса никуда не убегала. Мелкие острые зубки противно дрожали, еще одно мгновение — и крыса проглотит камень и убежит. Уля протянула руку и, преодолевая брезгливость, взяла из ее пасти дар Круда:

— Я все поняла. Я не буду его снимать. Только скажи, где он?

— В невской тюрьме.

— Это из-за камня?

— Нет.

— А из-за чего?

— Не из-за чего, а из-за кого.

Уля мотнула головой и попала в новый сон. Светило скупое декабрьское солнце. С Невы дул сильный ветер, злая вода поднялась до самой кромки гранита, и перед ней была никакая не крыса, а давешняя остролицая женщина, похожая на крысу.

Она сильно переменилась с той поры, как Уля видела ее последний раз на Лебяжьей канавке. Страдание оставило ее лицо, она располнела, разгладилась и производила впечатление спокойной, удовлетворенной особы. Рядом с ней, похожий на воспитанного пса, стоял добродетельный мужчина с прямым пробором и слегка оттопыренными ушами и с вежливым любопытством смотрел на Улю.

— Он жил по подложному паспорту. Если бы вел себя тихо, никто не обратил бы на него внимания. Но он себя обнаружил.

— Что он сделал? — спросила девочка хрипло.

445

— На платформе в Царском Селе напал на человека, о котором лучше говорить шепотом, а еще лучше не говорить вовсе.

— Он убил его? — Голос у нее дрогнул.

— На это он неспособен, — произнесла женщина язвительно. — Он вообще мало на что способен. Его единственное оружие — острый язык.

— Это вы его выдали! — крикнула Уля. — Устали от него и выдали.

— Не повторяй чужих глупостей! Если бы я хотела его выдать, то сделала бы это гораздо раньше. Наверное, так и надо было поступить. Отделался бы меньшим сроком. Что ты на меня уставилась? Знала бы, из каких клоак я его вытаскивала и сколько слышала в ответ оскорблений!

— Вы все лжете. Он светлый, чистый человек.

— Он? — расхохоталась дама, и в глазах у нее блеснули не замеченные Улей слезы. — Большего подлеца и лицемера я в жизни не встречала. А поверь, я знала много разных людей. И несчастьями своими он упивается и щедро делится со всеми, кто ему попадается. А особенно с такими конопатыми дурочками, как ты. Но не желаю больше с тобой болтать. Ты мне неинтересна. Ты была мне интересна когда-то, но теперь нет. А вот ему, похоже, интересна очень. Он хочет тобою в последний раз попользоваться. Просил меня тебя найти и рассказать, как лучше устроить ему побег. Твой отец ведь начальник невской тюрьмы или что-то в этом роде. Нет? Странно, обычно он в таких вещах не ошибается. А тюрьма — его мания. Каждый раз, когда он попадает в тюрьму, мечтает из нее сбежать. Однажды проделал это два раза за один день. Первый — потому что обещал коменданту вернуться, а второй — потому что обещал себе, что сбежит... А я тебе скажу: если б я была твоя мать, то запретила бы к писателям даже приближаться.

«Манекен, — поняла Уля. — Вот кто манекен. С искусственной душой и шелковистой кожей. Здоровый цвет лица, свежее дыхание, отлично работающий желудок, и сердце гонит кровь, как вечный двигатель. Но боже мой, эту куклу любили два не самых заурядных человека! Терзались, испытывали чувство вины, чуть ли не молились на нее. Один до сих пор о ней грезит, второй повсюду таскает ее портрет. Они посвящают ей свои романы, ищут ее, тоскуют, а она нашла себе какого-то дурачка, недотепу, которым вертит как хочет».

Словно подтверждая ее догадку, благообразный господин глупейшим образом улыбнулся и что-то тявкнул на английском языке, но что именно, Уля не разобрала.

«К тому же еще нерусский, фу!»

— И мой тебе последний совет. — Дама повернулась к Уле. — Как узнаешь, что писатель, — беги, дурочка, со всех ног беги...

И Уля побежала. Бросилась на Гороховую. Все изменилось здесь после ее ухода. Другие люди, другие лица. Дремало охранное отделение, которое давно уже никого не охраняло. На лестничной клетке пахло кровью и деньгами. Уля почувствовала это, как только вошла в подъезд. В квартиру ее не пустили.

— Давно не была. Чего надобно? — зыркнула глазищами Акилина.

— Вас не касается.

— Вот и ступай отсюда.

— И не подумаю.

— Ступай, кому говорю.

За спиной у Акилины возник невысокий седобородый человек. Он цепко оглядел Улю, просветив глазами так, как не мог увидеть ее и Савелий, и какое-то удовлетворение мелькнуло в его разъехавшемся взгляде, а Уле вдруг стало нестерпимо стыдно.

— Пропусти ее, — сказал косоглазый Акилине негромко.

Уля сидела в гостиной, как несколько месяцев тому назад. Ничего похожего на африканский водопой больше не было. Несколько хлыщеватых молодых людей разговаривали о банковских ссудах и военных подрядах. Когда опустились ранние предзимние сумерки, появились нарядно одетые Варвара с Матреной. Матрена шла под руку с молодым высоким офицером. Позади грузно ступала Анастасия, которая за это время расплылась еще больше.

— Мой жених, — промолвила Матрена с гордостью. Она остригла косы и сделала прическу, отчего то милое, деревенское, что в ней было, пропало.

Офицер скосил на Улю прозрачные выпуклые глаза. Подумал и представился:

— Поручик Глеб Соловьев.

Говорить при чужом человеке Уля не стала, и началась странная, бессвязная беседа, которую никто не знал чем закончить. Матрена наслаждалась ролью невесты, Варя смотрела на сестру и ее жениха с восхищением, и лишь Настя, отвернувшись, молчала.

— Матреш, Варь, мне нужно срочно увидеть вашего папу.

— Зачем? — подобралась Матрена, и ее красивые карие глаза настороженно заблестели. — Тебе до него какое дело?

— Важное.

— Твое важное можно и нам сказать. А у папы неприятности. Не до тебя ему.

— У меня друг попал в беду.

— В какую еще беду?

— Его арестовали.

— За что? — спросил офицер недовольным голосом.

— Он твой жених? — прищурила глаза Матрена.

— Нет, просто друг. Помогите мне.

— Просто друзей у девушек не бывает.

— Поможем, конечно, — вмешалась Варя, но офицер перебил ее:

— Это будет стоить денег.

— У меня с собой ничего нет.

Он посмотрел на нее холодными глазами:

— Ну и ступай тогда, если нет.

Уля отвернулась и сняла с себя цепочку с сапфиром. В полумраке комнаты камень засветился еще сильнее, чем во сне.

— Подделка? Да нет, вроде настоящий, — пробормотал жених, пробуя камень на зуб. — Возьмем, а, Матреш? Ладно, я папаше скажу, чтоб тебя принял. Посиди тут с Настькой. Только не слушай ее болтовню, как начнет белугой реветь и последними временами пугать.

Хозяин квартиры был пьян. Он осунулся и постарел за несколько месяцев как за несколько лет; опухшие глаза его безо всякого выражения посмотрели на Улю. «Ну что, двойник?» — обернулась она к Насте, но та лишь опустила голову. А он наконец узнал ее, и подобие прежней ласки прозвучало в глухом нетвердом голосе.

— Случилось что, коза?

Запинаясь, она стала быстро, глотая слова и слезы, говорить, объяснять, просить, и ей казалось, что сейчас он напишет свою записку «милай дарагой помоги» и она бросится к начальнику тюрьмы, который выпустит не только Савелия, но и всех несправедливо осужденных и подарит каждому по новому дому, но тот, к кому она обратилась, покачал головой:

— А-а, помню. Сердитый такой господин. Налетел на меня и стал иголкой перед носом размахивать, будто я Кощей Бессмертный. На дуэлю вызывал.

— Вас?

— Тебя, говорит, можно убить только в честном поединке. Оружие предлагал выбирать. Рыцарем мрака кликал. Зверьчеловеком обзывал, Дениской пропятым. Я ему говорю: брось, куда тебе, господин хороший, с мужиком стреляться?

— Он сумасшедший, он фантазер, он писатель, романтик. Отпустите его, пожалуйста. Ему нельзя в тюрьме.

— А кому льзя? Да я его давно простил. Я всех простил, всем, кто меня ненавидит, на сто лет вперед грехи отпустил. Только нет здесь, Улюшка, моей власти. Не я решаю, кого и за что сажать. Разве что маму попросить. Но маму просить не стану.

— Почему?

— Это все пустое, тюрьма. Скоро все одно из тюрем всех отпустят, а потом новые сполна наберут. Забегаешься челом бить. А как тебе мой зятек?

Уля неопределенно пожала плечами.

— Сволочь, а и тут моей воли нету. Уперлась, дура: люблю офицера! В прежние времена я бы такое «люблю» ей показал. Не надо было сюда девок тащить. Темное это место стало, поганое. Фомка-книжник еще навязался на мою голову. Липнет и липнет, рук не отмыть. Скучно мне, милая. Обрыдло все. Уйду я скоро. Давеча один старец знаешь что про меня сказал?

— Что?

— Убить его, рёк, что паука — сорок грехов простится.

— Как же старец мог такое? — ахнула Настя и заплакала.

— Знать, мог. Старцу виднее. Он прозорливый, этот старец, — вспомнил он что-то. — Вот и убьют, раз благословение есть. Так что пусть твой светлый рыцарь не печалится. Так убьют, как ему, мечтателю, и не снилось. Тело грешное через землю, воду, огонь и воздух пропустят, и следа от него не останется. Только лучше б меня баба безносая убила, лучше б фокусник твой трехпалый, лучше Исидорка окаянный, чем господа... Худо, когда на Руси господа мужика убивают да еще басурман зовут на подмогу... А ты не реви, — поворотился он к Насте. — Тебя с собой заберу. Вместе на мытарства пойдем.

— Да какие у вас грехи?!

— Ступай, Ульяна, ступай, не слушай нас и ничего не бойся. Ну-ка, поди чего тебе скажу.

Он наклонился к ней, шепнул несколько слов, а потом залез в карман и протянул ей сапфир.

— На-ко возьми назад свой камешек. Добрая вещица. Дорогая, должно быть?

— Дорогая.

— Ну, иди с Богом. А меня нет-нет да вспоминай и ничему не верь, что обо мне услышишь.

Уля сбежала по лестнице во двор, едва не столкнувшись по пути с дамой, на чье лицо была накинута вуаль, и, только когда вышла на улицу, поняла, что это была за дама, и скучное предчувствие беды сковало Улю. Броситься бы назад, успеть предупредить оставленного ею человека, да ноги не слушались, будто снова отнялись... И он так и остался в памяти — потерянный, уставший, затравленный старик, который до последнего был верен царю и царице, когда их все предали. И когда несколько времени спустя, безоружного, забывшего об осторожности, доверившегося своим мучителям, его запытал до бесчувствия, а затем застрелил самым надежным и бесчестным способом благообразный английский джентльмен с прямым пробором и слегка оттопыренными ушами, о чем, впрочем, так никто ничего и не узнал, но зато все принялись сочинять и передавать друг другу легенды про заговор аристократов и месть содомитов, про пирожные с цианистым калием и восстающего окровавленного мертвеца, Уля не дрогнула. Не обрадовалась и не возгордилась, как радовались и гордились вокруг все — и на улицах, и на вокзалах, и в Божьих храмах, и в дворянских клубах, и в офицерских собраниях, — требуя шампанского и исполняя гимн «Боже, царя храни!». Но и не убивалась, как убивалась, а потом ушла вслед за ним в черную невскую воду купеческая дочь Анастасия.

Уле казалось, что в его смерти было нечто закономерное, неизбежное, им самим предугаданное, он навстречу ей шел и принял с тем спокойствием, с каким умирали мужики и солдаты. Только в марте, когда она прочитала в газете, что его тело достали из земли, сожгли и пепел развеяли по ветру, горько-горько о нем заплакала.

9

Но то было уже совсем другое время. И слезы ее быстро высохли, и горечь прошла. В тот месяц, когда случилась революция, Уле исполнилось восемнадцать лет, и, хотя питалась она плохо и спала мало, природа брала свое: стало тесно последнее гимназическое платье, из которого рвалось наружу не только ее тело, но и душа, и ничто не могло этому росту помешать. Революция казалась ей пламенем, беззаконной, блуждающей кометой, в хвосте которой легко и радостно можно было сгореть. Она идеально совпала с Улиной молодостью, принеся с собой, как ветер, свободу и легкость. Этот ветер носил ее душу, Уля ходила на все митинги и демонстрации, и ей страшно они нравились — нравился высокий, похожий на журавля Керенский, революционные речи, тысячные манифестации, знамена, лозунги, портреты и братание людей. Она любила смотреть на восторженное, колышущееся и странно послушное людское море, управляемое чьей-то чудесной светлой волей. Гул толпы отзывался в ее ушах музыкой, и было неловко вспоминать, как на этой площади она хотела умереть за царя, пусть даже была не одна такая, и те самые люди, что некогда были готовы душу положить за государя, теперь, нацепив красные банты, ликовали и поздравляли друг друга с тем, что кровавого монарха больше нет и вместе с ним ушла предательская темная сила, которая иссушала Россию и не давала ей победить в войне. Если тогда все были обмануты и ослеплены старой властью, то теперь прозрели, освободились, и победа стала совсем близкой. Небольшой шаг отделял от нее вольных граждан воскресшей России, все было готово к торжеству: накрыты столы, украшены стены, созваны гости и приглашен оркестр, запаздывал только хозяин дома, а в магазинах меж тем откуда-то снова появился хлеб, народ стоял в очередях за газетами и бумажными цветами, которые солдаты лепили себе на грудь.

Спорили о будущем устройстве России, и Уля была, конечно, за республику. Она полюбила слово «товарищ», с которым офицеры обращались к извозчикам, а барышни к приказчикам, пела вместе со студентами и курсистками «Марсельезу» и «Интернационал», участвовала в похоронах жертв революции на Марсовом поле, забрасывала цветами машины с вождями, а когда однажды увидала на улице торопливо идущих Матрену и Варю, перешла на другую сторону. Уля сама не смогла бы объяснить себе, почему так поступила, но интуитивно почувствовала, что эта встреча была бы и ей, и ее бывшим ученицам неприятной, ненужной, лишней. Сестры остались в прежней жизни, а она сдала экзамен и перешла в новую, и лишь однажды смутила Улю одна нищенка, нестарая, но очень дурно одетая женщина, которая шла и ругала солдат за то, что они и царя земного, и Царя небесного позабыли. Интеллигентов нищенка не ругала — что с них взять? — она ругала простолюдинов, и Улино сердце екнуло при виде безумной, цеплявшейся за рукава и полы солдатских шинелей. Та встретилась с Улей взглядом, ее глаза расширились, потемнели, она хотела что-то сказать, но в следующий момент толпа их разъединила.

— Питиримку везут, митрополита!

По Невскому проспекту в открытом сером автомобиле в окружении ухмыляющихся матросов с винтовками ехал скорбный человек с длинной седой бородой, в белом клобуке и с орденами на святительском облачении. Уля узнала в нем человека, который приходил на Гороховую. Митрополит не поднимал глаз и казался похожим на лося, попавшего в трясину и замученного слепнями. Толпа кричала, гикала и плевалась.

— Гришкин прихвостень! Позор! Долой!

Громче всех кричал красивый послушник с красным бантом на груди, а старик, сталкиваясь с его взглядом, еще ниже опускал голову, и губы у него прыгали и дрожали.

Несколько дней подряд Уля искала в толпе глазами нищую женщину, но, сколько ни высматривала ее, нигде не находила, зато однажды на одном из митингов повстречалась с мадам Миллер.

В первую минуту Ульяна забоялась: революция революцией, но порядков в гимназии никто не отменял и разрешения гимназисткам ходить на публичные собрания не давал, однако лицо у начальницы было такое печальное, что ученический испуг миновал и Уля сама подошла к директрисе.

— Как все не вовремя, мадемуазель, — пробормотала мадам Миллер, глядя куда-то за нее. — Были б вы чуть постарше или, наоборот, помоложе. А так — в самую пасть к зверю лезете.

— Я здесь случайно, я мимо шла, — стала на всякий случай оправдываться Уля.

— И ведь ничем вас уже не остановишь, ничем. Не удержишь. Пока сами себе лоб не расшибете. Как же быстро вы изменились, — покачала она головой и прибавила безо всякого выражения: — А я скоро уезжаю.

— Куда?

— Не знаю. Далеко. В Австралию, быть может.

— А как же гимназия? Вы же говорили, что в ней вся ваша жизнь.

— Говорила. Я много чего говорила, — произнесла мадам Миллер с горечью. — Только не будет скоро тут никаких гимназий. И вам будет казаться, мадемуазель, что все, чему вас учили, было лишнее и вам никогда не потребуется. Но это не так. Что бы ни случилось, не забывайте ничего и живите, живите, а меня простите за назидательность.

— Вот и он то же самое говорил, — вырвалось вдруг у Ули. — Чтоб я жила и жизни не боялась.

— Кто говорил?

— Он. Которого убили. — Она опустила голову и сказала шепотом: — Тот, к кому вы ходили тогда из-за меня.

Лицо мадам Миллер исказила судорога.

— Его надо было раньше убивать! — выкрикнула она хрипло. — Убить, а убийц въяве наказать и втайне отпустить, наградив. Я же предупреждала, я говорила — все это, все из-за него. Это безумие, окаянство, подлость, низость вся — он дорогу открыл.

— Зачем вы так? Вы же его совсем не знали, — произнесла Уля с укором.

— Я по делам его сужу.

— Он ничего дурного не хотел. Он...

— Да какая разница, чего он хотел, — оборвала ее мадам Миллер. — Господи, что за напасть! С живым плохо было, с мертвым — еще хуже сделалось. И государь с государыней и детьми в темнице из-за него томятся. Его грехи искупают. И вся кровь, которая здесь прольется, на него ляжет. Да и вас, мадемуазель, боюсь, тоже запачкает, — прибавила она и, отшатнувшись от Ули, не разбирая дороги, как слепая, натыкаясь на прохожих, пошла по улице.

А Уля так и осталась стоять, глядя на начальницу с сожалением и печалью, но безо всякого осуждения. Ей были непонятны эти тревоги и страхи. Ученица последнего класса гимназии на Литейном проспекте не просто верила, но знала наверное, как знала предметы, по которым ей предстояло сдавать экзамены, что все жертвы уже принесены и искуплены, скоро в России все станет совсем хорошо, вернется отец и наступит другая жизнь. Обновленная, очищенная от всего фальшивого, дряхлого, условного и бессильного, и снова будут Шеломь и Высокие Горбунки, снова будет стремительный бег по остожьям, только теперь уже, наверное, без Алеши. Алеша вошел в список горьких потерь, как теряются люди во время шторма или землетрясения, но тем ближе становятся друг к другу те, кто уцелел.

Про другого своего товарища Уля ничего не знала, однако прежней грусти из-за его отсутствия не ощущала. Он как будто отпустил ее или — права была его практичная подруга-жена — взял все, что можно было взять, но Уля не чувствовала себя ни оскорбленной, ни обкраденной, ни опустошенной.

Однажды она прочитала в газете, что освобожденный революцией из царской тюрьмы известный беллетрист Савелий Круд отправился в экспедицию к Северному полюсу вместе с исследователем Арктики Рудольфом Казакевичем на «Цесаревиче Алексее», спешно переименованном в «Свободу». Ничего более противоположного, чем убежденный южанин Круд и Северный полюс, невозможно было вообразить. Однако в газете были напечатаны фотография небритого Савелия в капитанской фуражке и короткое интервью.

«Я отправляюсь навсегда в неизвестность, чтобы не видеть хорошо известного. Прощайте все, кто меня не услышал».

Она прочла эти слова как скрытый упрек или последнее приглашение совершить побег, но ни в какую горнюю, дальнюю страну уходить не собиралась. Слишком много происходило здесь невероятного и нового, отчего Уля о своем мечтательном товарище забыла, и лишь иногда какая-то дрожь ее охватывала и чудился вдалеке звон Крудовых колокольчиков, и тогда она с легкой тоской смотрела в небо и замирала, и в душе возникало сожаление, но оно оказывалось нестойким. Еще несколько раз она читала весной в газетах короткие статьи о том, что

«Свобода» движется в сторону Земли Франца-Иосифа и рассчитывает вернуться к осени в Мурманск, а потом все упоминания о судне прекратились.

Гораздо чаще Уля видела теперь Легкобытова. Незадолго до революции Павел Матвеевич поселился в Петрограде на Васильевском острове. Он устроился на работу в редакцию большой либеральной газеты, приобрел пенсне и дорогое перо, вылечил зубы и больше не говорил ни об охоте, ни о собаках, ни об утраченных женщинах или сектантах, но зато охотно рассуждал о министрах Временного правительства, земельной реформе и рассказывал о том, что в деревнях самыми активными элементами оказались уголовники.

— В Горбунках едва не убили отца Эроса. Бедняга никак не мог отучиться поминать государя и всю августейшую семью на ектенье. Ему бы надо сказать «за благоверное Временное правительство», а он как дойдет до этого места, так и отцыкнется. И начинает по старинке: «За благоверного государя императора». А кругом народ собирается и проверочный молебен ему устраивает. Когданибудь зарежут, как барана. И никто ведь не вспомнит, как он деревню от засухи перед войной спасал. А в имении князя Люпы мужики общипали павлина и пустили бегать голым. Страшный, дикий, утробный народ. Но каким ему еще быть, если интеллигенция первая побежала труса праздновать? Если генералы царя предали. Да и архиереи наши. Вот ответьте мне вы, верующая русская женщина, чадушко православное, — поворачивался он к скорбной Вере Константиновне. — Хоть один из наших державных попов либо их начальников за государя вступился? Слово доброе сказал про него? Подвиг его оценил? Жертву велию добровольную, им принесенную? Впрочем, нет, один-то как раз вступился. И знаете который? Саратовский епископ, тот самый, кого этот царь в тринадцатом году повелел в Жировецкий монастырь в ссылку отправить. У него единственного совесть проснулась и мужество нашлось. А остальные либо отмалчиваются, либо митингуют. И Фомка ваш митингует, православной революции требует, обновления церковного — не иначе как в патриархи метит. Но неужели же из-за одного невинно убиенного скандального мужичонки, про которого толком-то никто и не знает, каким он был на самом деле и в чем виноват, вся церковь достоинство позабыла? Они же его возвеличили, они к царю привели, а теперь ладно б глаза долу опускали, каялись или прощения просили, молились за упокой души убиенного — нет же, первые в него каменья бросают, словно сами без греха. Стыда ни на ком нет.

Вера Константиновна отрывалась от шитья, поднимала на Павла Матвеевича спокойные, близорукие глаза и ничего не отвечала. Однако он и не ждал от нее никаких слов. Он говорил и ничего не слышал. Охотник, казалось, был рад и не рад тому, что революция свершилась, душа его была чем-то воодушевлена и смущена, и на Улю он смотрел также двойственно и странно: и дружески, и плотоядно одновременно. Постригший бороду и волосы, помолодевший, весь какой-то новый, непривычный в городской обстановке и в обычной одежде, он приходил на Литейный, пил крепкий горячий чай с конфетами, которые сам приносил, и рассказывал новости. Новостей было так много, что Павел Матвеевич едва с ними справлялся.

От тех имен, которые он называл, у Ули кружилась голова, и она думала о том, как ей фантастически повезло, что она живет в революцию. Всё, что собиралось, нагнеталось в русском воздухе в предыдущие годы и десятилетия, всё, что давило, мучило спертостью и духотой, нерешенными вопросами, запретами, обидами, невозможностью жизни, наконец прорвало удерживающие преграды и, живое, освобожденное, сверкая, шумя, понеслось по улице, сметая по пути ненужное, мелочное, случайное. Эти месяцы стали наградой за всю ее тоску, смятение, уныние, отчаяние; Уля со счастливой улыбкой говорила о том Павлу Матвеевичу, он ей охотно поддакивал, любовался, и только Вера Константиновна своего давнего спутника по шеломским прогулкам избегала, но он и не стремился с нею разговаривать. Все внимание Легкобытова предназначалось теперь другой. Крепкий, солидный мужчина приглашал Улю в синема, угощал пирожными и провожал до дому, словно уже считался ее женихом, и Уля не понимала, как ей быть.

Если бы не революция, она никогда бы не решилась прогуливаться по Невскому под руку с мужчиной, который мало того, что ей в отцы годился, но был с ее отцом дружен, имел жену и детей и в чьего пасынка она была когда-то влюблена. Но теперь можно было все. Уля казалась себе более взрослой, зрелой и умудренной, ниже и реже звучал ее голос, загадочнее мерцали глаза, и собственный смех казался резким, чужим. Она не знала, нравится ей Легкобытов или нет, но ей нравилось, что она нравится ему, что она способна вызывать интерес у этого умного, много повидавшего человека, живущего глубокой, насыщенной жизнью. Он не обещал ей ничего несбыточного, он вообще ничего не обещал, иногда бывал насмешлив и даже груб, высмеивал ошибки в ее речи, ее неразвитость, наивность, детское любопытство, но было в этом лесном человеке нечто такое, что тянуло ее к нему и заставляло прощать все обиды.

Уля даже одевалась так, чтобы выглядеть не вчерашней гимназисткой, но молодой дамой. Подолгу стояла перед зеркалом, то так то эдак закалывала волосы, распускала их и собирала в тугой узел, досадовала на веснушки, хотя теперь они придавали ее лицу еще больше теплоты и нежности; она мерила те немногие платья, что у нее имелись, мечтала о новых и раздумывала, не намекнуть ли Легкобытову на необходимость помочь обновить гардероб или не попросить ли у него золотые часики к именинам, но странно всплывали в ее сердце Крудовы слова о женщинах-манекенах.

«Неужели и я стала такой же?»

Иногда Улю подмывало рассказать Павлу Матвеевичу и про Круда, и про возлюбленную охотника, но что-то останавливало ее — словно это было теперь уже лишнее, и Уля чувствовала, что нити какого-то странного романа сходятся в ее руках и от нее будет зависеть, куда этот роман потечет. Но та женщина была в нем больше не нужна. «Как он там говорил? Чистое поле глазасто, темный лес ушаст, отжившая мечта становится ядом. Вот и не стоит отравлять ничьих воспоминаний...»

Рассказала она Павлу Матвеевичу только про Гороховую улицу.

— Так ты его знала?! — воскликнул он с жадностью. — Неужели? Ах, если бы ты меня с ним свела, если бы. Ах, как жаль... Как бы я хотел с ним встретиться, спросить, узнать... не успел...

— Не думаю, что он захотел бы с вами встречаться.

— С Р-вым захотел же, — сказал Легкобытов, и зубы его скрипнули.

И Уля вспомнила, как однажды на Гороховую пришел когда-то уже встречавшийся ей на Невском невзрачный господин с рыжей бородкой, много курил, долго рассуждал, убеждал, горячился, раздражался, спорил и услыхал в ответ на свои возражения: «Кто знает, как Господь нами распоряжается и для чего задумал. Вот был у тебя ученик, ты его выгнал, зло на него затаил. А он на тебя. Простить друг друга не можете. А так станется, что он потом о тебе позаботится и могилку твою сохранит».

— Могилку сохранит, — повторил Павел Матвеевич благоговейно, приняв как поручение. — И больше ничего?

— Ничего.

10

Летом Вера Константиновна недорого сняла дачу в Токсове у финна с русским именем Илья Ильич. Они поселились на самом берегу небольшого озера, похожего на кривой нож. Время было тревожное, но Уля ничего не замечала. Голова у нее кружилось от озерной сырости, тумана и пения птиц, ей хотелось плакать сладкими слезами юности, никогда она не жила так полно и глубоко в предчувствии нечаянной любви и чуда. Она не могла сидеть спокойно, не могла читать, ее все время тянуло куда-то идти, петь, бежать, а то вдруг нападало блаженное оцепенение, созерцательность, задумчивость — девочка боролась с девушкой в ее юном существе, побеждая и проигрывая, но этой девочке больше не надо было превращаться в лесную козочку. Уля словно очеловечилась в то лето и впервые ощутила уверенность в себе.. А Вера Константиновна пребывала, напротив, в растерянности: после того как госпиталь в Царском Селе оказался закрытым, царскую семью посадили под арест, а хромоногую Аннушку заточили в невскую крепость, привычная жизнь рухнула, и что делать дальше, как жить, она не знала. Постаревшая, подурневшая, она чувствовала, что вера в Бога, которой она жила и спасалась все эти годы, уходит из ее души, как из треснувшего сосуда.

Покуда Вера Константиновна находилась в окружении богомольных женщин с Гороховой улицы, она была религиозна, а когда все они оказались рассеяны и поражены, то рассеялась и вера, а в душе поселились прежние тоска, уныние, отчаяние. Их стало даже больше, и они сильнее на нее давили, как если бы злые духи отыгрывались на ней за те месяцы и годы, когда она им не принадлежала. Да и страшная, скандальная смерть старца пробудила в душе сомнение: а может, и не праведным был сей человек? Может быть, правы были люди, которые писали в газетах и в дешевых брошюрках о его похождениях, о гнусности и разврате? О бесстыжей Аннушке, его полюбовнице? Может быть, это она, Вера, чего-то не видела, не знала или ее это не коснулось? Или того хуже — коснулось, только, завороженная, обвороженная, она не поняла, что именно? А ударило по ее падчерице, которая голову потеряла и живет себя не помня. Что если и в самом деле был этот человек страшным магнетизером, подчинившим себе глупого царя и развратную царицу? Посланником темных сил, большевистским агентом, масоном, германским шпионом? Да и с ней самой — что происходило на Гороховой улице? Кому поклонялась она и кому служила? Кто благословил ее? Ведь пойди она сейчас к любому попу и расскажи про свое послушание у темного мужика с колдовскими глазами, поведай про свои мысли, желания, страхи, поп ее отругает, каяться заставит, от причастия на год отлучит и епитимью наложит и будет прав.

Наверно, и надо было пойти и покаяться, она и пошла бы, если б не чувствовала себя до такой степени опустошенной, что ей не хотелось вообще ничего делать. Лишь время службы в госпитале, когда она ни о чем, кроме своих обязанностей сестры, не заботилась, Вера Константиновна вспоминала как самое счастливое в жизни. А то, что видела теперь, ее ужасало и требовало выбора, поиска, ответа: как жить, куда жить, для чего, с кем.

Муж должен был давно прийти с войны, но он не возвращался и не писал. Вера Константиновна и не знала теперь, есть ли у нее муж. Было время, когда она ощущала его отсутствие очень остро, мучилась, молилась за него и ждала, представляла, как они будут жить, когда он вернется, но теперь образ механика стерся из ее памяти, выветрился из ощущений, и ей странно было думать, что когда-то она была замужней женщиной, страдала, сердилась, раздражалась, делила супружеское ложе, хранила верность и надеялась на его возвращение. Это было с кем-то другим, не с нею, это было в прошлой жизни, этого не было вовсе, но однажды под вечер на дачу в Токсове пришел неизвестный ей обходительный господин невысокого росту с аккуратной бородкой, передал ей деньги и коротко сказал, что Василий Христофорович жив и здоров, но прийти домой покуда не может, да и вообще никогда не сможет, так что она, если хочет, пусть устраивает жизнь по своему усмотрению, выходит замуж либо уезжает из Петрограда. Если желает за границу, то быстрее, потом может не получиться.

Вера Константиновна хотела заплакать, но сдержалась.

— С ним все хорошо? — спросила она, сцепив пальцы рук.

Гость внимательно на нее посмотрел и пощипал бородку:

— С ним не может быть хорошо. Вы разве не знаете?

— Я могу его увидеть?

— Нет.

— А Юля? Что мне делать с его дочерью? — выкрикнула она.

— Про это он ничего не сказал.

Вечерами, когда падчерица ложилась спать, Вера Константиновна раскладывала пасьянс и смотрела, что посоветуют карты. По деревне проходили шальные люди, в соседнем селе сожгли помещичий дом, дачников пока не трогали, но с некоторых пор Вера Константиновна стала избегать глядеть в глаза мужикам и бабам, зато чувствовала на спине их неподвижные тяжелые взгляды. В прежние годы она проваливалась в сон легко, однако теперь что-то изменилось с сознанием Веры Константиновны. Она просыпалась обыкновенно незадолго до восхода солнца и смотрела, как наливается светом утро, прислушиваясь к пению пробудившихся птиц. Что-то мешало ей уснуть, что-то не пускало в сон, словно она должна была пробордствовать эти лишние часы жизни, и сон вел себя как пугливый зверек, приближался к ней, но, стоило Вере Константиновне хотя бы чуть-чуть пошевелиться и подумать какую-нибудь свою мысль, зверек убегал, прятался, и ей приходилось подолгу лежать, чтобы заново подманить его к себе. «Я, наверное, скоро умру, — думала Вера Константиновна с равнодушным умилением. — Вот в такой же утренний час. Во мне завелась неизлечимая болезнь, я чувствую ее. Недаром же у меня выпадают волосы. Но это хорошо, что я умру. Мне давно пора умереть».

Так пыталась она себе внушить, готовила, смиряла себя, вспоминала детство, точно с ней что-то ужасное произошло, кто-то съел ее жизнь и она сделалась в свои неполные тридцать пять лет старушкой, живущей очень давно, и, как старушка, проводила времени больше с мертвыми, чем с живыми.

Недалеко от деревни располагалось финское кладбище. Вера Константиновна полюбила туда ходить. Она разглядывала аккуратные могилы незнакомых людей, читала надписи на крестах, размышляла о судьбах тех, кто здесь лежал: счастливы они были или нет в своей жизни, уходили из нее с радостью или огорчением и чем были утешены в пакибытии. Ее пустое сердце переполнялось сочувствием и соучастием, и она думала о том, что и сама скоро переселится на этот участок земли под высокими соснами и редкой травой, и какая-нибудь женщина будет здесь ходить, и ей станет так же утешительно и сладко, как было сейчас Вере Константиновне.

«Как хорошо, что у меня нет своих детей. Они бы удерживали меня тут, а так я чувствую себя совершенно свободной. Как все мудро, однако, устроено. Я плакала, ходила к врачам, к каким-то монахам, молилась, чтоб Господь мне послал детей, а теперь вот радуюсь тому, что одна и никто не мешает мне думать о смерти». Она ловила себя на мысли, что любит этих неизвестных ей, далеких, давно отошедших людей сильнее, чем нынешних, и они интереснее ей, чем ближние. Веру Константиновну тянуло на кладбище больше, чем в толпу, шум, в музыку, в сверкание огней, в огромный город, который когда-то казался ей таким притягательным, а теперь из него приходили смутные слухи о начавшихся погромах, о бесчинствах, о проливающейся крови и о предательстве революции, совершаемом кучкой негодяев. Но если Вера Константиновна была к этим известиям равнодушна и глуха, то душа ее падчерицы возмущалась и негодовала.

В конце июля в «Народной воле» Уля прочла гневную статью Легкобытова. Павел Матвеевич за эти месяцы превратился из наблюдателя в народного трибуна. Это было что-то поразительное. Человек, которого, казалось бы, ничего, кроме охоты, собак, гусей, уток и ружей, не интересовало, с уверенностью и страстностью писал о грозящем России большевизме. Уля не очень хорошо понимала, к чему именно он призывал и чего хотел, но чем ближе подбиралась осень, тем смутнее становилось на душе и все чаще звучало страшное слово «большевики».

Большевики разложили армию, большевики — враги революции, большевики — предатели и шпионы, большевизм — это страх и хаос, темная изнанка русской жизни, распутинство и хлыстовство. Если где-то в деревне крестьяне идут утром в церковь, а оттуда отправляются сжигать помещичьи дома — это большевизм, если грабят и убивают — большевизм, если запугивают и лгут — большевизм.

— Они абсолютны беспринципны. На словах ненавидят религию, а сами проповедуют фанатизм и нетерпимость. Используют в своих целях всех, кого придется, в том числе самых отъявленных своих врагов. Вот тебе, пожалуйста, пример. Перед самой войной они устроили побег из тюрьмы и переправили за границу некоего сектанта Исидора Щетинкина. А сегодня этот господин вернулся в Россию и раздает интервью, где поет соловьем, как страдал при проклятом царском режиме, и рекламирует свою препохабнейшую книжонку. А в ней пишет о том, что царица была неверна мужу и прижила сына от мужика. Казалось бы, что у них общего с этим изувером, лжецом, бывшим черносотенцем и погромщиком, по которому плачет виселица, и не одна?

А я тебе скажу что. Поразительное соединение воли и низости. Они способны на то, на что обыкновенный человек с сыновьим чувством неспособен, — с презрением смотреть на смерть своих родителей и опустошение родной земли, — говорил Легкобытов, и его высокий голос дрожал, захлебывался; а потом те же слова разносились в его статьях, которые одни бранили, другие хвалили, но прекрасных слов говорилось и писалось так много, что цена на них упала, как на яблоки в урожайный год, и все объелись ими до оскомины.

Уля никого из большевиков не знала, но заранее ненавидела этих людей, и вся ее личная ненависть была направлена против врагов революции, а значит, ее счастья. Павел Матвеевич следил за политическим ростом своей юной подруги с не меньшим изумлением и азартом.

— Неужели ты отдала бы жизнь за то, чтоб убить Ленина или Троцкого?

— Отдала бы.

— И тебе не жаль своей молодости?

— Ни капельки. — Волосы ее разметались по плечам, сияли окруженные пороховыми пятнышками веснушек глаза, а он снова вспомнил, как три лета назад она сидела в лодке на Шеломи, обиженная, нахохлившаяся, — и как по-женски похорошела с той поры, такая близкая и еще более недоступная.

— Козочка, козочка, что с тобой станется? — бормотал Павел Матвеевич, и странная нежность слышалась ей в его голосе — та нежность, которая прежде выпадала только на долю его собак.

Теперь она наконец почувствовала себя материалом в этих легких, но очень уверенных руках — мешал лишь темно-синий глубокий сапфир, который просвечивал в полнолуние сквозь ее платье и о котором Легкобытов никогда не спрашивал, но подозрительно косился и в такие минуты смотрел на Улю насупленно, ревниво, хищно. От этого глаза ее мерцали сильнее обычного, а Павел Матвеевич темно и томно говорил про таинственную зеленую дверь, которая однажды откроется, и интересовался, отчего она не ведет личный дневник или альбом, как все барышни.

— Потому что я не такая, как все барышни.

— Ты часто думаешь о мужчинах?

Он спросил между прочим, шутливо, на правах старого знакомого, но Уля почувствовала, что за этим вопросом стоит нечто большее, чем любопытство, и, вместо того чтобы оскорбиться, принять надменный вид, расплакаться иль отшутиться, как подсказывал бессознательный женский опыт, она сделала вид, что не поняла вопроса, и загадочно прикрыла глаза. И Павел Матвеевич посмурнел, напрягся, точно увидел ту козочку, что преследовала его в лесу и однажды подошла близко-близко.

Но странное дело: хотя она и чувствовала, как кипит его кровь, и сама от этого кипения приходила в волнение, он никогда не брал ее за руку, не попытался поцеловать, и, даже когда они приходили к нему домой, поднимаясь на последний этаж доходного дома, и он растапливал старенькую печь, и они ложились на оттоманку и смотрели на огонь, мечущийся в щелях между дверкой и кладкой, ничего меж ними не происходило.

Павел Матвеевич вел себя так, словно был не женатым мужчиной, а неопытным подростком, тем юношей, о котором некогда рассказывал на веранде, и она не знала, как ей с ним быть, чтобы не повторить судьбу известной ей женщины. Уля не была уверена в том, что хочет его поцелуев и прикосновений, но страшное любопытство ее томило. Пришла пора, когда она больше не следила за чужой взрослой жизнью, но сама в эту жизнь попала, однако как правильно распорядиться юностью, не знала, и ей было бы жаль, если бы эта юность прошла напрасно и она не использовала бы ее полностью. Только как подтолкнуть Легкобытова, чем привлечь его, Уля не знала тоже, а когда поднимала на него полные недоумения и чудной нежности глаза, вопрошающие «ну что ты? что с тобой? отчего ты медлишь? Ведь я же не могу первая...», охотник замолкал, отводил взгляд или отшучивался, и Улино томление становилось таким невыносимым, что ей хотелось его дразнить, вызывать ревность, молчать и не отвечать на вопросы или броситься бежать вскачь по улице, чтобы он снова поднял ружье и выстрелил ей вдогонку.

...Осенью, когда стало голодно, Павел Матвеевич помог Уле устроиться на службу в министерство продовольствия. Там она зарабатывала совсем немного денег, да и вопреки названию министерства из еды в нем ничего не давали. Каждый день Вера Константиновна вставала в пять часов и в предутренней мгле шла занимать очередь в булочную. Люди в очереди глухо ворчали, вспоминали февральские обещания властей, но на новый бунт сил ни у кого не было. Состарившаяся, закутавшаяся в платок, с навсегда опущенными уголками губ Вера Константиновна смотрела на прекрасно нарисованные на стенах булки, хлебы, кренделя, оставшиеся от дореволюционных времен, и была рада, если удавалось раздобыть сала и приготовить его падчерице, смешав с луком и чесноком, чтобы отбить несвежий дух. Она совершала все эти действия, которые едва ли пришли бы в ее хорошенькую головку несколько лет назад,

машинально и жила в прошлом, страшась и настоящего, и будущего. Из красивой злой мачехи она превратилась в какую-то бесполую, бесхарактерную троюродную
бездетную тетушку, у которой давно кончилось все женское и которой заботиться не о ком, так хоть дальней
родственнице послужить, чтоб не совсем уж жизнь на-
прасная и пустая была, однако все ее заботы дальше,
чем накормить, не идут. Так мнила себе о мачехе неуны-
вающая, занятая собой одной Ульяна, но однажды, при-
дя домой со службы в неурочный час, она увидела в коридоре пальто Легкобытова с бобровым воротником. Из
гостиной, где стоял большой диван, раздавались приглушенные голоса.

Кровь бросилась Уле в голову. Она хотела ворваться
в комнату, но какая-то сила сковала ее ноги, и Уля застыла возле двери. Похоже, подслушивать разговоры
этой парочки стало для нее делом привычным. «А если
они и вправду так не первый раз встречаются?» Уля
даже не подозревала, до какой степени она может быть
ревнива.

— Как быстро все кончилось, — говорил Павел Матвеевич бодрым голосом. — У всех были грезы, мечты,
и революция была — как дитя весеннего света. Но вот
она уж состарилась, собирает свою горькую жатву, и все
снова в ссоре. Снова война и смертная казнь. Женские
батальоны, Корнилов, Савинков и Керенский, утратив-
ший чутье, как старая больная собака. Крестьяне нынче
говорят, что хорошо тому, кто не имеет дела с землей,
солдаты — с войной, купцы — с торговлей, а я вам скажу
от себя — со всяким настоящим. Вся Россия — как те
калеки, что чаяли движения воды, и мы все среди них,
беззащитные, слабые, безоружные.

— А как же ваше ружье?

— Я оставил его в деревне у Пелагеи. У меня теперь тяжелая казенная винтовка-трехлинейка, из которой я даже не знаю как стрелять. Хожу по ночам возле ворот дома, охраняю его от грабителей и думаю о том, что когда-то я так же бродил взад-вперед по своей тюремной камере и мечтал о революции. И вот она настала, а ничего в моей жизни не переменилось. А если и изменилось, то лишь в худшую сторону.

— Можно подумать, что в этом виновата революция, — сказала Вера Константиновна раздраженно.

— Это она сорвала людей с насиженных мест и погнала бог весть куда.

— Вас никто не гнал. Сидели бы в своих лесах. Почему вы не вернетесь в деревню? Не вы ли говорили мне, что покуда вы с Пелагеей — не пропадете, а если оставите ее, то погибнете?

— Я же не спрашиваю вас, отчего вы оставили своего мужа, — возразил Павел Матвеевич, — и почему он к вам до сих пор не вернулся. А за Полю вы не беспокойтесь. Она не пропадет. Кто угодно сгинет — вы, я, ваш супруг, — только не она. Весной вернулся ее сын. Дезертировал из армии, как многие. Они все сейчас в деревне землицу делят — боятся, как бы не обманули, хотя все равно обманут. Поймают мужика на землю, как рыбу на червяка. Но что же моя Пелагея? Встретила сына точно спартанка — велела ему идти обратно на войну. Так и сказала: неважно, кто там — царь, не царь, иди, Алеша, и защищай русскую землю, чтобы немец сюда не пришел.

— А в Петрограде немцев ждут, — сказала Вера Константиновна угрюмо. — Те самые люди, которые три года назад громили германское посольство, мечтают о немцах как о своих избавителях. Вот придут немцы

472

и наведут порядок. А я, если они посмеют сюда войти, убивать их стану.

— За что?

— Им не место в этом городе.

— Вы все-таки поразительно с ней похожи, — пробормотал Легкобытов.

— С кем?

— С Ульяной.

Двое замолчали, только слышно было, как с легким шелестом то ли ложатся на ломберный столик карты, то ли опадает чья-то одежда, и Улино сердце так забилось, что казалось, этот стук доносится за дверь, еще мгновение — и она распахнула бы ее, но, заглушая все посторонние звуки, холодно и отчужденно заговорила Вера Константиновна:

— Павел Матвеевич, вам не кажется неприличным ходить в наш дом после того, что было?

— А разве что-то было?

— А разве нет?

— Было, не было. И потом, какие в наши времена приличия?

— Для воспитанных людей приличия от времен не зависят.

— Значит, я невоспитанный. Вы это из-за Ульяны?

— И из-за нее тоже.

— Улюшка мне как племянница. Что бы ни случилось, она все равно остается дочерью моего несчастного друга.

— Вот ради того, чтобы не усугублять его и мое несчастье, я прошу вас оставить его дочь в покое. Юлия уже не ребенок, но еще очень молода, а вы все равно на ней не женитесь.

— А вы хотели бы, чтоб я на ней женился?

— Побойтесь Бога, у вас жена, двое своих детей и пасынок.

— С женой мы не венчаны, а детям я нужен постольку, поскольку даю им денег. А как денег не стало...

— На что же вы собираетесь тогда жениться?

— Вы так спрашиваете, точно и в самом деле решили выдать вашу падчерицу замуж.

— Да, решила, — отвечала Вера Константиновна с вызовом. — Это единственное и последнее, что я должна для нее сделать. Она мне, слава богу, не дочь. Слава богу, потому что в этой стране иметь своих детей безответственно. Но все равно я отвечаю за нее до тех пор, пока она живет в этом доме.

— За кого же, позвольте спросить, вы хотите ее отдать? За графа? За банкира? Или за пролетария?

— За хорошего человека, который бы ее любил и за нее отвечал. Она достойна быть счастливой, потому что умна, благородна и в высшей степени порядочна. Не говоря уже о том, как красива. И счастлив будет тот, кто назовет ее своей невестой и женой. Единственное, чего я желала бы для нее, — чтоб муж увез ее за границу, и как можно быстрее.

— Ну да, — пробормотал Легкобытов. — Скоро из России начнут вывозить самое ценное — картины, камни, лошадей, женщин. Вам не жаль того, что здесь все опустеет?

— Мне жаль, что вы ее смущаете и сбиваете с толку. И не ее первую. И не вы первый.

— Вы о том безумце? Да, это было очень опасно, — нахмурился Легкобытов и забарабанил пальцами по столу. — К счастью, он ей больше не угрожает.

— Зато теперь опасны вы.

— Опасен не я, опасно мое ремесло, — возразил Павел Матвеевич. — Что поделать, если Ульяну к нему тянет?

Это ведь тоже талант особого рода, и, быть может, даже более драгоценный и редкий, чем талант художника.

— Прок-то от этого таланта какой? — произнесла Вера Константиновна горестно.

— Великий прок! — воскликнул Легкобытов. — И этот дар так же грешно закапывать в землю, как и все другие таланты. В жизни писателя есть неуловимое понятие — муза. Это необязательно та женщина, на которой он женат или которая ему принадлежит, но она — та, без кого его жизнь невозможна.

— А кончается все одним, — сказала Вера Константиновна злобно и смешала карты.

— Только если этого пожелает сама муза, — рассмеялся Легкобытов. — Вот вы же не захотели.

— А при чем тут я? У вас ведь уже есть одна муза, которой вы поклялись в вечной верности. Жизнь были готовы отдать, чтоб только ее увидеть.

— Откуда вам это...

— Мне кажется, — произнесла Вера Константиновна задумчиво, — мы, как грибы в грибнице, связаны, заражены одними мыслями. Я это почувствовала однажды. И про вас, и про себя, и про мужа. И про Юлию. Нашими мыслями пронизано пространство вокруг нас, и иногда в сумерках бывают такие часы и такие места, когда они становятся видны. На кладбищах, например. Они похожи на пыльцу. Или на семена. А иногда на маленьких мушек или мотыльков. Вы никогда не замечали?

— Я на кладбища...

— Да, да, я знаю. Вы их боитесь. Напрасно. На кладбища надо ходить. Особенно если жить подольше хотите. Я потому и бросила, что не хочу, — проговорила она бессвязно. — А что вы так побледнели? Вам душно? Что вы там шепчете, ничего не слышно. Надо окно открыть или дверь. Но я совсем другое теперь хочу сказать. Вот вы так любили ту женщину, так страдали, так жаловались на свое одиночество, что это даже вызывало у меня уважение. Сначала раздражение, насмешку, а потом нет, я вас стала ценить.

— Я что-то этого не замечал.

— Потому что вы невнимательны к людям, я давно это поняла. Вас ничего, кроме своего «я», не интересует, это, должно быть, тоже профессиональное, не обижайтесь, но все равно мне хотелось вас утешить, я вам сочувствовала, сопереживала, я вами гордилась — вашей преданностью, вашей стойкостью, тем, что есть вот такой человек среди нынешних писателей и поэтов. Один такой. А теперь что ж — отрекаетесь? Поменять решили? Помоложе музу нашли? Посвежее? И тоже для того, чтобы попользоваться на время и бросить? Как все стать вздумали?

— Что вы на меня нападаете, точно подранок какой-то? — вскричал Павел Матвеевич нервно. — Опять оскорбить хотите?

— Это вы меня оскорбляете.

— Чем?!

— Тем, что разрушаете образ целомудренного странника, верного возлюбленного, рыцаря, охотника, лейтенанта...

Она вдруг раскраснелась, размечталась так, что стала снова женственной, живой и прелестной, как в последнее предвоенное лето, и, почувствовав это, опустила голову, отчего сделалась еще милее. И Павел Матвеевич тоже это почувствовал и дрогнул.

— Нет, вы все-таки очень жалеете, что у нас с вами так вышло, — произнес он тихо. — Или не вышло. И себя мучаете, и другим покоя не даете. Но ведь еще, кажется, не поздно, да? Или...

Улино сердце снова забилось так, что аккуратный шов на ее груди набух и из него засочился тонкий ручеек крови. Она не видела, как Вера Константиновна в гневе подняла руку и, недолго подержав в воздухе, бессильно ее опустила, вмиг снова постарев. Павел Матвеевич не сдвинулся с места. Прошла томительная, пустая, как бесконечность, минута.

— Или нет, — произнес Легкобытов утвердительно, и было непонятно, чего в его голосе больше — облегчения или сожаления. — Что ж, нет так нет. Но я буду с вами откровенен. Вы почему-то вызываете у меня желание быть откровенным, как никто другой, хотя мне и не нравится, как вы вторгаетесь в мою жизнь.

— Можно подумать, мне нравится, как вы вторглись в мою.

— Вас и в самом деле все еще интересует та дама?

— Да. Мне кажется... она мне словно сестра... У меня ведь не было никогда сестры, а если бы была...

— Что за странный интерес к кому угодно, только не к себе? Так ведь вся жизнь мимо пройдет. Но той, другой, здесь больше нет и уже никогда не будет. Только моей вины в этом нет. Это не я ей изменил, она — мне.

— Если муза изменяет творцу, не означает ли это, что тот, к кому она ушла, оказался талантливей? — сказала Вера Константиновна жестко.

— Вы и вправду думаете, что жестяные поделки этого фокусника, его игрушечные кораблики с разноцветными парусами и картонные скрипки пьяных музыкантов будут цениться дороже моих подлинных вещей? — усмехнулся Павел Матвеевич. — Только если люди окончательно сойдут с ума и потеряют вкус к жизни. Но она изменила нам обоим.

— Как это?

— Уехала в Вильну и стала там блудницей.

— Зачем? — опешила Вера Константиновна.

— Чтобы предсказывать чужую смерть, — произнес Павел Матвеевич сухо. — Не исключаю, что рано или поздно это происходит со всеми музами. Такая вот метаморфоза. И если вы опять скажете, что я в ней виноват, не стану этого отрицать, но теперь я меньше всего хотел бы с этой женщиной встретиться. А что касается вашей возлюбленной падчерицы...

— Да?

— Мне нравится Уля, очень нравится. Я не нахожу в ней, правда, ни большого ума, ни особого благородства, она не слишком хорошо воспитана, ее манеры оставляют желать лучшего, у нее, в отличие от вас, совсем нет вкуса, она ужасно одевается, в голове у нее черт знает что, но при этом она действительно прелестна, дика, в ней много жизни и души, и меня к ней, не стану скрывать, влечет необычайно, но...

— Что?

— Я не могу до нее дотронуться.

— И слава богу. Этого только не хватало. Но почему?

— Потому что она невинна. Это ведь так?

— Вы, по-моему, совсем, мой милый, распустились. Откуда мне знать подобные вещи? — ответила Вера Константиновна резко.

— Да, разумеется. Она вам не может доверять. И никому не может. Бедная девочка не знает, что ей с собой делать. Для девушки в ее возрасте это самое опасное. А я не знаю, что мне делать с ней. Простите, но я буду снова о себе. Такова уж моя натура, и ее не переиначить. Вот ведь какое странное дело, — произнес Легкобытов раздумчиво. — Мне сорок пять лет. Большая часть жизни уже прожита. Тем более в нынешней России, где никто не знает, что с нами случится завтра, и откуда лично мне пути нет. Я не могу жаловаться на свою долю, я много охотился, видел людей, пережил сильную любовь и сильную страсть, я добился признания, мне есть чем удивить потомков после смерти, и если завтра меня не станет... Я этого не боюсь, нет. Я уже и так достаточно и хорошо пожил. Однако у меня никогда не было девственницы и, верно, уже не будет. На Страшном суде девушки станут говорить обо мне: «Он спасал нашу честь», — и этим свидетельством продлят мою жизнь. Невинность меня останавливает, хотя другого на моем месте только подхлестнула бы. Но я не другой. Пройдет время, не знаю, сколько и буду ли я жив, но когда Уля...

— Боже мой, боже мой, какой ужас вы говорите! — воскликнула Вера Константиновна. — Уля! Уленька!

Она крикнула так, точно догадывалась, знала, что девушка слышит их разговор, и Уля отпрыгнула от двери с той опрометчивостью и резвостью, с какой взбиралась в отрочестве на шеломские кручи и скакала по лесным дорогам, и на ее покрасневшем лице играла смесь ужаса, обиды, стыда и торжества.

11

Прапорщик Комиссаров вернулся в Петроград летом семнадцатого года. Как он уцелел, Комиссаров не знал. Наверное, только потому, что не хотел уцелеть. Хотели другие, те, кто были рядом с ним. Они и погибали. А он не умер даже тогда, когда должен был умереть. Иногда в тифозном бреду Василий Христофорович вспоминал свой разговор с Легкобытовым накануне пленения, и его охватывало чувство раскаяния. Ему даже казалось, что, если бы он не наговорил своему бывшему другу столь-ких звонких слов, если бы не прочел восторженную брошюру петроградского философа про великую вой-ну, ничего дурного с ним не случилось бы: он бы про-сто погиб, и остался лежать под Вильной в какой-нибудь безымянной могиле вместе со своими товарищами, и не увидел бы всего того, что произошло с его страной, и это было бы самое лучшее, самая завидная доля. Он умер бы, уверенный в ее могуществе, ее силе, ее победе, умер бы тогда, когда и должно было умереть русскому чело-веку, но вместо этого ему пришлось жить по милости людей, которых он ненавидел.

Моральное унижение не могло сравниться с физиче-скими тяготами, но, пожалуй, именно оно его спасло и дало сил. Если бы ему сказали об этой милости в на-чале войны, он только горько бы рассмеялся, но война, а затем и плен переменили его натуру. Они сначала взнесли его на самый верх, а потом швырнули с размаху вниз, истолкли его душу, измяли, сломали и заново со-брали, так что ему казалось, будто у него все стало иным. Обновились все клетки его организма, бывшее важным прежде показалось теперь ненужным, а ненужное когда-то — важным. Он разлюбил машины, паровозы, пушки и винтовки — все, что несло смерть, но зато безумно по-любил все живое. И, когда единственного, чудом вы-здоровевшего в тифозном бараке, его выпустили из ла-геря и устроили работником в тирольский дом, Комис-саров не только эту помощь принял, но почувствовал теплую благодарность к тем, кто его спас. Воюя с нем-цами, а потом находясь в плену, страдая, недоедая, видя, как умирают его товарищи, и зная, что в любую минуту он может последовать за ними, Василий Христофоро-вич не переставал глубоко и сосредоточенно размышлять об общем ходе вещей, и эти мысли неожиданно привели его к тому, что война России с Германией была не просто ошибкой, но преступлением, сшибкой двух стран, которым исторически надлежало быть союзниками, но не врагами. А врагами они стали лишь потому, что их столкнули те, кто были и старательны, и искусны в государственных интригах. Он вспоминал английских офицеров, которых видел в лагере для военнопленных, — самоуверенных, наглых в своей подчеркнутой благородности, вспоминал чью-то циничную шутку о том, что Англия будет воевать с Германией до последнего русского солдата, вспоминал французского летчика, про которого все говорили, что он знаменитость, и даже немцы относились к нему с уважением, совсем иначе, чем к русским пленным, и сердце Комиссарова переполнялось горечью. Только теперь он понял, что его страна, его народ, он сам, все его высокие устремления и готовность к самопожертвованию были нужны не России, но использованы чужими, холодными островитянами и их расчетливыми союзниками, пытавшимися вершить свои дела на материке. Воистину простота хуже воровства, думал он и себя за эту простоту ненавидел.

Он размышлял об этом особенно много тогда, когда служил по хозяйству у привязавшейся к нему женщины по имени Катарина. В Альпах было тихо, красиво, подходили к дому олени, и на них можно было без труда охотиться, но механик с ужасом вспоминал годы, когда был повинен в убийстве живой твари. Он испытывал теперь отвращение к любому насилию, неважно над кем — человеком, зверем, птицей, он бросил есть мясо и стал похож на какого-то отшельника, что поначалу огорчило красивую полную Катарину, имевшую на альпийского пленника свои виды. Он отнесся к ее женскому желанию как к еще одной работе, которую обязан выполнять, и выполнял ее, не испытывая ни сладострастия, ни нежности, но фрау была так довольна своим неутомимым русским работником, что однажды предложила ему поселиться у нее навсегда, вступить с ней в брак и разделить все тяготы владения ее имуществом. Она плакала и умоляла его не уезжать, но, как только это стало возможно, Комиссаров кружным путем вернулся на родину. Почему, он и сам не знал. Наверное, по той же причине, по которой возвращались к месту нереста лососи. Или перелетные птицы, у которых единственных в России осталось неизменное чувство родины.

Однако ни заходить домой, ни сообщать домашним о своем возвращении Василий Христофорович не стал. И дело было вовсе не в том, что еще на фронте он получил известие о том, что его жена и дочь ходили к грязному развратному мужику, к пьянице и хлысту, о чем осведомил его внедренный партией в квартиру на Гороховой агент. Василий Христофорович именно так относился теперь к своему старому знакомому: слишком многого насмотрелся и наслушался он и во время войны, и в плену. С ним, с его убеждениями и воззрениями случилась странная вещь — его как будто развернули и направили навстречу самому себе. И когда при нем ругали и злобно смеялись над царем или царицей, когда и солдаты, и офицеры передавали друг другу карикатуры, на которых были изображены русский император с орденом и императрица в обнимку с чалдоном, когда механик читал в газетах о прогерманской придворной партии, сгруппировавшейся вокруг русской царицы и ее фаворита, ничто в нем не отзывалось и не смущалось, не болело, как прежде. Ему казалось, что между тем человеком, которого он когда-то знал, и этими карикатурами нет ничего общего, как если бы там, в Петрограде, за эти годы произошла подмена и все люди стали совсем другими.

Позорное убийство сибирского мужика и постыдная безнаказанность его убийц, февральское отречение царя от престола и та легкость и безволие, с какими огромная страна бросилась в смуту, окончательно надломили дух Василия Христофоровича и поразили своей низостью. Если бы государь остался на своем месте, если бы он не изменил своему народу, Комиссаров отправился бы служить ему, но теперь не мог понять: как, какие силы, какие обстоятельства и причины могли вынудить русского императора отречься от власти, словно это была министерская должность? Как мог государь добровольно сложить с себя бремя, от которого его был властен освободить один Господь, и не раньше, чем призвав его душу? И при чем тут генералы, при чем командующие фронтами, депутаты Думы? Разве могут они сравниться с царем?

Это было даже хуже, чем любая мягкотелость, но нечто подобное самоубийству, и все, что произошло потом, стало лишь неизбежным следствием малодушного отречения. Так думал Василий Христофорович, но когда представлял себе потерявшего всю свою власть, свое положение государя, когда вспоминал его лицо, его благородство и сдержанность, то жалость и чувство вины мешали его возмущению. Да, знаю, все знаю, — спорил он, сам не зная с кем, — слабый правитель, неумелый, слишком хороший и слишком благородный, но посмотрите, какое ничтожество его окружало — в Думе, в правительстве, в армии, во всем романовском роде. Только он в отличие от них за свои грехи жизнью отвечает, а они все жировать горазды. Как же испаскудилась людская порода на Руси! Но главное было не в царе и его боярах, а в народе и затеянной им революции, случайной, неожиданной, истеричной. Это была совсем не та грандиозная, космическая катастрофа, о которой он говорил знойным летним днем накануне войны странному, непонятно куда исчезнувшему человечку по имени Дядя Том. Это было не то преображение царства плоти в царство духа, которым грезили умные люди и писали вдохновенные трактаты, поэмы и симфонии, это было грязное, пропахшее гноем и мочой, усыпанное шелухой от семечек, трусостью, подлостью и эгоизмом чудо-юдище... Комиссаров мечтал о патриотической революции, но иной, и он не ожидал от собственного народа такой подлости. Механик чувствовал себя даже не разочарованным, а лично глубоко оскорбленным. Все, что происходило с Россией, представлялось ему унижением, бесчестием, очиститься от которого его страна могла только в крови и в огне. И то, что в этом бесчестье оказались замешаны близкие ему люди, делало мысли Василия Христофоровича еще более горькими, обезличивая и обессмысливая всю его предыдущую жизнь и ее вольные жертвы. И хотя первым порывом вернувшегося в Петроград человека было броситься, вмешаться, избить жену, как бил он ее когда-то за Улину рану, — именно это совпадение и повторение его остановили. Они же остановили его от того, чтобы пытаться помочь своим ближним.

Комиссаров точно знал, что, после того как он уцелел на войне и в плену, его жизнь ему не принадлежит. Она принадлежала партии, революции, Дяде Тому или же тем грязным озлобленным людям, которые отказались воевать и бросили окопы, наводнили собой столицу и глухой осенней ночью произвели в ней вероломный переворот, и никогда личное не станет для него важнее общего, а свое дороже чужого. Просто так уйти из революции Комиссаров считал себя не вправе. Вложивший в нее когда-то столько денег и сил, он вовсе не рассчитывал получить обратно свой капитал с процентами, а, напротив, полагал обязанностью расплатиться по долгам и искупить грех своего участия в преступлении, совершенном русским народом.

«Мы и только мы виноваты в том, что произошло, — говорил он себе, озирая грязный измученный город. — Мы дали разрушить тысячелетнее царство, мы проиграли войну, которую не имели права проигрывать. Мы навеки останемся в истории бесславным, бесчестным поколением, которое к чему-то стремилось, рвалось, мечтало, но потеряло все, что у него было, и будет проклято потомками».

Василий Христофорович сильно переменился и внешне: черты его лица заострились, темные глаза выцвели и выдвинулся вперед упрямый подбородок. Он выглядел много старше своих лет и казался почти стариком, хотя ему еще не было и сорока семи лет. О будущем он думал теперь мало — надо было заниматься настоящим. В военно-революционном комитете поначалу не знали, какое найти ему применение, но потом предложили хорошо знакомую ему должность помощника коменданта, однако не в великокняжеском дворце, а в старой невской крепости, много лет служившей тюрьмой прежнему государству и теперь используемой в тех же целях новыми властями.

После революции темницу лихорадило, и кто только в ней не сидел: министры царского и Временного правительств — причем вторые посадили первых, а потом сели сами, — генералы, охранники, сыщики, члены Учредительного собрания, университетские профессора, теософы, спекулянты, биржевики, черносотенные и либеральные журналисты, попы, проститутки, монахи, банкиры, хулиганы. Они наивно писали коменданту жалобы и требовали улучшения своего положения. Но комендант в эти подробности не вникал: он ведал вопросами политическими, а Василий Христофорович занимался делами заключенных. Тех, кто действительно нуждался, он переводил в более светлые и сухие камеры или отправлял в тюремный лазарет. Поток этих людей был столь велик, что механик потерял им счет, и только одна женщина осталась в его памяти.

Это была несчастная, опухшая калека, бывшая фрейлина, которую солдаты называли бранными словами, плевали в лицо и грозились изнасиловать. Ее одежда так истрепалась, что нагота прорывалась сквозь лохмотья, но женщина не обращала ни на что внимания, как если б стыд был ей неведом или давно оставил ее. Иногда она что-то произносила красивым певучим голосом, смотреть в ее большие коровьи глаза Комиссаров не мог, защищать от караула не собирался, потому что именно она была одной из виновниц его семейного несчастья, но однажды в камеру к фрейлине пришли ученые люди и подвергли ее медицинскому досмотру. Фрейлина оказалась девственницей, это подтвердил Комиссарову известный всему Петербургу доктор Малухин, и мигом разнесшаяся по крепости новость так всех поразила, что пленницу оставили в покое, а потом и вовсе выпустили.

Однако чем дальше шло время, чем больше народу поступало в крепость, тем меньше мест в камерах оставалось, тем злее и безжалостнее становился караул. Матросы и солдаты считали тюрьму своей вотчиной и творили в ней что хотели. Механика как своего начальника они не воспринимали и подчинялись лишь коменданту, который, как скоро убедился Василий Христофорович, был негодяем. Ни одного врага, царского сановника, шпиона, предателя не ненавидел Комиссаров столь яростно и страстно, так, что, казалось, будь его воля, задушил бы своими руками. Большой, физически неопрятный, то и дело харкающий человек, он брал взятки у родственников заключенных, а женщин уводил в свой кабинет, как он говорил, «на исповедь», а после себя звал матросов — то была форма революционного поощрения. Жаловаться на это животное было бесполезно: в военно-революционном комитете и так все знали.

— Это тоже способ воздействия на буржуазию, товарищ Мальгинов, — обращаясь к нему по его новой, партийной фамилии, сказал один из чахоточных вождей. — Ничего от этих дамочек не убудет. А коменданта вы должны понять и глубоко ему посочувствовать. Он человек темный, при царском режиме сильно пострадавший и из-за религиозных предрассудков марксизм не усвоивший. Вы пока собирайте факты, придет время — все ему предъявим и, если надо, пустим в расход. Главное — учитывайте революционные настроения масс.

Василия Христофоровича передернуло от всех данных ему указаний, но, как человек дисциплинированный, спорить он не стал. В этом страшном, кровавом хаосе он был призван навести порядок. Уйти, умыть руки было проще, но и малодушнее всего. Он знал немало людей, которые думали в этот момент о своей чести, о том, чтоб душу спасти, но тот, кто ее спасал, не приобретал ничего, и честнее было смягчить собственным присутствием неизбежную жестокость и ослабить силу зла. И Василий Христофорович старался делать так, чтобы в камерах было тепло и сухо, а заключенные вовремя и сполна получали еду, врачебную помощь и передачи с воли. Коменданта он своей педантичностью и выдержкой злил еще больше, чем комендант злил его, но, когда тот потребовал, чтобы ему прислали другого помощника с правильным рабоче-крестьянским происхождением и безо всяких интеллигентских замашек, чахоточные товарищи из революционного комитета заговорили о революционном правосудии и дисциплине, пообещали со временем, когда революция наберет полный ход, его справедливое требование выполнить и посадить недобитого идеалиста в одну из нижних камер, а покуда посоветовали следить и собирать на механика факты.

Комиссаров об этом дьявольском равновесии не догадывался, но все чаще и чаще ему казалось, что революцией правят не люди, а другая сила, злая воля, которой он пытался противостоять, однако с каждым днем работы в невской крепости силы его оставляли.

Ни на войне, ни в плену Комиссарову не приходилось так тяжко, как в этих стенах. Каждый расстрелянный человек уносил с собой частичку его тела, и, хотя никакой его личной вины в том не было, Василий Христофорович ощущал, как это тело физически опустошается, теряет связь с землей, заживо высыхает, и он не удивился бы, если б однажды черный питерский ветер подхватил его и погнал по улицам, как гнал он мусор и газетные листы. Механик не выходил за пределы крепости и мало-помалу превращался в тень, в привидение, пугая охрану, когда, неслышимый, появлялся за спиной у солдат и подолгу недвижимо стоял, уставившись в одну точку.

Он никого никогда не наказывал, не отдавал приказов о расстрелах, не отправлял в карцер, но заключенные боялись его даже больше, чем коменданта, и приклеили ему кличку «немец».

— Немец идет, немец узнает, немец увидит, — шелестело по тюремным этажам. А почему немец, что за немец, за что немец?

12

Он давно перестал интересоваться тем, что творится в мире, весь круг его забот ограничивался тюрьмой, как если бы он сам сделался заключенным, осужденным на долгий, даже больше, чем пожизненный, срок, стал духом этой крепости, ее домовым, хотя когда-то предполагал занять иную вечную должность. Василий Христофорович читал Чехова и растроганно, с благодарностью и трепетом думал о том, как этот человек сумел все понять и предугадать, проникнуть в русское подсознание, его прочесть и извлечь. Именно с чеховской Россией должно было произойти то, что произошло. Безвольная, расслабленная, изъеденная скепсисом и малодушием страна согнулась после первого удара, не выдержала не такого уж, в сущности, и трудного испытания, сдулась, слиняла за два дня. Впрочем, это, кажется, написал уже не Чехов, а тот, кем восхищался Комиссаров на войне и чью восторженную книгу истребили в немецком лагере на самокрутки пленные унтер-офицеры, уничтожив ее вместе с дарственной надписью, прежде Василию Христофоровичу непонятной: «Русские люди, мой вам завет: никогда не читайте Апокалипсис». Но где был теперь тот цепкий сочинитель? В каких затерялся нетях, не сидел ли в одной из камер этой крепости или в какой-то другой тюрьме и что стоило ему, так любившему и прославлявшему Россию, ее бесславно похоронить, написав свой собственный апокалипсис? А может, он и не любил ничего, кроме себя и своего острого дара? Да и неважно это было теперь. Все, абсолютно все живущие в России, от царя до последнего нищеброда, умные и глупые, добрые и злые, благородные и подлые, были виновны перед своей страной, все заслужили, чтобы их посадили в эту крепость и мучили духотой, сыростью и неволей, а Комиссаров был первым от них.

Вечерами он отлучался к Неве. Отсюда с песчаной кромки был хорошо виден противоположный мрачный берег с гранитной набережной и покинутым царским дворцом. В эти минуты помощника коменданта крепости охватывало какое-то странное, едва ли не мистическое чувство прошлого, но не близкого, предвоенного, а далекого, относящегося к тем временам, когда этот город только начинали строить. Никогда прежде, увлеченный будущим, он о тех давно прошедших временах не думал, но теперь представил себе сотни тысяч мужиков, согнанных царской волей на гиблые берега Невы и живших еще хуже, чем русские солдаты в плену у немцев.

— Люблю тебя, Петра творенье... ненавижу, — прошептали его сухие губы, — ненавижу все, каждое здание, каждый камень здесь ненавижу, все эти мосты, дворцы, шпили, корабли. Зачем они здесь? Для чего?

Сколько костей лежало под этими гранитными набережными, соборами, дворцами, сколько было закопано здесь черепов, сколько крови ушло в эту болотную землю и подтапливало ее весною?

— И вы хотели, чтобы все прошло бесследно, вы надеялись проскочить, думали, что прошлое вас не догонит. Ненавижу, — произнес он в какой-то запредельной ясности, — ненавижу этот город, эту страну с ее историей, со всеми ее царями, героями, мужиками. Она получила то, что заслужила, и я получу это вместе с ней.

Он выговорил эти слова, и ему стало страшно, точно не он проклял свою родину, а она его прокляла и от него отказалась. Хочешь быть чистеньким, альпийским — ну и ступай отсюда. «Они умерли, и что же они хотят — отмщения за себя или процветания? Простили ли нас наши предки? Осудят ли потомки? Но какое они все имеют право... Управляют настоящим из будущего — что за чушь? Неужели там, в этом будущем, кому-то нужно, чтобы мы прошли через этот позор, или это будущее принадлежит не нам и мы завоеваны? Какие-то гунны, скифы, какие-то тьмы и тьмы нас захватили и нами управляют и Петербург уже почернел от чужих раскосых лиц? И Петербург уже не Петербург? И даже не Петроград? И Россия не Россия?»

Мысли его сбивались, холодный ветер дул все сильнее. Немец, немец идет... А если и впрямь он стал немцем? Чужим? И Россию не понимает, перестал понимать, в чем сам обвинял когда-то давно одного полузабытого им человека? И опять давили его мысли, и опять он не мог ничего с ними сделать, ничего им противопоставить. И злобный волк скакал по его мозгам. Не один, а множество мысленных волков, растаскивавших мозг на части. Он оказался легкой для них добычей и сделался похожим на изъеденный кариесом зуб.

— Я должен был умереть, — сказал Комиссаров жалобно, обращаясь к невскому ветру. — Почему я не умер? Ведь его убили. Аристократы, голубая кровь, монархисты не побрезговали, умыли руки в его крови, сама великая княгиня, сестра государыни, убийц благословила — так зачем же меня оставили здесь? Почему он не скажет, чтобы меня скорее забрали? Мне нечего здесь больше делать. Я не знаю, что ждет меня там, но здесь — ничего. Я пуст, как прошлогодний жук, от которого осталась одна оболочка. А ведь сколько было сил еще совсем недавно...

Иногда ему хотелось домой, мучительно тянуло хотя бы украдкой увидеть дочь, но он запрещал себе это делать, чтобы ничто недостойное, никакой взгляд не коснулся ее, не оскорбил и она оторвалась бы от него. Оторвалась навсегда. Однажды ему показали несколько фотографий из бульварной газеты военного времени, на которых была его Уля, полураздетая, пьяная, в загородном ресторане. Зачем они это сделали, чего от него хотели, он не понял, но испытал прилив бешеной ненависти. А когда она схлынула, ему показалось, что какие-то люди его испытывают, проверяют на прочность и к чему-то готовят, как когда-то готовили к терактам эсеры, и тот вопрос, что мучил его с молодости: смог бы он отдать свою жизнь за то, чтобы взять чужую, — возвращался к нему бумерангом, но возвращался именно оттого, что теперь Комиссаров понимал: ему не нужна его жизнь, а значит, и пожертвовать ею он не может, потому что это будет называться не жертвой, а как-то иначе. Его жизнь обесценилась так же, как обесценивалось множество вещей. И в этом и была суть революции — она не просто переворачивала людей, их право на достоинство, честь, совесть, имущество, она переворачивала смыслы, бросала их в грязный пенистый чан и вываривала до бессодержательности.

И он мог помочь своей бывшей дочери тем одним, что держался от нее в стороне, как держалась и ее мать. Он только теперь начал понимать свою первую жену, слишком хорошо понимать, почему она ушла и не захотела больше ни его, ни Улю видеть. В сущности, он делал теперь то же самое.

...Однажды в середине зимы Василий Христофорович обнаружил среди вновь арестованных фамилию своего старинного товарища Павла Матвеевича Легкобытова. О нем он за все эти годы не вспомнил ни разу, и, вероятно, именно по этой причине известие об аресте писателя вывело механика из полусонного состояния, в котором он находился. Легкобытов был схвачен в числе других сотрудников эсеровской газеты «Воля народа», и всех этих людей было решено для устрашения интеллигенции взять в заложники и в случае необходимости расстрелять.

О том, что революционная необходимость превышала у коммунистов все их прочие соображения, Комиссаров знал. Но Павел Матвеевич? Легкобытов? Охотник, угрожающий революции? Кому он мог помешать? Что за бредни и странное дежавю, заставившее его вспоминать давний разговор с Дядей Томом на душном вокзале в Польцах летом четырнадцатого года. Кому опять все это потребовалось и для чего?

«Когда б не Дядя Том, я бы его тогда убил, — подумал он отстраненно. — Но сегодня я предпочел бы, чтобы его в моей жизни не было. Пусть останутся его книги, а тот, кто их написал, исчезнет».

Так он уговаривал себя ни во что не вмешиваться, но навязчивая, сверлящая мысль о том, что Павел Матвеевич, это большое эгоистическое дитя, ненавидящее скученность и спертый воздух, страдающее от клаустрофобии, привыкшее к раздолью и свободе, находится в переполненной вонючей камере, откуда его никогда не выводят гулять, мучается желанием разбить голову о каменные стены каземата, а может быть, в конце концов не выдержит и разобьет — эта не мысль даже, но физическое ощущение не давало ему покоя. В тюрьме никому не сладко, однако посадить туда шеломского охотника, даже если он в чем-то и провинился...

Комиссаров велел, чтоб ему принесли легкобытовские статьи, и чем глубже в них погружался, тем мрачнее становилось выражение его глаз. Какого черта? Какого черта этот человек лезет туда, в чем ничего не понимает? Что за наивность такая? Это было так же нелепо, глупо и приблизительно, как если бы он, бывший механик Обуховского завода, пустой пиджак, слабовольный помощник кровавого коменданта невской крепости, решил написать фельетон про французскую живопись, охоту на тетеревов или натаскивание гончих псов. Что понимал этот жизнерадостный эгоист в революции? «В начале революции было так, что всякий добивающийся власти становился в обладании ею более скромным, будто он приблизился к девственнице. Теперь власть изнасилована, и ее е...т солдаты и все депутаты без стеснения».

О чем это он? О ком? И он надеялся, что ему это простят? Нет, проще было бы простить ту июльскую ночь... Комиссаров хотел вызвать заключенного к себе и не смог. Первый раз в жизни отступил. Что бы он ему сказал? Что того, кто встает навстречу камнепаду, поток камней сметает? Сидел бы себе в своих Горбунках, не бросал бы верную жену и был бы жив.

И все ж оставить Легкобытова в подвале Василию Христофоровичу не позволяла даже не совесть и не воспоминание о тех днях, когда они были дружны, но нечто неуловимое, ему самому до конца непонятное, запрещающее становиться соучастником преступления, в которое его однажды уже пробовали втянуть. Механик попытался перевести своего товарища в другую камеру, но, когда обычно не вмешивавшийся в быт заключенных комендант услыхал фамилию арестованного, лицо его передернулось судорогой наслаждения.

— Этого в карцер, и никаких свиданий и передач!

— Но почему? — возмутился Комиссаров. — Это самоуправство какое-то. Он журналист, писатель, да к тому же известный.

— После двадцать пятого числа известных писателей не осталось. В подвал, к крысам. Ни еды, ни питья не давать. Пусть посидит денька два-три всухую, а потом я сам им займусь.

Он смотрел на Комиссарова — страшный, грубый человек без возраста, с руками, пропахшими рыбьими телами, и Василий Христофорович вновь почувствовал, как его оставляют силы и он не может этой темной кипящей мстительной стихии противостоять: она физически ломала его.

13

В тот же день впервые он покинул крепость и пешком отправился на другой берег реки. Город сделался еще более страшным, чем несколько месяцев назад. На Миллионной кололи лед под охраной вооруженных рабочих бывшие господа в потертых шубах, прохожие одни смеялись и злословили, другие наклоняли головы и торопились пройти поскорее. Комиссарову сделалось стыдно, но потом он подумал, как счастливы, должно быть, люди, которые колют лед, но не находятся в тюрьме. А те, кто в тюрьме, с чувством мнимого превосходства думают о тех, кто убит. А те, в свою очередь, счастливее всех, потому что им уже нельзя сделать ничего. По трамвайным рельсам шла собака. Из ехавшего навстречу ей вагона отчаянно сигналили, но изможденная псина шла и шла вперед, не сворачивая, пока не скрылась под колесами взвизгнувшего вагона.

Появившаяся со стороны Невы толпа привлекла внимание Василия Христофоровича: несколько десятков оборванцев, мародеров, солдат-дезертиров, пьяниц и уличных женщин вразнобой ступали по улице. Впереди шествовал рыжеватый человек с голодными сиротливыми глазами, просившими хлебушка с маслицем. В руках у предводителя было древко с синей тканью, которая колыхалась на ледяном ветру.

— Голубое знамя! Голубое знамя! — выкрикивал вождь сиплым голосом. — Приходите, хулиганчики, ко мне! Собирайтесь, хулиганчики, под голубое знамя. Не надобно нам ни знамени царского, ни знамени пролетарского. Надобно нам знамя голубое, божественное. Мы под этим знаменем соберем заново рассыпавшегося человека и рассыпавшееся царство воскресим. Хулиганчики, хулиганчики, сколько в вас божественного!

Прохожие провожали странное шествие, иные присоединялись к нему, и среди идущих за человеком, чей завет Василий Христофорович нарушил, механик узнал свою жену. Вера Константиновна шествовала в самом конце. Она была дурно одета, шаталась от голода и слабости, но лицо ее было таким просветленным и вдохновленным, готовым на самопожертвование, что, глядя вослед маленькому человечеству, давно уже ни о чем не мечтавший механик почувствовал желание слиться с этой странной толпой, внять сладкозвучному голосу ее пророка, встать под небесное знамя, раствориться в его сиянии, все простить, ничего не забывая, и никогда не

496

возвращаться в старую невскую крепость. Однако шествие завернуло за угол и исчезло.

Ему стало нехорошо, перехватило дыхание, все поплыло перед глазами, а когда он очнулся, картина вокруг переменилась и городской пейзаж сменился скупым интерьером.

— Вы должны его остановить, — услыхал Василий Христофорович свой собственный голос, обращенный к давно знакомому ему человеку.

В бывшем дворце на крутом повороте Невы, в кабинете на третьем этаже сидел с красными, воспаленными глазами Дядя Том. Он сильно постарел за эти годы, отпустил бороду и сделался похожим на сказочного гнома. Было видно, что он спит урывками и поддерживает силы то ли кофе, то ли морфином. Василий Христофорович рассчитывал увидеть на столе шахматную доску с фигурами, но шахмат не было, а на большом столе лежала старинная книга в потрепанном переплете и несколько газет. Голая лампочка над столом раскачивалась от движения воздуха и мигала, отбрасывая колышущиеся тени на гладкие стены мутного желтого цвета.

— Вы еще целы? — спросил композитор полунасмешливо-полусочувственно.

— Нет, — покачал головой механик. — Я давно съеден.

— Зачем вы сюда пришли? Вас кто-то звал?

— Нет.

— Сюда не ходят без приглашения. Как вас пропустили?

— Не знаю. Очевидно, не заметили.

— Хотите попросить у меня место в правительстве?

— Нет.

— Желаете что-то опять передать жене? Дочери?

— Нет.

— А может быть, вы желаете меня убить?

— Когда-то желал, — сказал Комиссаров тусклым голосом, — но теперь мне все равно, есть вы или нет.

— Тогда что же?

— Я пришел просить за Легкобытова.

— Простите, за кого?

— За Павла Матвеевича Легкобытова.

— Кто это? Ах да, ваш приятель-журналист. Литератор со средними способностями, мнительный эгоист, который уцелеет при любой катастрофе. Я ведь, кажется, просил вас передать ему: поближе к лесам, подальше от...

— Отпустите его, — произнес Комиссаров, сам стыдясь того, что в его просьбе прозвучало что-то личное, от чего он давно отказался даже по отношению к самым близким людям.

— Он был предупрежден. И не однажды.

— Он безобидный, безответственный говорун.

— Едва не застреливший вашу дочь и почти соблазнивший жену?

— Отпустите, — сказал Комиссаров тише.

— Зачем же его отпускать? Вот мы и проверим, правы вы были или нет, когда твердили о его живучести.

— Он случайно вам попался, и вы должны проявить если не благородство, которого у вас нет, то хотя бы благоразумие, которое быть должно.

— Вы пришли сюда, чтобы меня оскорблять? — удивился Дядя Том. — Опять в лицо плеснуть хотите? Или ударить? Нет? Зачем же тогда просите?

— Я не прошу. Я взываю к вашему разуму. Для чего вам Легкобытов? Неужели у вас нет других врагов, серьезных, настоящих, убежденных, опасных? Вы же потом пожалеете, что такого маленького убили. Вас это мучить будет всю жизнь. Вам нельзя с этого свою историю начинать.

Дядя Том качнулся на стуле и скосил левый глаз на Комиссарова:

— А вы так ничего и не поняли в этом человеке, Василий Христофорович. Столько времени были рядом и прошли мимо. Хотя не вы один. Его проглядели все, кто его знал. Это мы с вами маленькие. А он — нет. Просто он очень хорошо умеет маскироваться. Охотник, стрелок, снайпер, опасный и коварный враг, который строчит на нас донос.

— Кому он может писать донос? Вы душой скорбным сделались, когда так думаете.

Лампочка над столом мигнула и вспыхнула ярко, перед тем как навсегда погаснуть.

— Он пишет донос в будущее. Он и есть тот самый засланный казачок, — произнес Дядя Том с печалью. — А мы слишком поздно это поняли.

Он подошел к окну и стал смотреть на меркнущий в сумерках заснеженный город, который казался в этот час неживым.

— Пройдет много лет, не будет ни меня, ни вас, никого, кто сидит в этой тюрьме или ее охраняет, а по судьбе Павла Матвеевича Легкобытова будут измерять наше с вами время. По его жизни. Как по эталону мер и весов. И знаете почему? Не потому, что он особенно талантлив. Нет, его окружали куда более одаренные люди. Не потому, что трудолюбив, умен, глубок. Были те, кто его в этом превосходили. И даже его книги, как бы ни были они хороши, тут ни при чем. Хороших книг много, совершенных жизней мало. А его жизнь совершенна, хотя он сам этого пока не понимает.

— Так зачем же вы хотите ее оборвать?

— Оборвать? Признаюсь вам, Василий Христофорович, ни одного человека в мире я не отправил бы на тот свет с большим удовольствием, чем вашего друга. Но, к несчастью, мы не можем этого сделать. Легкобытов — единственный, кто сумеет найти выход, которого не знаем даже мы. Представьте себе, а вернее вспомните, огромный сухой лес, в котором неожиданно возникает пожар: обезумевшие животные, гады, птицы, люди, все мечущиеся, растерянные, не знающие дороги. Огонь верховой, низовой, дым, ветер, все трещит, рушится. Неважно, кто этот лес поджег, с каким умыслом, расчетом, целью или все загорелось само. Важно, что пожар. В огне гибнет, в дыму задыхается всякая тварь, к этому огню добавляется ядовитый газ, смрад, радиация...

— Простите?

— И есть кто-то один, с невероятной интуицией, кто знает дорогу. Он не может вывести по ней всех, он и не собирается этого делать, он эгоист и спасает лишь себя, но тот, кто будет жить с оглядкой на него, кто будет идти по его следам, спасется. Разве нам не нужен такой человек и мы не обязаны его сберечь, даже если он нас ненавидит?

— Для чего ж тогда сейчас губите?!

— Мы его учим. Готовим. Натаскиваем, дрессируем, как он дрессирует своих собак. Без этой натаски он ничто. Слишком много времени провел в лесах, слишком далек был от редакций.

— И для этого нужна тюрьма?

— В том числе.

— Он уже достаточно посидел.

— Еще нет.

— Переведите его в другую тюрьму.

— А чем эта плоха?

— Он убьет его, — произнес Комиссаров каким-то лихорадочным шепотом и пугливо заозирался по сторонам. — И ему наплевать, из будущего, из прошлого или из настоящего попавший к нему человек, какие у него таланты, отношения со временем и какая ему цена в будущем. Он не просто убьет, а замучает его, придумает самую лютую казнь, какую только можно вообразить. Вы связались с чудовищем, гроссмейстер. Сначала он убьет его, потом меня, а потом вас. А может быть, с вас и начнет.

— Бросьте, — произнес Дядя Том с досадой, — он насилует и убивает по нашему приказу тех, кого мы велим, и будет насиловать и убивать ровно столько, сколько мы ему позволим. Нам нужно это животное, потому что по сравнению с ним мы не выглядим кровожадными. Еще немного, и все, кто сегодня недоволен, кто скулит, шипит на нас, приползут к нам и станут умолять, чтобы мы уняли это чудище, потому что никто, кроме нас, неспособен этого сделать. Они не просто признают, но благословят нашу власть и станут ей служить не за страх, а за совесть. Но они слишком разболтались за последние годы, и их надо прежде хорошенько встряхнуть, чтобы ужас проник в их кровь и кровь их детей.

— Я где-то это читал. В какой-то брошюре.

— Что именно?

— Про кровь на детях наших.

— Ну вот опять. — Дядя Том потер виски. — Все-таки это неизлечимо. Мы всего лишь выполняем вашу программу.

— Мою?!

— А чью же еще? Не вы ли мечтали о том, чтобы Россия отгородилась от мира? Не вы ли твердили о том, что она самодостаточна и ни в ком не нуждается? Не вы ли говорили, что весь мир ей враждебен? Не вы ли жаждали всеобщей в ней справедливости? Вот все и сбывается по вашему слову. Россия уходит из мира — чего же вы испугались, когда исполняется то, чем вы грезили? Что за непоследовательность и трусость такая? И неужели не видите в этой новой России для себя места? Вы, с вашим чувством, с вашим талантом, умом, вашими способностями, вашей жаждой правды и справедливости?

— Вам не Россия, вам власть над миром нужна! — выкрикнул Комиссаров хрипло, и зрачки его глаз расширились. — Вы ту Россию, за которую я воевал и за которую мои солдаты ядовитый газ глотали, в Бресте немцу отдали. Вы все могилы, все кости русские, всю нашу кровь продали, чтобы шкуру свою спасти и обогатиться. А когда здесь все рухнет, первые за границу побежите, где у вас в банках русские деньги лежат. Расстрелять меня хотите за такие слова — стреляйте, сажайте в камеру, гноите, но я все скажу, что про вас думаю.

— Ну-ка, хватит истерик! — стукнул ладонью по столу Дядя Том. — Мы отдали? Мы ничего не отдавали. Отдавали они — те, кто в этой крепости сидят. А мы пытаемся спасти то, что они загубили. Да, жестоко, да, кроваво, да, на свой манер осмотрительно, но если по-другому нельзя? Знаете, что самое страшное в русском человеке? Шаткость. Вы поглядите, как вас самого шарахает. То вы монархист, то революционер. То за войну, то против. То вы с мужиком, то его проклинаете. То подайте вам черту оседлости, как у евреев, то все евреи для вас враги. Что за дряблость в вас сидит? И добро бы вы были один такой. Вы все, русские, как воробьи в пустой цистерне, по своей России мечетесь. Если эту шаткость не остановить, вы всю страну разнесете в клочья, а потом все на инородцев свалите. Или комендант ваш, может быть, из поляков или французов? Или матросов, которые офицеров в море как щенков топят, вам из Англии завезли?

— Это вы их растлили! — заорал Комиссаров. — Вы, как только война началась, подлую мысль о поражении как огонь по нашим мозгам пустили. Вы веру убили, стыд сожгли, волю русскую парализовали, революцию прежде в умах свершили, плацдарм подготовили моими вот руками — отрубить бы их, — чтобы высадиться на нашем берегу, а теперь жнете, что посеяли, и собираете, где рассыпали.

— Перестаньте нести чушь! Вы же не интеллигент, в самом деле. Какой плацдарм? Какой ваш берег? Выслушайте меня, наконец, и не перебивайте. — Дядя Том встал из-за стола и принялся ходить по комнате. — Нас ждет другая, более страшная война, чем та, которую мы вынуждены были остановить, чтобы не потерять всего. Мы отдали врагу часть русской земли, бросили ему кость, но пройдет время, и он вернется за остальным. И мы должны быть к новой войне готовы. Она будет чудовищна и возьмет столько, что все нынешние жертвы покажутся ничтожными и будут забыты. Не захотели отцы воевать — дети за них кровь прольют. Так устроена история. И мы должны начать готовиться к этой войне уже сейчас, чтобы не проиграть снова. В этом смысл происходящего сегодня. В этом и ни в чем другом. То, что имела Россия последние годы, провалилось. Все провалилось — монархия, церковь, армия, Дума, финансы, промышленность, литература — все! — выкрикнул Дядя Том. — Осталась только земля. И если мы хотим сохранить эту землю, мы должны ее переделать.

Нам нужна Россия с другим народом, который будет иначе организован, мобилизован, воспитан. Народом, который не посмеет бунтовать против своей власти, когда эта власть поведет войну. И с властью, которая не посмеет во время войны уходить. А никакой мировой революции нет и не будет. Революция — это сказка для дураков и блаженных романтиков. Всех революционеров, всех несогласных мы перевешаем еще раньше, чтобы нам не мешали.

— Кто — мы?

— Мы, — сказал Дядя Том неопределенно.

— Я знаю кто. Вы волки, мысленные волки, которые пытаются примерить овечью шкуру и новую беду для моей родины готовят.

— Ну вот еще, — сказал Дядя Том с отвращением. — Придумали себе сказочку. Да если хотите знать, этот волк в каждом из нас сидит. И уже не ест нас поедом давно, потому что обожрался гнилой человечины. И не бойтесь вы за Россию. Ничего с вашей Россией не станется. Проблюется, отлежится и еще резвей вперед побежит. А лишнюю кровь выпустить ей лишь на пользу пойдет. Почву удобрить, чтоб тучнее была и больше рожала.

Лампочка над столом вспыхнула последний раз и погасла.

— Вам она зачем? Россия? — произнес Василий Христофорович жалобно, пропадая голосом в кромешной тьме и уже не понимая, с кем и зачем он говорит. — Другой, что ли, страны не нашлось?

— Знать, не нашлось. Пройдет время, не знаю сколько, не знаю почему, не знаю зачем — ничего не знаю, но знаю, что именно эта земля станет ковчегом спасения и мы посланы ее сберечь и вести.

— Куда вести? — воскликнул механик. — На слепую Голгофу?

— Василий Христофорович, мы всегда видели в вас больше, чем своего товарища. Мы были вам благодарны, берегли вас и прощали то, что не простили бы никому. Я, признаюсь, всегда любовался вами — вашей молодостью, силой, благородством, вашим желанием принести пользу. Мы потратили столько сил, чтобы сохранить вашу жизнь в Свенцянах. А если б вы знали, чего нам стоило уговорить германское командование не обращать внимания на ваше безрассудство и терпеть все ваши бессмысленные хулиганские выходки в лагере для военнопленных.

— Я не просил вас об этом.

— Но что с вами происходит сейчас? Что вы с собой сделали? Почему вдруг впали в уныние, в метафизику? Я не сужу вас, голубчик, не обвиняю, я печалюсь. Нельзя на себя так много брать, а вы взяли. Впечатлительны вы очень, отсюда и все ваши беды. Вам бы подлечиться. Я распоряжусь, чтобы вас на днях отправили в санаторию, а сейчас вызову автомобиль. Не надо, чтобы вы ходили пешком по городу и расстраивались. Завтра с утра и поезжайте. А пока возвращайтесь-ка в крепость. Только не вздумайте делать глупости.

Комиссаров вопросительно поднял голову.

— Не пытайтесь организовать своему приятелю побег. Из невской крепости никто и никогда не убегал — не портите ни себе, ни этому зданию репутацию. И вообще ни во что с этой минуты не вмешивайтесь. Что бы ни происходило и кого бы ни касалось. Пусть все идет как идет.

Неслышно открылась неприметная дверь, и вошла высокая женщина в белом платке. В руках у нее был подсвечник. Она поставила его на стол, а потом поклонилась Дяде Тому в пояс и сложила руки.

— Что тебе еще, Акилина?

Не обращая внимания на механика, женщина произнесла:

— Благословите, старче.

— Старче? — спросил Комиссаров недоуменно.

— Старец Фома, — выпрямилась женщина и холодно поглядела на Василия Христофоровича светлыми до белизны глазами.

— Дядя Том, Фома. Ну да, это одно имя, — пожал плечами композитор. — Что вас так удивляет?

14

Василий Христофорович достал с полки первую книжку Легкобытова и стал читать некогда выученные почти наизусть, утешавшие его строки про край непуганых птиц, однако мысли его рассеивались. «Уйти, уйти отсюда, убежать от всех прямо сейчас и вернуться к Катарине в Тироль. Садовником, конюхом, кухонным мужиком, любовником, мужем. Не хочу я с ними, не буду тут жить. Они дикие, жестокие, они хуже, чем звери, они оборотни, азефы. Здесь нельзя было ничего трогать и пытаться менять. Ничего. Здесь не та страна... В ней не жить, в ней только умирать можно».

Стук в дверь отвлек его.

— Товарищ Мальгинов, вас одна барышня хочет видеть.

— Какая еще барышня? — спросил он недовольно.

— Она к товарищу Щетинкину шла, но он теперь отдыхает, — ответил солдат и нехорошо ухмыльнулся.

— Что ей надо?

— Говорит, что она невеста заключенного Легкобытова, и просит, чтоб ей разрешили с ним свидание.

— Легкобытов женат, — сказал Василий Христофорович машинально, и у него засосало под ложечкой. — А свидания с ним комендант запретил.

— Это я знаю, — произнес солдат сумрачно, и длинные ресницы его вздрогнули. — Так что прикажете барышне передать?

Лицо солдата показалось ему знакомым, но так много лиц промелькнуло перед глазами за эти годы, что не хотелось мучить память... Она давно жила своей жизнью и сама выбирала, кого вспоминать, а кого забыть. Только вдруг припомнил Василий Христофорович, как когда-то давно они шли с Легкобытовым по цветущему лугу, а Павел Матвеевич стал рассказывать про ланку, которая подошла к нему в лесу недалеко от устья Шеломи. «Она была совсем близко. Маленькая, грациозная, любопытная, я мог протянуть руку и схватить ее за копытце. И — не схватил. Почему я ее не схватил?»

«Надо сказать барышне, чтоб уходила, нечего ей здесь делать», — подумал он вяло и буркнул, не глядя на солдата:

— Пусть ждет, пока комендант проснется.

...Уля стояла на крыше высокого дома и смотрела в ночное небо. Как и почему она здесь оказалась, она не помнила, но уйти уже не могла. Ноги ее подкашивались, а измученное, избитое, поруганное и странно легкое, почти невесомое тело не болело и не кровоточило. Оно колебалось от движения ветра, удерживаясь на скате крыши лишь небольшой силой соприкосновения с поверхностью. Небо было очень близко, играло звездами и отражениями дальних всполохов, а еще дальше за ним, за этим небом, находился блистающий мир, куда ее звал стать русалкой воздуха замерзающий в арктических льдах Савелий Круд, чей камешек в этот раз не помог. Сапфир уже после коменданта отобрали солдаты. Кажется, это сделал тот, у которого были густые ресницы.

Уля качалась над бездной и ждала, когда налетит порыв, который подтолкнет ее и навсегда оторвет от кровавой, грязной земли. Она больше не хотела ей принадлежать. Не хотела быть ничьей музой, возлюбленной или женой. Она хотела уйти, не оставив своего имени и родства, как девочка, одиноко играющая в кости на древней могилке. Уля поглядела вниз и увидела громадного зверя, который смотрел на нее из глубины. Он рос, набухал, раздувался, становился больше, чем этот город, он держал его в своей пасти, подминая собой всю землю и закрывая половину неба, и Уля поняла, что не спасется, угодит в разверстую пасть. Она снова почувствовала касание страшных ладоней, что пугали ее в детстве, а теперь толкали в эту пропасть, и боялась обернуться и увидеть покойное лицо той, кому эти гладкие руки принадлежали. «Вот и все, вот и все, — шептала Уля, — вот все и кончилось». Подняла голову к небу и увидела крест. Он сложился из полунощных всполохов, сначала неясный, едва угадываемый среди звезд, но постепенно его очертания делались все более отчетливыми, крест проступал над городом, словно кто-то промывал черное небо. Волк зарычал, оскалился, отступил, и она осталась одна.

Остановилось, а потом открылось время, увиденное ею от самой глубины сотворения мира до его конца, и она поняла, что находится гораздо ближе к краю, но, когда ей оставалось совсем чуть-чуть, чтобы прозреть оставшийся срок, когда гигантский маятник, раскачивающийся над городом, замедлил бег, нищенка в грязно-розовой накидке подошла к ней и взяла за руку:

— Пойдем отсюда, доченька, пойдем.

2010—2014

Оглавление

Литературно-художественное издание

Новая русская классика

Варламов Алексей Николаевич

МЫСЛЕННЫЙ ВОЛК

Роман

Заведующая редакцией *Елена Шубина*
Ответственный редактор *Полина Потехина*
Художественный редактор *Елисей Жбанов*
Технический редактор *Надежда Духанина*
Корректор *Екатерина Комарова*
Компьютерная верстка *Елены Илюшиной*

ООО «Издательство АСТ»
129085, г. Москва, Звездный бульвар, д. 21, строение 3, комната 5
Наш электронный адрес: **www.ast.ru**
E-mail: **astpub@aha.ru**

«Баспа Аста» деген ООО
129085, г. Мәскеу, жұлдызды гүлзар, д. 21, 3 құрылым, 5 бөлме
Біздің электрондық мекенжайымыз: www.ast.ru
E-mail: astpub@aha.ru

Қазақстан Республикасында дистрибьютор
және өнім бойынша арыз-талаптарды қабылдаушының
өкілі «РДЦ-Алматы» ЖШС, Алматы қ., Домбровский көш., 3«а», литер Б, офис 1.
Тел.: 8(727) 2 51 59 89,90,91,92
Факс: 8 (727) 251 58 12, вн. 107; E-mail: RDC-Almaty@eksmo.kz
Өнімнің жарамдылық мерзімі шектелмеген.

Өндірген мемлекет: Ресей
Сертификация қарастырылмаған

Подписано в печать 16.07.2015. Формат 84х108 ¹/₃₂.
Печать офсетная. Усл. печ. л. 26,88.
Тираж 2000 экз. Заказ 9484.

http://facebook.com/shubinabooks

http://vk.com/shubinabooks

Отпечатано в ОАО «Можайский полиграфический комбинат»
143200, г. Можайск, ул. Мира, 93.
www.oaompk.ru, www.оломпк.рф тел.: (495) 745-84-28, (49638) 20-685

ISBN 978-5-17-092481-3

9 785170 924813

ИНТЕРНЕТ-МАГАЗИН
shop.ast.ru
shop.ast.ru
А С Т

Евгений Чижов

ПЕРЕВОД С ПОДСТРОЧНИКА

Евгений Чижов — автор романов «Персонаж без роли», «Темное прошлое человека будущего» — сразу был отмечен как артистичный беллетрист, умеющий увлечь читателя необычным сюжетом и необычными героями. В его прозе «все время тлеет какая-то дикая бенгальская огненная свистопляска, брезжит какой-то невероятный скандал», — писал Лев Данилкин.

В романе «Перевод с подстрочника» московский поэт Олег Печигин отправляется в Среднюю Азию по приглашению своего бывшего студенческого товарища, а ныне заметной фигуры при правительстве Коштырбастана, чтобы перевести на русский стихи президента Гулимова, пророка в своем отечестве...

Восток предстает в романе и как сказка из «Тысячи и одной ночи», и как жестокая, страшная реальность. Чужак, пришелец из «другого мира» обречен. Попытка стать «своим», вмешаться в ход событий заканчивается гибелью героя...